Felicity Hayes-McCoy

LE PAGINE MAI SCRITTE DEL NOSTRO AMORE

Romanzo

TRADUZIONE DI
FRANCESCA TOTICCHI

tre60

Per informazioni sulle novità
del Gruppo editoriale Mauri Spagnol visita:
www.illibraio.it

Tre60 è un marchio di
TEA - Tascabili degli Editori Associati S.r.l., Milano
Gruppo editoriale Mauri Spagnol
www.tre60libri.it

Titolo originale
The Library at the Edge of the World

Prima edizione Narrativa Tre60 maggio 2017

LE PAGINE MAI SCRITTE DEL NOSTRO AMORE

A Wilf

Chi andrà a visitare la costa occidentale dell'Irlanda non troverà il Finfarran. La penisola, i suoi abitanti e i personaggi della Londra di Hanna Casey sono soltanto frutto dell'immaginazione dell'autrice.

1

Il cielo turchese rifletteva il colore dell'oceano. Dopo il gradino di pietra dell'uscio, iniziava un campo di arbusti che digradava fino alla scogliera, con un muretto a secco a delimitarne il confine. Oltre il muro, c'erano solo un prato disseminato di fiori rosa di statice e la parete a strapiombo sulle onde. La casa si affacciava sull'oceano, dando le spalle alla strada. Hanna si era dovuta infilare in un garbuglio di rami di salice e aveva dovuto mettere i piedi in una pozza di fango per arrivare alla finestra sul retro, arrampicarsi ed entrare nell'abitazione. Adesso era in piedi sulla soglia, il viso rivolto verso il sole, l'odore di umidità che emanava dalle stanze abbandonate dietro di lei, il profumo della salsedine e l'oceano che infuriava e s'infrangeva contro la scogliera.

Erano passati quarant'anni dall'ultima volta che era stata lì. La casa alle sue spalle non era mai stata accogliente. Ci era vissuta la sua prozia Maggie, una donna smunta coi capelli rossi, che passava il tempo a scacciare le galline e a lagnarsi del prezzo del cherosene. Quando zia Maggie era morta, aveva lasciato la casa a lei, che all'epoca era solo una bambina. Adesso, alla disperata ricerca di un po' di solitudine, Hanna era tornata lì quasi d'istinto, con tanta speranza nel cuore.

Un gabbiano gridò nel cielo azzurro e un usignolo frullò le ali sui rami del salice vicino. L'uscio era disseminato di chiocciole gialle e marroni che sembravano pietre preziose. Era troppo tardi ormai per preoccuparsi delle scarpe décolleté che aveva indossato quella mattina per andare in biblioteca. Incantata dal rumore delle onde, s'incamminò lungo il campo. In alcuni punti l'erba le arrivava ai fianchi e morbidi soffioni le sfioravano i gomiti e le facevano il solletico mentre avanzava verso l'enorme arco del cielo. Il muretto a secco che delimitava il campo aveva ceduto in alcuni punti. Hanna si avvicinò con cautela. Oltre un cespuglio di rovi in fiore e un freezer che stava lì ad arrugginire da chissà quanto, trovò un punto in cui le pietre del muro che erano cadute creavano una specie di panchina affacciata sull'oceano. Le nuvole correvano alte, spinte dal vento, e la schiuma delle onde brillava sugli scogli che affioravano dall'acqua. Hanna si sedette, poggiò i piedi con le scarpe sporche di fango su una piccola distesa di fiori di statice e si mise a fissare la lettera che aveva in mano.

Se in un primo momento vedere quella lettera le aveva causato un tuffo al cuore, adesso si ritrovava lì a esaminarne la carta spessa e pregiata, l'indirizzo, i colori brillanti del francobollo su cui era stato apposto il timbro postale. Rigirandola tra le dita, pensò che in fondo una lettera era solo un mucchio di parole su un foglio di carta. E una bibliotecaria avrebbe dovuto sapere meglio di chiunque altro quanto le parole scritte, trascendendo il tempo e lo spazio, possano cambiare la vita di una persona. Due volte alla settimana guidava il furgoncino della biblioteca ambulante fino ai villaggi isolati e ai paesini di montagna sparsi nella zona, la splendida penisola del Finfarran. Adorava quei lunghi viaggi in mezzo al verde almeno quanto adorava l'idea di portarsi dietro i libri e tutto quello che contenevano. Per millenni, la parola scritta era stata veicolo di sogni, visioni e aspirazioni, per mari e monti. Guidando in mezzo a buche e pozzanghere, Hanna si sentiva quindi partecipe di un processo che, attraverso il tempo e lo spazio, collegava i papiri egizi e le tavolette mesopotamiche ai romanzi, ai dischi e ai libri di ricette che erano stipati nel retro del suo furgoncino. Tra l'altro, quelle ore passate al volante erano una preziosa oasi di libertà e silenzio. Cose di cui lei aveva un disperato bisogno.

Quel giorno la biblioteca era aperta solo per mezza giornata, quindi Hanna aveva chiuso e si era avviata lentamente verso casa, per nulla desiderosa di passare un altro pomeriggio insieme a sua madre. Mary Casey era una donna simpatica, generosa e di gran cuore, ma anche invadente, indiscreta e parecchio incline alla tristezza. Quando c'era ancora Tom, il padre di Hanna, le cose erano molto diverse. Tom, morto dieci anni prima, stravedeva per la moglie e le faceva regali e sorprese di continuo. Hanna si ricordava ancora di una volta in cui, negli anni Settanta, il padre – tutto in tiro col suo bel vestito blu – aveva portato Mary a cena in un albergo di Carrick. Lei sembrava una ragazzina, tutta moine e sorrisini, con un'acconciatura nuova e una collana di perle al collo. Ormai però non c'era più nessuno a viziarla e il suo carattere scontroso aveva preso il sopravvento.

Senza dubbio, al mattino le cose erano molto più tranquille adesso che in casa non c'era più un'adolescente che monopolizzava il bagno, ma era ugualmente dura godersi toast e caffè mentre Mary Casey, regina della colazione tradizionale irlandese, friggeva bacon e sanguinaccio. La guerra della colazione aveva avuto inizio quando Hanna si era presentata a casa della madre insieme a Jazz, la figlia sedicenne in piena ribellione adolescenziale, e con due valigie piene di vestiti gettati dentro alla rinfusa nella fretta di partire. In un primo tempo Hanna, che aveva trascinato via la figlia dalla loro casa di Londra senza neanche una spiegazione ed era piombata dalla madre all'improvviso, aveva cercato di mantenere la pace. Secondo Mary, chiunque abitasse sotto il suo stesso tetto doveva iniziare la giornata con una bella colazione sostanziosa. Jazz, abituata a croissant e succo d'arancia, inorridiva alla vista di uova e pane fritto. Allora Hanna comprava yogurt per lei e rosolava funghi per la madre, cercando frattanto di convertirle entrambe al muesli. Una totale perdita di tempo. La colazione aveva continuato a essere un inferno e, sebbene Jazz ormai ventenne non vivesse più con loro perché lavorava per una compagnia aerea e si era trasferita in Francia, Mary non aveva smesso di preparare la colazione irlandese ogni santa mattina. Così Hanna, alla tenera età di cinquantun anni, si ritrovava a dormire nella stanza degli ospiti della casa di sua madre e a fare un lavoro che non le dava nessuna prospettiva.

Era nata e cresciuta a Crossarra, poco distante da Lissbeg, dove c'era la biblioteca in cui lavorava. La casa della sua infanzia, però, non esisteva più da tempo. Quando lei era ragazzina, suo padre gestiva l'ufficio postale del paese, che comprendeva anche un alimentari e due pompe di benzina. La madre stava alla cassa. I ragazzini passavano il tempo lì dentro a bere limonate e mangiare cioccolata, e la gente che ci andava per spedire una lettera finiva sempre per fermarsi a fare due chiacchiere. Se arrivava un'auto che doveva fare benzina e Tom era impegnato a pesare un pacco o ad aiutare qualcuno a compilare un modulo, Mary gli dava il cambio al bancone e Hanna veniva chiamata a servire i clienti che volevano comprare formaggio o pancetta. Nell'ufficio postale si trovava un po' di tutto: farina, tè, lievito, mele, trappole per topi, biscotti, caramelle, verdura, pile, marmellate. Adesso invece, quando la gente doveva fare benzina o la spesa, andava a Lissbeg oppure guidava per una quindicina di chilometri fino ai supermercati di Carrick, dove se compravi abbastanza pasta o detersivo ti facevano un po' di sconto sulla benzina che serviva per arrivarci.

Negli anni Ottanta, quando ormai Hanna era sposata e

viveva a Londra, il padre aveva venduto il negozio e comprato una casa nuova. Per una coppia di mezz'età abituata a stanze pieni di spifferi, fornelli poco funzionali e finestre scricchiolanti, quelle tre camere e cucina proprio sulla strada principale rappresentavano la casa dei sogni in cui trascorrere la vecchiaia. Aveva una doppia esposizione, il riscaldamento centralizzato, una cucina moderna e, in ogni stanza, un bel lampadario. Hanna, amante delle case di una volta e degli arredi vintage, la detestava. Ogni volta che parcheggiava l'auto nel vialetto, inorridiva alla vista delle pareti rosa e delle tegole azzurre di cui Mary andava tanto fiera. Accanto alla porta c'era un grosso trifoglio smaltato, e il contrasto tra il rosa delle pareti, l'azzurro delle tegole e il verde acceso del trifoglio faceva immancabilmente rizzare i peli sulle braccia ad Hanna.

Vicino all'ingresso c'era anche una cassetta della posta di plastica. Quando l'aveva aperta quel giorno, le era venuto il batticuore alla vista della lettera col timbro postale di Londra e col suo nome sopra: *Hanna Casey, Crossarra, Finfarran, Irlanda.* L'aspettava da una settimana, ma le era preso un colpo ugualmente. Alla fine, si era decisa a prenderla e aprirla, ma se l'era vista sfilare dalle mani un secondo dopo.

Era successo solo un'ora prima. Adesso era seduta in cima alla scogliera, davanti alle onde agitate, e aveva ancora in mano la busta, bagnata dalle sue lacrime di rabbia. Aveva cercato di riprendersela quando le era stata strappata via, ma Mary si era scansata.

«Mamma! Che fai?»

«Come mai c'è scritto Hanna Casey e non signora Turner?»

«Magari perché non sono più la signora Turner? Sono passati tre anni dal divorzio, mamma. È ora che ti ci abitui.»

«Mi ci sono abituata eccome, fidati. Quello che ancora non mi va giù è come hai potuto permettere che accadesse.»

«Non è stata colpa mia. È stato Malcolm a chiedere il divorzio.»

«Dopo che tu sei stata così fessa da dargliene motivo.»

Hanna si era irrigidita. «Mamma, non ne voglio parlare, va bene? Ne abbiamo discusso un milione di volte. L'ho trovato a letto con un'altra, quindi ho preso mia figlia e me ne sono andata. Cos'altro avrei dovuto fare?»

«Avresti dovuto restare dov'eri e fargliela pagare.»

«Non pensavo che...»

«Ah, lo so bene che non pensavi, perché non pensavi neppure quando ti sei fatta mettere incinta dopo appena dieci minuti che lo conoscevi.» Mary era un fiume in piena. «Per non dire di quando mi sei piombata in casa senza preavviso dopo più di vent'anni che vivevi a Londra. Lo sai che ti dico, Hanna Mariah? Sei una povera fessa e lo sei sempre stata.»

«Non chiamarmi Hanna Mariah.»

«Tuo padre ha sudato sangue per farti studiare. Volevamo lasciarti il negozio, ma per te non era abbastanza. La signorina voleva andare a Carrick a fare il corso da bibliotecaria e poi a Dublino e a Londra. Ci ho provato a farti cambiare idea, ma non hai sentito ragioni. Che t'importava? Tanto c'era tuo padre a tirare fuori i quattrini.»

Hanna si era ripresa la lettera e se l'era infilata in borsa, le mani tremanti.

Mary aveva scosso la testa. «Non c'è bisogno che la apri, te lo dico io cosa c'è in quella lettera: un mucchio di chiacchiere da avvocato e neanche l'ombra di un quattrino.»

Hanna aveva cercato di restare calma. Aveva richiuso la borsa e si era girata per andarsene.

Sua madre, però, l'aveva tirata per un braccio e le aveva agitato il dito contro. «Te l'ho già detto e te lo ripeto: ti sei fatta fregare da quell'azzeccagarbugli da strapazzo. Hai rinunciato alla carriera per lui. E non m'importa quanti soldi dà a Jazz, deve darne anche a te, tesoro.»

A quel punto Hanna aveva perso le staffe e afferrato Mary per le spalle. «Accidenti a te, mamma! Devi farti gli affari tuoi!» aveva urlato.

«Santo cielo! Allora sei proprio scema! Hanna Mariah Casey: sei una povera fessa e lo sanno tutti!»

Hanna, suo malgrado, era scoppiata a piangere, poi aveva cercato le chiavi nella borsa ed era salita in macchina. In quel momento aveva un disperato bisogno di silenzio e solitudine, anche se non sapeva dove andare a cercarli. Dieci minuti dopo, si stava facendo strada in mezzo all'erba alta, ai grovigli di rami e al fango per scavalcare la finestra divelta dell'unico posto al mondo che poteva definire suo.

Il problema era che Mary Casey aveva ragione. Nessuna donna di buon senso se ne sarebbe andata di casa così su due piedi o avrebbe detto al marito che le chiedeva il divorzio di non volere nemmeno un soldo. Quello che era successo l'aveva ferita talmente tanto nell'orgoglio, che aveva perso il lume della ragione, ma adesso che la figlia era grande e indipendente, e lei non sopportava l'idea di dover passare il resto della vita in casa con la madre, aveva messo da parte l'orgoglio e aveva scritto a Malcolm, senza dirlo a nessuno. Sicuramente lui avrebbe capito in che situazione si trovava, gli aveva scritto nella lettera. Sicuramente avrebbe trovato ragionevole il fatto che lei gli stesse chiedendo un po' di soldi per prendersi una casetta. Nella periferia di Lissbeg erano stati costruiti alcuni edifici nuovi, gli aveva spiegato, sicura che la cifra che gli chiedeva fosse una bazzecola per lui. L'unica cosa di cui non era sicura era se Malcolm sarebbe stato magnanimo oppure no.

In lontananza, dove i gabbiani giravano in cerchio, una luce brillava in mezzo all'oceano. Nella lettera che Hanna stringeva tra le mani erano contenute le parole che le avrebbero cambiato la vita. Allora fece un respiro profondo, si armò di coraggio e l'aprì.

2

La mattina presto, a Lissbeg, c'era sempre un gran strombazzare di clacson, con le auto e i furgoncini che si contendevano la strada e i negozianti che avanzavano a fatica lungo Broad Street nel tentativo di arrivare al lavoro. Conor McCarthy non ce la faceva a stare in mezzo a quella ressa. La metà delle volte lasciava l'auto a casa e andava al lavoro in Vespa. Era una Vespa autentica, che aveva trovato tramite un annuncio sul giornale e aveva poi rimesso a nuovo con tanto amore. Zigzagare nel traffico di Broad Street non era bello come attraversare le piazzette italiane con le chiese sullo sfondo, ma era ugualmente un discreto vantaggio non dover cercare parcheggio per la sua vecchia Ford.

Lissbeg distava una decina di chilometri dal villaggio di Crossarra. Era attraversata da un unico stradone che si allargava in corrispondenza del centro storico e da cui si diramavano quattro vie più strette. Nel punto in cui la strada era più ampia, lo slargo che una volta aveva ospitato il mercato era adibito a parcheggio; il vecchio abbeveratoio al centro era stato ormai riempito di terra e ogni anno l'amministrazione pubblica ci piantava le petunie. Lo spazio intorno all'abbeveratoio era stato pavimentato, con tanto di panchine, su cui però non si sedeva quasi mai nessuno per via delle macchine parcheggiate da tutti i lati. La madre di Conor diceva che un tempo l'abbeveratoio era stato il punto di ritrovo dei ragazzini che andavano a scuola lì davanti, ma adesso che la scuola era chiusa, di ragazzini non se ne vedevano più in giro.

Di fronte all'abbeveratoio c'era quella che una volta era stata la vecchia scuola femminile, la cui facciata occupava tutto il tratto centrale di Broad Street. La proprietà si estendeva fino alle due stradine laterali che le correvano intorno e comprendeva i vecchi edifici della scuola e il convento delle suore, cui un tempo era affidata la direzione. Quando le suore avevano chiuso la scuola, il consiglio regionale ne aveva dato in affitto alcuni locali, mentre nella lunga sala con le pareti rivestite in legno dove si svolgevano le assemblee scolastiche era stata trasferita la biblioteca, in precedenza ospitata in un prefabbricato del tutto inadatto allo scopo. Gli uffici principali del consiglio si trovavano a Carrick, ma alcuni erano stati spostati a Lissbeg e adesso occupavano le classi al pianterreno della scuola. Nel giardino di cinta delle suore avevano perfino ricavato un piccolo parcheggio. Alla biblioteca e agli uffici si accedeva da un cortile, che era stato anche l'ingresso della scuola. Per entrare nel parcheggio, oltre al passaggio pedonale dal cortile c'era un cancello che dava sulla strada, ma solo chi aveva un posto assegnato disponeva del telecomando per entrare. Miss Casey aveva un parcheggio riservato, con tanto di strisce gialle dipinte a terra e la scritta BIBLIOTECARIA. Conor invece doveva arrangiarsi perché, secondo quelli della biblioteca centrale di Carrick, un dipendente part-time che faceva l'agricoltore come secondo lavoro non poteva essere considerato un vero impiegato comunale. A Conor la cosa non creava problemi, lui era il primo a non considerarsi un impiegatuccio da strapazzo, come diceva suo padre. Era solo uno cui piacevano i libri, e in fin dei conti non era un gran problema riuscire a trovare un posticino per la sua Vespa, ma Miss Casey insisteva ugualmente affinché venisse assegnato anche lui un posto. Secondo Conor, questa insistenza aveva a che fare più che altro col fatto che Miss Casey voleva farsi valere, pretendendo rispetto anche per il proprio assistente. In ogni caso, era un gesto carino da parte sua. E poi, a lui, Miss Casey piaceva davvero. La maggior parte della gente la riteneva una donna arrogante da cui era meglio stare alla larga, ma a conoscerla bene si rivelava una persona carina. Era strano pensare che la biblioteca un tempo era stata la sua scuola e che all'epoca quel posto pullulava di suore. Ne erano rimaste un paio, ormai anziane, che vivevano nel convento, per questo la Chiesa non aveva ancora venduto l'edificio, almeno era quello che diceva Joe, il fratello di Conor. Però i suoi amici non erano d'accordo: certo, l'edificio era enorme, ma ridotto così male che difficilmente qualcuno l'avrebbe comprato. Con le banche che ormai non concedevano più mutui e la provincia piena di edifici nuovi che non si riuscivano a vendere, il vescovo doveva ringraziare il cielo di essere riuscito a stringere quell'accordo col consiglio regionale. Se non altro, in quel modo guadagnava un po' di soldi con l'affitto e c'era qualcuno che arieggiava i locali.

Dopo essere passato davanti alle auto parcheggiate su Broad Street, zigzagando tra macchine e furgoncini, Conor s'infilò nel cortile da cui una volta i bambini entravano a scuola. Le suore invece, secondo sua madre, non avevano mai usato quell'ingresso, ma accedevano al convento da un'entrata privata sul retro. Affisso a quello che era stato il portone della scuola, un cartello recitava:

ORARI DI APERTURA
9.30-17.00
DAL LUNEDÌ AL VENERDÌ

Di solito Conor lasciava la Vespa in un angolo del cortile, a parte il mercoledì, quando venivano portati fuori i bidoni della raccolta differenziata. Quel giorno invece non c'erano, perciò mise la catena al motorino, si sfilò il casco ed entrò in biblioteca.

Amava l'odore di libri che si respirava lì dentro. La maggior parte erano nuovi, ma c'era anche una collezione che era appartenuta alla scuola. Erano rilegati in pelle, con le pagine spesse e consumate e un fragrante profumo di carta e pelle. Gli piaceva toccarli, anche se non nutriva un gran desiderio di leggerli, visto che erano scritti in caratteri minuscoli. Le legature avevano bordi goffrati e decorazioni dorate, coi risguardi abbelliti da volute. Miss Casey li teneva chiusi in un vecchio armadietto a vetri che stava in fondo alla sala, tanto che quasi nessuno li notava mai. Manuali, libri di narrativa, dizionari e via dicendo, erano disposti su scaffali di metallo, ognuno rivestito di una copertina trasparente che veniva pulita con spray detergente ogni volta che qualcuno li riconsegnava dopo averli presi in prestito. Prima di riporli sullo scaffale, bisognava controllare che non ci fossero orecchie alle pagine. La gente lasciava nei libri le cose più assurde. Una volta Conor aveva trovato una fetta di bacon tra le pagine di un romanzo di Maeve Binchy. Quando Miss Casey l'aveva saputo, era andata su tutte le furie e aveva scritto un'email di fuoco in cui diceva che il colpevole, oltre a pagare una multa, avrebbe dovuto procurare alla biblioteca una nuova copia del libro. L'idea che il vecchio Fitzgerald, il macellaio del paese – un ometto con un brutto carattere e il broncio perenne – potesse leggere di nascosto i romanzi rosa di Maeve Binchy, faceva impazzire Conor. Il libro era stato preso in prestito dalla moglie di Fitzgerald, ma non c'erano dubbi che la fettina di bacon venisse dalla macelleria.

Conor e Miss Casey non avevano molto in comune, a parte i libri. Bisognava dire, però, che in generale sembrava che a Miss Casey i libri non piacessero affatto, visto che la maggior parte delle volte non pareva propensa a discuterne. Altre volte invece sorprendeva Conor mostrandogli volumi meravigliosi, come il giorno in cui gli aveva fatto vedere un volume dedicato al Canaletto, dove si potevano ammirare splendidi dipinti di paesaggi italiani. Dopo quella scoperta, Conor aveva cercato su Internet «immagini + Italia» e si era ritrovato davanti moltissime foto e quadri, tra cui lo avevano colpito soprattutto le foto che ritraevano ragazzi in sella ai loro motorini davanti a chiese e piazze bellissime. Era stato allora che aveva deciso di comprarsi una Vespa anche lui.

Dopo aver acceso i computer, Conor andò a farsi un caffè. Miss Casey era già alla sua scrivania, ma pareva accigliata, di conseguenza lui intuì che avrebbe fatto meglio a non disturbarla. Non che gli sbalzi d'umore di lei lo turbassero più di tanto, ormai ci aveva fatto l'abitudine e poi – come diceva sempre sua madre –, se vivi con una come Mary Casey, hai tutto il diritto di essere un po' lunatica. Nell'attesa che il caffè fosse pronto, Conor si mise a dare una pulita al lavandino: visto che la mattina presto non c'era molta gente in biblioteca, tanto valeva fare qualcos'altro. A quell'ora c'era giusto un gruppetto di giovani mamme coi passeggini al seguito, che usavano la biblioteca come luogo di ritrovo: un'altra cosa che Miss Casey non sopportava. Conor si era fatto l'idea che, se solo lei avesse potuto, avrebbe perfino appeso al muro un cartello per intimare il silenzio. Miss Casey odiava i pettegolezzi e vedere quelle donne che chiacchieravano la mandava su tutte le furie. Conor, al contrario, trovava che ravvivassero un po' l'ambiente.

Il fatto era che, a Lissbeg, non esistevano in pratica altri luoghi di ritrovo. Ogni anno qualcuno inaugurava un caffè o una pasticceria dove la gente avrebbe potuto sedersi e chiacchierare. Grazie a qualche prestito, il locale era aperto e ridipinto, venivano piazzati davanti piante e palloncini per attirare l'attenzione, a volte addirittura si acquistavano spazi pubblicitari alla radio o sul giornaletto distribuito gratuitamente negli alberghi e nei bed and breakfast della penisola. Ciò nonostante, la maggior parte dei turisti passava da Lissbeg senza neanche fermarsi e la gente del posto, come la mamma di Conor, non poteva permettersi di sedersi a un tavolino e spendere una fortuna per mangiare stuzzichini biologici. Alla fine, quindi, il locale finiva per cedere alla molto più economica colazione irlandese, magari con toast e bevanda in omaggio. In ogni caso, nel giro di poco tempo i soldi finivano, l'attività falliva e sulle vetrine compariva l'ennesima lista di mobili in svendita.

Ogni volta che Conor partecipava alla festa d'addio dell'ennesimo amico che andava a cercare fortuna altrove, lui ringraziava il cielo per quel lavoro in biblioteca. Era solo part-time, ma almeno era sicuro e permetteva alla sua famiglia di non rinunciare alla fattoria. Il padre di Conor, Paddy McCarthy, si era fatto male alla schiena tanti anni prima: riusciva ancora a rendersi utile, ma del lavoro pesante dovevano occuparsi i due figli, Conor e Joe. Tra l'altro gli introiti della fattoria non erano sufficienti per sfamare tutti e, se non fosse stato per l'impiego in biblioteca, Conor sarebbe stato costretto a emigrare e a lasciare che la terra dei McCarthy venisse svenduta a chissà chi. Era un sollievo poter tirare avanti, almeno per un altro po', e magari col passare del tempo, se la situazione a casa fosse migliorata, Conor avrebbe potuto permettersi di prendere la qualifica da bibliotecario e cercarsi un posto full-time. Non c'era nulla di certo di questi tempi e, come diceva sempre suo padre quand'era di cattivo umore, bastava una parola dello scribacchino di turno per mandare in fumo i sogni della gente.

3

Hanna era seduta nella sala d'attesa dell'aeroporto, la valigia a terra e gli occhi fissi sulla lettera di Malcolm. Quella disgraziata di sua madre non si era sbagliata nemmeno stavolta: la lettera, spedita dallo studio dell'ex marito e battuta al computer dalla segretaria, era infarcita di frasi in avvocatese. E la risposta alla richiesta di Hanna era stata inequivocabile: al momento di stipulare gli accordi per il divorzio, lei era stata molto chiara e ormai la questione era chiusa.

Hanna schiumava di rabbia. Sì, certo, era stata lei ad andarsene e a lasciare Malcolm, ma lui, coi suoi tradimenti e le sue bugie, non le aveva lasciato scelta. E, a differenza di Mary Casey, che al posto della figlia gli avrebbe sfilato fino all'ultimo quattrino, lei gli stava solo chiedendo la possibilità di andare a vivere in una casa per conto suo. Malcolm poteva permettersi di aiutarla. E glielo doveva. Quando si erano conosciuti a Londra, avevano entrambi vent'anni. All'epoca lei sognava ancora di lavorare in una biblioteca d'arte, mentre lui stava già facendo carriera grazie anche all'elevata istruzione ricevuta e all'ineccepibile estrazione sociale. Ma il suo successo l'avevano costruito insieme, anche se Malcolm adesso faceva finta di niente. L'edificio alto e stretto che Hanna aveva trovato per il loro nido d'amore si affacciava su una piazza in una zona di Londra piuttosto dimessa, ma di cui chiunque avesse avuto buon occhio avrebbe intuito le potenzialità. Era una costruzione in stile tardo georgiano, con la facciata in stucco, uno stretto corridoio d'ingresso e una bella scalinata che portava al primo piano, dove c'erano le varie stanze. Hanna aveva ingaggiato un architetto e un'impresa edile, che avevano riportato la casa all'antico splendore, rimuovendo strati e strati di carta da parati e vernice, buttando giù pareti divisorie e riportando alla luce gli stucchi dei soffitti. Lei aveva voluto dei fornelli a nafta in cucina e una veranda con un graticciato per i peri sul retro. Per mesi aveva perlustrato i robivecchi della zona in cerca di vasche e stufe in ghisa, lavelli vintage e pomelli di cristallo. Le camere da letto erano state tappezzate con carta da parati decorata a mano, mentre la sinuosa ringhiera di mogano era stata scartavetrata e tirata a lucido con cera d'api. C'era voluto quasi un anno per finire i lavori, e quando finalmente si erano trasferiti, Hanna ne era già innamorata persa. La prima sera passata lì insieme, lei e Malcolm avevano vagato di stanza in stanza tenendosi per mano, finché non erano arrivati nella loro camera da letto, dove Hanna aveva scelto una biancheria sui toni del grigio che si abbinava alle pareti color verde salvia. Aprendo la porta, aveva trovato sul comodino una bottiglia di champagne in un secchiello d'argento in stile georgiano, ed era rimasta così sorpresa che Malcolm era scoppiato a ridere.

«Non è perfetto? Dovrebbe armonizzarsi col resto della casa.»

E infatti era così: perfetto. Versandole da bere, lui le aveva ripetuto che l'amava e quella sera, abbracciati nello stesso letto in cui poi l'avrebbe trovato con Tessa, Hanna si era sentita più felice che mai. Anni dopo, facendo due conti, avrebbe scoperto che la relazione con quella donna, che peraltro era un'amica di famiglia, doveva essere iniziata quando lei stava scegliendo la biancheria per la camera da letto.

Il gate del volo apparve sullo schermo e Hanna tornò

a guardare la lettera che aveva in mano. L'indirizzo del mittente era una dimostrazione del successo e dell'importanza dello studio associato in cui lavorava il suo ex marito e la posizione del nome di Malcolm nell'intestazione indicava la sua superiorità in grado, per la qual cosa si era tanto dato da fare negli anni di matrimonio. Hanna infilò la lettera in borsa e si alzò, dirigendosi verso il gate indicato. La questione era chiusa, secondo Malcolm, e invece era arrivato il momento di riaprirla.

L'ispirazione le era venuta tre giorni prima, mentre leggeva la lettera seduta su quel muretto davanti all'oceano. Avrebbe dovuto saperlo che, scrivendo al marito, si sarebbe fatta del male da sola. Quella lettera, che le era costato parecchio redigere, aveva scalfito il suo orgoglio e fiaccato la sua sicurezza già debole, mentre per lui risponderle era stato una bazzecola. E se avesse deciso di scrivergli di nuovo, le cose sarebbero peggiorate ulteriormente. Per anni lo aveva sentito vantarsi delle soddisfazioni che si ottenevano nel logorare il proprio avversario. «Basta sfinirlo. L'unico modo per essere un vincente è far sentire stupido il tuo avversario», diceva Malcolm facendole l'occhiolino mentre mangiavano aragoste o carne di cervo ricevute in regalo da qualche cliente riconoscente. Era sempre stata quella la sua strategia. Perciò, seduta in cima a quella scogliera, davanti alle onde argentate e ai gabbiani che volavano in cielo, Hanna decise che anche lei avrebbe usato la stessa strategia. Così aveva preso il telefono, digitato a memoria il numero dello studio di Malcolm e parlato alla sua segretaria con tono fermo.

«Esatto. Proprio la signora Turner, l'ex moglie dell'avvocato. Gli riferisca che lo aspetto sabato al Parsons Hotel di Mayfair.»

Si era accorta che la ragazza aveva trattenuto il respiro nel sentirla parlare, ma Hanna era andata avanti lo stesso, senza farsi troppi problemi.

«Ha preso nota? Grazie. E riferisca al signor Turner che l'appuntamento è alle tre e un quarto.»

Riagganciando trionfante, aveva strizzato l'occhio a un gabbiano. Non solo non aveva dato modo alla segretaria di replicare, ma fissando l'appuntamento alle tre e un quarto aveva lasciato intendere che il suo tempo era talmente prezioso da doverlo misurare in quarti d'ora.

Sull'aereo per Londra, una bella ragazza che avrebbe potuto benissimo essere Jazz le servì un tè. Dopo averne bevuto qualche sorso, Hanna abbandonò il bicchiere sul tavolino, posizionandolo il più lontano possibile, finché non passarono a ritirarlo. Non sarebbe stato il massimo presentarsi in un albergo a cinque stelle ustionata e col vestito macchiato.

Indossava un vestito color vinaccia di una bella lana morbida, con le maniche a tre quarti e il collo alto. Il giorno in cui aveva lasciato Malcolm ed era scappata in fretta e furia in Irlanda, lo aveva infilato in valigia senza neanche farci caso. A Londra si era sempre vestita alla moda e nel cottage in Norfolk dove lei, Malcolm e Jazz passavano i fine settimana, aveva armadi pieni di jeans, magliette, pullover di cachemire, sciarpe firmate e scarpe da barca. Eppure si era presentata alla porta di Mary Casey con un ridicolo assortimento di vestiti che non le sarebbero tornati utili in nessuna occasione, soprattutto a Crossarra, e che ormai erano finiti in beneficenza già da un pezzo. Per fortuna, però, aveva avuto il buon senso di conservare due o tre capi di pregio che si era portata dietro. Il vestito che indossava quel giorno le avrebbe fatto fare un figurone; e con l'aiuto di un paio di forcine e un po' di lacca era riuscita a raccogliere i capelli scuri in un grazioso chignon alla francese. Dopo essersi sistemata l'acconciatura, si era guardata nello specchio del bagno delle signore. Non era certo Audrey Hepburn, ma in un albergo di Mayfair non avrebbe sfigurato. Ovviamente, prima di entrare, avrebbe dovuto togliersi il cappotto da poco che aveva comprato in un grande magazzino.

Quando l'aereo atterrò, a Londra pioveva. Hanna prese la metro fino in città e poi risalì in superficie, dove le strade erano tutte bagnate. Vide passare un taxi con la luce accesa e gli fece segno di fermarsi. Era fondamentale tenere bene a mente il suo scopo. Avendo speso un patrimonio per voli e albergo, i soldi del taxi sarebbero stati bazzecole. E avrebbero fatto la differenza: arrivando a bordo di un taxi non solo avrebbe evitato di rovinarsi i capelli e lo chignon e di diventare una versione allucinata e scarmigliata di Barbra Streisand, ma avrebbe indotto quelli dell'albergo ad andarle ad aprire la portiera. Hanna, la portiera, sapeva aprirla benissimo da sé, ma in quel momento doveva cercare di darsi un tono, perché doveva incontrare Malcolm e aveva bisogno di sentirsi sicura di sé. Sempre che Malcolm si presentasse, in realtà. Le si contorcevano le budella al pensiero che lui avrebbe potuto non palesarsi. Il taxi arrivò davanti al Parsons Hotel e un concierge in uniforme corse subito alla portiera con un grande ombrello aperto in mano. Hanna fece un respiro profondo, scese dall'auto e marciò decisa verso l'entrata dell'albergo.

4

Non succedeva spesso che Conor avesse del tempo libero nei fine settimana, ma quando capitava gli piaceva restare a casa a trafficare con la Vespa o a rilassarsi davanti alla televisione. Quel pomeriggio, però, il suo amico Dan Cafferky gli aveva mandato un messaggio invitandolo a prendere un caffè a Lissbeg con un paio di amiche. Andare in città implicava doversi fare una doccia e rendersi quantomeno presentabile, ma di certo era una prospettiva preferibile rispetto a quella di guardare un vecchio film con Harrison Ford insieme alla madre, che avendo occupato per prima il divano reclamava il controllo del telecomando.

Bríd Carney era stata compagna di scuola di Dan e Conor, mentre sua cugina Aideen era più piccola di loro di un paio d'anni. Conor non vedeva Bríd da tantissimo tempo. Era tornata da poco a Lissbeg. Aveva seguito un corso di cucina e adesso, insieme alla cugina, gestiva un piccolo locale di specialità gastronomiche che stava proprio di fronte alla biblioteca. Lo avevano chiamato La Merceria, perché in precedenza lì c'era stato un negozio che vendeva articoli da cucito. Secondo Bríd se la cavavano, ma non si poteva dire che il locale andasse a gonfie vele. E infatti, quando Dan e Conor arrivarono, non c'erano avventori; se non altro, questo significava che avrebbero potuto sedersi e fare due chiacchiere. Aideen non avrebbe voluto farli pagare, ma Dan le disse di non fare la sciocca. Anche lui aveva un'attività che non andava benissimo, però un latte macchiato poteva ancora permetterselo. Più o meno. Dan organizzava escursioni in barca lungo la costa nord della penisola, tuttavia di clienti se ne vedevano davvero pochi.

Si sedettero a un tavolino, con Dan che chiacchierava di *whale watching* e Bríd che si teneva pronta a tornare dietro il bancone in caso di bisogno. Ormai c'erano tantissimi turisti fissati con l'ambiente, ma il fatto che non ci fossero strade decenti per raggiungere chi organizzava quel tipo di servizi era un grosso ostacolo. Secondo Bríd il vero problema era quella dannata superstrada che era stata costruita per collegare direttamente Carrick a Ballyfin e lungo la quale in pratica non esisteva un limite di velocità da rispettare, con la conseguenza che i turisti sfrecciavano via senza nemmeno accorgersi dei bellissimi posti che li circondavano. Visto che né la fattoria né la biblioteca erano legate alla presenza di turisti, o meglio alla loro assenza, Conor se ne rimase in silenzio ad ascoltare gli altri. Gli pareva di ricordare che ai tempi della scuola Dan e Bríd avessero avuto una storia, ma evidentemente la cosa era superata, dato che i loro discorsi ormai erano tutt'altro che sdolcinati: non si parlava che di come tirare avanti e ricavare margini di profitto. Aideen era determinatissima: quel locale doveva funzionare.

«Che sia chiaro: non è che io mi rifiuti categoricamente di trasferirmi altrove, ma voglio che sia una mia scelta. E io ho deciso che è qui a Lissbeg che voglio vivere.»

Dan si versò una bustina di zucchero nel latte macchiato. «Io ho vissuto per un anno in Australia, ma sono tornato perché voglio stare qui. Poi però penso a mio padre e a mia madre, che lavorano come matti per gestire contemporaneamente l'ufficio postale e l'internet café, e nonostante tutto riescono a malapena ad arrivare a fine mese. Quanto al mio lavoro, non ne parliamo: ho un'attività che dovrebbe funzionare coi turisti, ma i turisti non ci sono perché non riescono a trovarmi. E le poche volte che ci riescono, io non sono disponibile perché per cavarmela sono costretto ad arrangiarmi facendo altri lavoretti.»

«Forse dovresti crearti un sito internet o comunque renderti visibile in rete in qualche modo.»

«Hai provato a chiedere una mano al consiglio regionale o all'ente per il turismo?»

«Figurati, quelli si sbattono solo per chi sta a Ballyfin.»

Era una vecchia storia, quella, ma Bríd scosse la testa e disse che lamentarsi non serviva a niente. «Senti, le tasse le paghiamo anche noi. E poi vuoi sapere come la penso? Se non chiedi non ottieni.»

«Sì, ma lo sai cosa mi dà fastidio più di tutto?» la interruppe Dan. «Che a nessuno interessa la nostra opinione. Parlo di quelli che comandano. Non c'è una volta che qualcuno venga a dirti: ascolta, abbiamo questo piano, perché non ci dici cosa ne pensi?»

Bríd e Conor annuivano, Aideen invece commentò che secondo lei non era vero. A Carrick aveva visto dei manifesti che annunciavano una consultazione pubblica in cui si sarebbe parlato dei finanziamenti del prossimo anno per tutta la penisola e i cittadini avrebbero potuto ascoltare le proposte. Dan le scoppiò a ridere in faccia, dicendo che quella era solo una fregatura, che finiva sempre così. Era tutta una questione di tangenti, o almeno era quello che diceva suo padre. Aideen arrossì e se ne tornò dietro il bancone. Vedendola che armeggiava tutta imbarazzata coi piatti nel lavandino, Conor si dispiacque per lei. Dopotutto, era stato Dan a tirare fuori la questione. Avrebbe voluto dargli un calcio sugli stinchi, ma ormai era troppo tardi. E probabilmente Aideen non l'avrebbe nemmeno ringraziato per il gesto: era timida e non le sarebbe piaciuto che lui alzasse un polverone.

Più tardi, mentre se ne tornava a casa in sella alla sua Vespa, Conor pensò che su una cosa Dan Cafferky aveva ragione: i finanziamenti per il turismo nel Finfarran venivano investiti tutti su Ballyfin. Dal piccolo villaggio di pescatori che era stata, Ballyfin si era trasformata in una gettonatissima meta turistica per ricconi e divi del cinema, che passeggiavano per le sue stradine strette e mangiavano e bevevano champagne nei suoi ristoranti alla moda in riva al mare. A causa della posizione isolata, proprio sotto le Knockinver Mountains e sulla punta occidentale della penisola, veniva pubblicizzata come la perla d'Irlanda, quando invece gli abitanti del resto della penisola la consideravano il posto più brutto del mondo. Era come aveva detto Aideen: grazie alle ottime indicazioni stradali e al mucchio di soldi spesi per la manutenzione, la strada diretta da Carrick a Ballyfin oscurava tutte le stradine di campagna che da essa si diramavano. Erano stradine dove i turisti non passavano, anche perché avrebbero dovuto percorrerle a bordo di un trattore. La verità era che le vere perle del Finfarran erano i campi, le foreste e le scogliere che si estendevano a sud e a nord della penisola, zone di fattorie e villaggi isolati. Esattamente quelli che Miss Casey serviva col furgoncino della sua biblioteca ambulante: comunità di cui, per quanto ne capiva Conor, i burocrati da strapazzo dell'ente del turismo ignoravano quasi del tutto l'esistenza.

5

Hanna si registrò alla reception dell'albergo come «signora Turner», poi prese la chiave e salì in camera. Sforzandosi d'ignorare il fatto che qualsiasi cosa ci fosse sul menu costava più di un'intera settimana di pranzi al sacco in biblioteca, chiamò il servizio in camera e ordinò un sandwich e un tè.

«Darjeeling o China, signora?»

«Earl Grey», rispose, decisa. Se doveva incontrare Malcolm alle tre e un quarto, allora era il caso di esercitarsi a essere assertiva. Nella risposta alla sua lettera, lui si era mostrato irremovibile, ma forse, parlandogli di persona, lei sarebbe riuscita a farlo ragionare.

L'ex marito aveva sempre avuto un carattere dominante. Ora Hanna se ne rendeva conto. Louisa e George Turner avevano investito sul futuro del loro brillante e fascinoso erede, e lo avevano cresciuto spingendolo a mirare sempre in alto. I genitori di Hanna, invece, erano stati presi alla sprovvista dalle ambizioni della figlia. Tom le aveva pagato volentieri gli studi a Carrick e le aveva infilato in tasca un mazzetto di banconote da cinque sterline quando era partita per Dublino, dove lei aveva trovato il primo lavoro come bibliotecaria. E quando Hanna aveva comunicato la sua decisione di trasferirsi a Londra, il padre le aveva augurato buona fortuna, mentre Mary aveva strappato la cornetta dalle mani del marito per dirle che era colpa sua se Tom stava perdendo la salute. Hanna stava per riagganciare ma il padre si era reimpossessato del telefono e le aveva detto: «Non starla a sentire, tesoro. Siamo molto contenti per te. È solo che Londra è lontana».

«Lo so, papà, ma è una gran cosa che io sia stata accettata in questa università. Un giorno potrei trovare lavoro in un museo. Ed è quello che ho sempre sognato.»

Era proprio così. I quadri erano stati il primo amore della sua vita. I libri erano venuti dopo. Da piccola non le interessava granché leggere, anche perché gli unici libri che c'erano in casa loro erano una vecchia Bibbia e una biografia di John F. Kennedy. Era stato grazie a un quadro che la sua immaginazione aveva preso il volo.

Nel dipinto a olio era raffigurata una tenuta di campagna del Settecento. In primo piano c'era un ragazzo con un cappello a tre punte, un soprabito giallo, calzoni al ginocchio, un bellissimo panciotto ricamato. Posava la mano sul muso di un cavallo imbrigliato a un calesse su cui sedeva una giovane donna che teneva in braccio un bambino e aveva le guance e i riccioli incipriati e una gonna trapuntata. Sebbene all'epoca fosse ancora solo una ragazzina, Hanna aveva intuito lo spirito trionfante di quel quadro. C'era anche uno stalliere, ma le redini del cavallo le reggeva il padrone, così orgoglioso di ciò che aveva, da non risultare affatto arrogante agli occhi dello spettatore. A ripensarci, Hanna capì che ad averla colpita in quel quadro era stato l'ingenuo connubio di materialismo e romanticismo che ispirava.

Il quadro ritraeva due giovani poco più grandi di lei che vivevano in un posto meraviglioso, immersi in un contesto in cui regnava l'armonia famigliare. Era evidente che si amavano e che tutto ciò che li circondava era loro. Ad Hanna, cresciuta in un appartamentino sopra l'ufficio postale di Crossarra, quel quadro lasciava intravedere possibilità incredibili.

La prima volta lo aveva visto su un volantino in cui si pubblicizzava una mostra di pittura. Lo aveva trovato in un libro preso in prestito dalla biblioteca perché l'insegnante voleva che lo leggesse. Il libro era noioso e la mostra era già finita da un pezzo, ma quel quadro l'aveva conquistata. Quello stesso anno, durante le vacanze estive, Hanna aveva convinto il padre a portarla a Dublino per visitare la National Gallery. Avevano girato per un'ora senza riuscire a trovare il quadro in questione, ma alla fine della visita lei aveva scoperto di avere una passione per l'arte. Sapeva benissimo di non possedere talento per la pittura o il disegno, ma c'erano persone che si occupavano di arte senza essere necessariamente artisti: quelli che curavano le mostre, quelli che scrivevano le targhette sotto i quadri e le statue, quelli che si occupavano dei cataloghi. Anche lei avrebbe potuto fare un lavoro del genere. In seguito aveva scoperto che nei grandi musei c'erano anche le biblioteche, e allora ogni cosa era andata al suo posto: avrebbe studiato per diventare bibliotecaria e trovare lavoro in un museo. Così avrebbe passato il resto della vita in mezzo a quadri che facevano brillare gli occhi e mandavano in estasi, e libri meravigliosi che spiegavano tutto di quei dipinti.

Non era stato solo l'aver capito qual era il lavoro dei suoi sogni a mandarla in visibilio, ma il pensiero che un giorno, in qualche posto oltre i confini del Finfarran, avrebbe potuto avere il genere di vita che era ritratto in quel quadro: una casa perfetta, un uomo perfetto, una famiglia perfetta. Adesso, però, ripensando ai due giovani del quadro, spavaldi come qualsiasi coppia del ventunesimo secolo che posti foto su Facebook, vedeva in loro soltanto fragilità: la nave mercantile dispersa in mare, la banca fallita, l'asilo insidiato dai germi, i pericoli che si potevano correre in una sala parto, i soldi persi al gioco o sperperati per un'amante, la solitudine di una moglie prigioniera in una casa in campagna mentre il marito andava a divertirsi in città.

Qualcuno bussò alla porta della sua camera d'albergo, ridestandola dai suoi pensieri. Era il servizio in camera. Il cameriere sistemò la sua ordinazione sul tavolino accanto alla finestra e Hanna si guardò intorno: mentre lei era nella sobria eleganza di quella camera d'albergo in una tranquilla stradina di Londra, Mary Casey era probabilmente sulla corriera per andare a fare la spesa a Carrick. Il cameriere se ne andò, chiudendosi la porta alle spalle, e Hanna guardò il suo sandwich al pollo. Come contorno c'erano un'insalata di foglie di barbabietola, spinaci e noci, il tutto servito in un piatto di porcellana. Di fianco, coltello e forchetta d'argento avvolti in un tovagliolo damascato. Si era abituata a quel genere di trattamento durante gli anni di matrimonio con Malcolm ma, come sua madre non perdeva mai occasione di ricordarle, lei proveniva da tutt'altro ambiente. La vita con Malcolm era molto diversa anche da quella che aveva fatto i primi tempi in cui si era trasferita a Londra a studiare. Aveva trovato una stanza a Paddington in un appartamento che condivideva con altre tre ragazze ventenni. Insieme andavano alle mostre, guardavano le vetrine di King's Road, bevevano birra nei pub vicino al fiume e mangiavano spaghetti nei ristorantini italiani di Soho. Lucy, che era la più grande e lavorava come sous-chef, si divertiva a cucinare per le altre, tutte ancora studentesse come Hanna. L'appartamento, al quarto piano di un sudicio palazzo in stile vittoriano, aveva un balconcino in cucina. D'estate si mettevano lì fuori a prendere il sole e a bere vino intorno a un tavolo traballante, con Diana Ross in sottofondo che cantava *Endless Love* alla radio e l'odore di smog che si mescolava a quello di Ambre Solaire.

Hanna e Malcolm si erano conosciuti nel ristorante in cui lavorava Lucy. Le coinquiline di Hanna avevano organizzato una cena lì per il suo compleanno e Lucy aveva offerto una torta gelato. Quando i camerieri l'avevano portata al tavolo intonando la canzoncina di auguri, tutto il ristorante aveva applaudito e i ragazzi seduti vicino a loro avevano offerto alle ragazze una bottiglia di champagne e avevano finito per unirsi a loro. Così era cominciato tutto. Nel giro di qualche settimana, Malcolm e Hanna si erano messi insieme e, un mese dopo, erano saliti in auto un sabato mattina e lui l'aveva portata nel Kent dai suoi genitori, che vivevano in una villa con un grande giardino e perfino un campo da tennis. Louisa, la madre, li aspettava nell'androne, dove c'era un caminetto ornato d'intagli con un vaso di gigli nel focolare. Mentre Malcolm parcheggiava l'auto, sua madre aveva condotto Hanna nel salotto e l'aveva fatta accomodare in una poltrona vicino alla portafinestra. Louisa era stata molto carina e ad Hanna era piaciuta subito. Stavano parlando di come lei e Malcolm si erano conosciuti quando lui era entrato nella stanza intromettendosi nella loro conversazione.

«Caso? Non credo proprio. L'ho notata appena ha messo piede in quel ristorante e ho capito subito che sarebbe stata mia!»

Avevano riso tutti, Hanna compresa. All'epoca l'assertività e la sicurezza di Malcom non la disturbavano, interpretava quel suo modo di fare come un'attenzione speciale nei suoi confronti, non come prepotenza. E anche se a stregarla erano state le maniere galanti e il fascino, lei restava pur sempre la figlia di Tom Casey, cresciuta a Crossarra dietro il bancone di un negozio e in mezzo a persone che non si facevano fregare facilmente. Sapeva che Malcolm non era solo bello, ma anche intelligente e coraggioso; era un uomo interessante e un gran lavoratore che teneva molto ai suoi genitori.

E sapeva che lui l'amava. Quando tre mesi più tardi aveva scoperto di essere incinta, di certo il suo primo pensiero non era stato il matrimonio. Anzi, avrebbe voluto abortire e lo aveva detto a Malcolm solo perché riteneva giusto che lui lo sapesse. A quella notizia, però, Malcolm era impazzito di gioia, l'aveva abbracciata e aveva chiamato subito i genitori per dare loro la notizia. Hanna era rimasta sbalordita.

«Com'è possibile che non si siano arrabbiati?»

«Perché se io sono felice, sono felici anche loro.» Poi si era messo in ginocchio e le aveva preso le mani. «Allora vuoi sposarmi?»

«Non lo so.»

«Ti prego, Hanna. Facciamolo. Io ti amo, voglio prendermi cura di te, voglio crescere insieme nostro figlio ed essere felici.»

«Sei sicuro?»

«Che voglio essere felice?»

«No, stupido, sei sicuro che siamo fatti per stare insieme? Non abbiamo mai parlato di matrimonio. Insomma, niente di tutto questo era programmato.»

«Parla per te, signorina Casey. Io ho sentito le campane non appena ti ho visto.»

«E quindi avresti rotto apposta il preservativo per raggiungere il tuo scopo?»

Malcolm sorrise. «No, quello è stato davvero un caso. Ma avrei dovuto pensarci, in effetti. Non lo avresti mai scoperto.»

Hanna allora si era messa a ridere e si era chinata per baciarlo. Solo a distanza di tanti anni, si rendeva conto che quel giorno avevano scherzato su un aspetto centrale del carattere di Malcolm: era cresciuto con la convinzione che fosse suo diritto avere ciò che voleva e, per ottenerlo, il suo istinto lo portava a manipolare tutto e tutti.

Le cose erano andate diversamente quando era toccato ad Hanna chiamare i genitori per dare la notizia del fidanzamento. Mary Casey aveva una specie di radar per le gravidanze, non importava quanto fosse lontana la persona interessata.

«Oh, Dio santo onnipotente, Hanna Mariah, hai combinato proprio un bel guaio. Gliel'avevo detto io, a tuo padre, che questa storia di voler studiare per diventare bibliotecaria non avrebbe portato nulla di buono.»

Hanna aveva dovuto sorbirsi tutti gli improperi della madre, prima che il padre prendesse il telefono.

«Ma è tutto a posto, tesoro? Stai bene?» Perché se lei stava bene, lui era pronto anche a bersi la storia che non c'erano bambini in vista. Ed era pronto a chiudere il negozio e andare a nuoto in Inghilterra per dare una lezione a chiunque si fosse permesso di renderla infelice.

L'amore di suo padre l'aveva commossa, mentre la reazione della madre l'aveva fatta infuriare.

«E i tuoi grandi sogni di carriera che fine hanno fatto? Con un bambino in grembo e un marito cui badare, vedrai quanti musei e mostre d'arte ti aspettano, cara mia», le aveva detto Mary.

Una settimana dopo o poco più, Hanna si era trasferita da Malcolm in un grande appartamento vicino a Sloane Square. L'appartamento era del cugino, che però glielo dava in affitto per pochi spiccioli.

«È una proprietà di famiglia. Il nostro bis-bis-bisnonno lo ha comprato quand'è stato costruito l'edificio.»

«E tuo cugino dove vive?»

«Vicino ai miei. Lo conoscerai presto. Anche lui ha un pied-à-terre a Londra, ma è più vicino al posto dove lavora.»

Per Hanna, il fatto che una famiglia avesse tutte quelle case sparse qua e là era incredibile. E l'appartamento in cui stavano era anche molto carino, con due camere da letto, un salotto che dava su un terrazzo e una cucina. C'era anche la donna delle pulizie, che una volta a settimana veniva a fare il bucato e a stirare. Al terrazzo si accedeva da una grande portafinestra. Nell'appartamento di Paddington che Hanna condivideva con le sue amiche, per uscire sul balconcino in cui mangiavano, studiavano e chiacchieravano dovevano scavalcare una finestra a ghigliottina così alta che per arrivarci bisognava salire su uno sgabello.

I primi tempi aveva continuato ad andare a lezione, ma era estate piena e a Londra si moriva di caldo. Per ben due volte si era sentita male in metropolitana e il personale della stazione aveva dovuto chiamare un'ambulanza. Di andarci in taxi non se ne parlava, non c'erano mezzi pubblici diretti e a piedi non era fattibile. Alla fine, avendo dovuto saltare un intero modulo di lezioni, Hanna aveva deciso che per il momento si sarebbe ritirata e avrebbe ripreso gli studi l'anno successivo. Quando era uscita dall'ufficio del suo tutor, lui l'aveva guardata con aria scettica.

Ormai non ricordava più se fosse stato Malcolm o sua madre a volere che si sposassero nel Kent. A lei importava solo che, almeno per quel giorno, Mary Casey restasse al posto suo. Si era preoccupata quando aveva capito che i Turner volevano che la cerimonia si svolgesse in una deliziosa cappella medievale del loro paese, mentre i suoi genitori si aspettavano che la messa si celebrasse nella chiesa cattolica lì vicino. Per fortuna, George e Louisa erano stati comprensivi e avevano organizzato tutto in modo che ci fossero auto disponibili per portare gli ospiti dalla casa alla chiesa e viceversa. La ciliegina sulla torta l'aveva messa Malcolm, che aveva fatto una gran sviolinata al prete invitato da Louisa per parlare della cerimonia. La bellissima casa dei Turner e il garbo di Louisa avevano permesso che il religioso chiudesse un occhio sul fatto che i futuri sposi non avevano frequentato il corso prematrimoniale. Sarebbe stato felice di sposarli e onorato di partecipare al ricevimento, aveva detto accettando una fetta di Battenberg cake. Quando poi era andato via, portandosi una bottiglia di porto donatagli da George, Hanna aveva pensato che forse a quelle condizioni avrebbe accettato di sposarla anche a un seguace del culto degli alberi.

Il giorno delle nozze era passato in un baleno. All'inizio i suoi genitori erano stati un po' in imbarazzo, ma poi George si era messo a chiacchierare con Tom, e Mary aveva fatto amicizia con una zia di Malcolm che, come lei, pensava che un matrimonio non era un vero matrimonio se non si ballava. Quando avevano scoperto che non ci sarebbe stata musica dal vivo, si erano messe in un angolino a canticchiare e a chiacchierare. Finita la festa, Hanna era andata a sedersi in terrazza coi piedi sul tavolino e Malcolm l'aveva raggiunta con due bicchieri di champagne.

«Lo so che non vuoi bere, ma prendine solo un sorso. Voglio brindare al nostro amore e alla nostra vita insieme», le aveva detto, mettendole il bicchiere in mano.

Hanna aveva scosso la testa. «Se bevo, mi sento male. E poi non dovrei proprio, considerato il mio stato.»

«Soltanto un sorso. È il nostro matrimonio.» Poi, avvicinando il bicchiere al suo, aveva detto: «Brindo a te, a me e a nostro figlio».

Hanna si era commossa, forse anche per colpa degli ormoni, e con gli occhi pieni si lacrime, aveva alzato il bicchiere e bevuto un sorso. Sorridendo al marito, aveva quindi ripetuto le parole di Malcolm. «A te, a me e a nostro figlio.»

Adesso, quasi trent'anni dopo, seduta al tavolino davanti alla finestra in una camera del Parsons Hotel di Mayfair, Hanna ripensò a quel momento: era così sicura dell'amore di Malcolm che negli anni a seguire non l'aveva mai messo in dubbio. Chissà, forse le cose sarebbero andate diversamente, forse sarebbero stati ancora sposati, se lei non avesse perso il bambino due mesi dopo il matrimonio.

6

Alle due, Hanna aveva già mangiato il sandwich, fatto la doccia e risistemato i capelli. A quel punto chiamò il servizio in camera per far portar via il piatto. Dieci minuti dopo, ordinò un altro tè. Stavolta, quando le chiesero se preferiva tè cinese o indiano, avrebbe tanto voluto rispondere che glielo portassero bello forte e con una valanga di zucchero, come piaceva tanto a suo padre. Per i Casey era sempre stato un sollievo nei momenti di stress, e adesso Hanna moriva dalla voglia di assaporare il gusto dolce e tannico di quel tè che, come diceva sua madre, macchiava indelebilmente i pentolini e non si riusciva più a pulirli.

Nel caso avesse avuto tempo per leggere, si era portata dietro uno dei romanzi sul commissario Wallander, ma riuscire a concentrarsi sui crimini commessi nella cittadina di Ystad non le pareva fattibile in quel momento, perciò si sedette a bere il suo tè mentre guardava fuori della finestra. Mezz'ora dopo, alle tre e un quarto in punto, squillò il cellulare che aveva poggiato sul tavolo. Rispose.

«Hanna?»

«Sì.»

«Sono Malcolm.»

«Sì.»

«Sono nel foyer.»

«Ah, bene, sali pure.»

«Vuoi che salga?»

«Be', sì, qui è tranquillo... avremo un po' di privacy.» Che pensava? Che si sarebbe messa a discutere di soldi davanti a tutti nel foyer di un albergo? Rimase qualche secondo in silenzio, perché era strano rendersi conto che non sentiva quella voce da anni.

«D'accordo», rispose lui alla fine e riagganciò.

Non era cambiato molto dall'ultima volta che l'aveva visto, al funerale di George, il padre, morto all'improvviso per un infarto. Lei era salita sul primo aereo e aveva portato anche Jazz, che all'epoca era ancora un'adolescente scontrosa, arrabbiata e confusa per via del trasferimento improvviso a Crossarra. Appena erano arrivate, Malcolm si era preso Jazz e l'aveva portata in giro a conoscere vari parenti. Louisa, che era a pezzi, quando aveva visto Hanna aveva accennato a fatica un sorriso e per tutto il funerale era rimasta attaccata al braccio del figlio. Hanna si era seduta in fondo alla bellissima cappella in cui alla fine non si erano più sposati e per tutta la funzione aveva fissato la nuca di Jazz, seduta sulle panche davanti con la testa poggiata sulla spalla del padre. Avevano i capelli dello stesso colore. Erano passati quattro anni da quel giorno. Hanna aprì la porta della sua stanza d'albergo e vide che i capelli di Malcolm erano più corti di come li portava un tempo, forse per nascondere i primi ciuffi grigi sulle tempie. A parte questo, però, non lo trovò invecchiato. Solo molto più sostenuto.

Aveva deciso di non dire nulla e lasciare che fosse lui il primo a parlare. Anche lei era stata una giocatrice di poker, del resto, e poi temeva che potesse tremarle o venirle meno la voce. Malcolm entrò e poi si voltò a guardarla, senza dire una parola. Questo non lo aveva previsto. Allora Hanna s'immaginò loro due che restavano in quel modo per un tempo infinito: la cameriera sarebbe entrata per pulire la stanza e nuovi ospiti sarebbero arrivati per prenderne possesso, ma lei e Malcolm sarebbero rimasti lì immobili come statue. A quel pensiero le scappò da ridere. Malcolm la guardò sorpreso, poi la sua espressione tornò distesa e le porse la mano.

«È bello rivedere il tuo sorriso.»

Hanna sentì sciogliersi il nodo che aveva nello stomaco. Gli strinse la mano e lui la trasse a sé per baciarla sulla guancia. Alla fine sarebbe andata bene.

«Ti va un tè? Te lo faccio portare.»

Lui scosse la testa e andò a sedersi al tavolino. «No, sono a posto. Non perdiamo tempo.» A giudicare da come stava seduto pareva disteso, rilassato. Hanna ne rimase sorpresa. Sperava che lui si dimostrasse disponibile, ma di certo non si aspettava di trovarlo tanto tranquillo. Stava per parlare quando si accorse che Malcolm la stava guardando in un modo che le era familiare, uno sguardo benevolo e di sfida allo stesso tempo. Continuando a fissarla, Malcolm sollevò un sopracciglio.

«Questo colore ti ha sempre donato.»

«Scusa?»

«Questo rosso intenso.» Sorrise e si chinò in avanti. «Sono contento che tu mi abbia chiamato, Hanna. Sapevo che alla fine l'avresti fatto», disse e le prese la mano.

Hanna cominciò a innervosirsi. Non sapeva cosa avesse in mente Malcolm e lei aveva bisogno di avere tutto sotto controllo. «Be', sono contenta che tu sia contento. Sapevo che, parlandone faccia a faccia, saresti stato più ragionevole. Cioè, saremmo stati. Entrambi. Io ho un lavoro, è chiaro, ma vivo con mia madre… e tu conosci mia madre… capisci benissimo che non posso passare il resto della mia vita con lei… Ho bisogno di una casa mia, specialmente adesso che Jazz è grande e indipendente. Non sto cercando di spillarti soldi, Malcolm, ti sto solo chiedendo di essere giusto.»

Ora lui la guardava sospettoso, ma Hanna proseguì.

«Senti, so di aver detto che non volevo un centesimo da

te e so anche di essere sembrata arrogante. E mi dispiace, ma se avessimo avuto modo di parlare, tutto il divorzio sarebbe andato diversamente. Non posso comunicare con te per iscritto, Malcolm. Mi rispondi in avvocatese e mi fai arrabbiare.» Fece un respiro profondo cercando di non perdere il filo. «È per questo che sono venuta qui. Ho cinquantun anni, Malcolm. Ho dedicato metà della mia vita al nostro matrimonio e alla tua carriera. Ho progettato la casa di Londra. Ho trovato quella nel Norfolk. Ho curato la nostra vita sociale, pensato alla spesa, organizzato le feste, coltivato le amicizie giuste, comprato i vestiti giusti.»

L'espressione di Malcolm s'irrigidì. Hanna si rese conto che gli stava ancora tenendo la mano.

«Ti ho aiutato a farti una carriera, e adesso l'unico che ne sta beneficiando sei tu. So che a Jazz darai tutti i soldi che servono, ma io sono sua madre e sono stata tua moglie. Tra l'altro, sei stato tu a mandare all'aria il nostro matrimonio. Sei in debito con me, Malcolm. Cerca di essere ragionevole.» Soddisfatta di essere rimasta abbastanza calma, lo guardò speranzosa.

Malcolm si ritrasse come se un serpente, poi si alzò, attraversò la stanza e si voltò di scatto a guardarla, come se stesse interrogando un testimone.

«Fammi capire. Mi hai invitato qui per parlare di soldi?»

«Be', sì. Pensavo che avremmo potuto parlare da persone civili...»

La stava guardando come se fosse pazza. «Di pomeriggio? In una stanza d'albergo?»

«Certo, sì, perché così potevamo stare tranquilli.»

All'improvviso, capì il fraintendimento. «Hai pensato che...»

«Cosa volevi che pensassi?»

«Hai pensato che fosse un incontro...?» Hanna rimase a bocca aperta, ma lui non ci fece neanche caso.

«Sono le tre di pomeriggio, Hanna. Siamo a Mayfair.»

Le si avvicinò. «E immagino che per te sarà passato un po' di tempo.»

«*Cosa?*»

L'espressione di Hanna lo fece indietreggiare di nuovo.

«Okay, forse non è così. Magari ti scopi un pescatore diverso ogni notte, non lo so.» Le lanciò un'occhiataccia. «Sei stata tu a invitarmi a salire in camera, dicendo che volevi un po' di privacy. Avrò interpretato male io, si vede.»

Hanna passò dall'incredulità alla rabbia. «Oh, no, hai interpretato benissimo! Ho semplicemente detto a quella cretina della tua segretaria che volevo incontrarti qui. E volevo che fossimo io e te da soli perché sono arcistufa del modo in cui usi il tuo staff e la tua arroganza per tenermi a distanza di sicurezza.»

Malcolm aprì la bocca per dire qualcosa, ma Hanna si alzò, scansando il tavolo e puntandogli il dito contro.

«No, Malcolm, non hai diritto di dire nulla, perché è il mio tempo, il mio denaro. Ho pagato io l'aereo per venire fin qui, ho pagato io questa camera. E ho speso un mucchio di soldi per i miei standard. Sarà una cosa normale per te incontrare donne negli alberghi...» S'interruppe, sgranando gli occhi. Malcolm aveva abbassato lo sguardo per una frazione di secondo, ma era bastato. «Oddio, lo fai davvero.» Rimase a bocca aperta, e la rabbia si fece indignazione. «Sei proprio un bel tipo, sai? E quella poveretta di Tessa? Lo sa come passi i tuoi pomeriggi? Oppure tieni all'oscuro anche lei, come hai fatto con me? Pensi ancora che il tradimento in sé non sia un problema e che basta usare solo un po' di discrezione?»

Così le aveva detto cinque anni prima, il giorno dopo quello in cui lei era rientrata a casa prima del previsto e l'aveva trovato a letto con Tessa Carmichael, amica di famiglia e collega di Malcolm. La mattina seguente, avevano avuto una telefonata straziante. Hanna aveva già preso tutte le sue cose ed era scappata in Irlanda con Jazz. Consapevole che sua madre stava ascoltando ogni singola parola, Hanna aveva urlato nella cornetta come una pazza, con Malcolm che a sua volta urlava da Londra. Tra urla e accuse, a un certo punto era venuta fuori la verità su quando era iniziata la relazione extraconiugale di Malcolm. Lo shock di averli trovati a letto insieme nella casa che lei aveva progettato e curato con tanto amore non era stato nulla in confronto a quando aveva scoperto che il marito aveva cominciato ad andare a letto con Tessa molto prima che nascesse Jazz.

L'espressione colpevole di Malcolm si trasformò in sfacciataggine. «Non ho mai detto...»

«Sì, che l'hai detto. Ti sei vantato della tua discrezione. Un uomo così attento e premuroso che voleva preservare la felicità di tutti!»

«Sì, esatto. Ho fatto del mio meglio!»

«Del tuo *meglio*?»

«Te l'ho già detto, Hanna. Non era mia intenzione innamorarmi, ma è successo. E a quel punto potevo solo comportarmi da uomo responsabile. Ho sempre messo la famiglia al primo posto.»

«Eri un uomo sposato! E andavi a letto con un'altra donna! Questo sarebbe mettere la famiglia al primo posto?»

«Eri mia moglie. E ho cercato di dimostrarti rispetto. Se non lo capisci, non posso farci niente.»

Hanna fece un respiro profondo. Niente stava andando secondo i piani. Avrebbe dovuto essere una chiacchierata tranquilla e composta e invece si era trasformata in una gara a chi urlava di più. Provò a riordinare i pensieri, ma era troppo tardi.

Furioso per aver frainteso i motivi dell'invito e ormai sulla difensiva, Malcolm andava avanti come un rullo. «Sei stata tu a voler dividere la famiglia. E, nel caso te ne fossi dimenticata, questo ha significato trascinare via da tutto nostra figlia sedicenne e sacrificare la sua felicità sull'altare del tuo orgoglio ferito.»

Tante volte Hanna non era riuscita a chiudere occhio pensando proprio a quello.

Malcolm si accorse di aver toccato un punto debole e affondò la lama. «Un po' di discrezione. Un po' di senso di responsabilità. Riuscire a guardare oltre il nostro interesse personale. Non dovrebbe essere una richiesta esagerata, Hanna. Quantomeno non per una che si ritiene una madre premurosa.»

Non era giusto, ma forse era vero. Hanna ricacciò indietro le lacrime, non voleva piangere. Avrebbe voluto urlargli contro, ma non riusciva a parlare. Con quale coraggio Malcolm le faceva anche la ramanzina? Era stato lui a volere che si sposassero quando lei era rimasta incinta dopo pochissimo tempo che si conoscevano. E poi, quando Hanna aveva perso il bambino ed era entrata in crisi, lui l'aveva convinta che le cose tra loro avrebbero potuto funzionare comunque. Ricordava ancora i discorsi che avevano fatto, seduti sul letto nella casa vicino a Sloane Square. Lei era distrutta e Malcolm la teneva stretta e le diceva che avrebbero superato tutto, che lui non voleva perdere anche lei, che avrebbero trovato una casa bellissima che Hanna avrebbe potuto plasmare a suo piacimento, che sarebbero arrivati altri bambini. E che, se non ce ne fossero stati, non avrebbe avuto importanza, perché Malcolm amava lei più di tutto.

Hanna gli aveva creduto. Avrebbe potuto lasciarlo, allora, avrebbe potuto tornare ai suoi studi e ai suoi progetti di carriera. E invece, sebbene dopo l'aborto si fosse sentita uno zombie, si era lanciata anima e corpo nel progetto della casa, credendolo un'espressione del loro amore. Non aveva senso, però, rivangare tutto adesso. Fece un altro respiro profondo e cercò di abbassare i toni. «Hai ragione. Forse ho sbagliato a invitarti qui, Malcolm. Volevo solo un po' di privacy, perché pensavo che se fossimo riusciti a parlarne con calma faccia a faccia, avremmo potuto risolvere il problema.»

«Io non vedo nessun problema.»

«Il problema è proprio questo.» Hanna notava chiaramente che a Malcom stavano di nuovo per saltare i nervi. «Senti, la questione è semplice, non c'è da interpretarla. Non ti sto chiedendo una fortuna, penso solo di avere diritto a un riconoscimento dopo tutti gli anni passati insieme. E non sto dicendo che non siano stati anni felici. Lo sono stati o, almeno, pensavo che lo fossero. Comunque non è questo il punto, e mi dispiace di aver rivangato il passato. Il punto è che ti stai comportando in modo ingiusto.»

Ora che l'aveva indotta quasi a scusarsi, Malcolm capì di aver vinto. Raccolse la borsa da terra. «Non venire a parlare a me di comportamenti ingiusti, e nemmeno a dirmi che dovrei essere riconoscente alla donna che ha distrutto la vita di mia figlia.»

«Come puoi dire una cosa del genere? Jazz è felice. Sta realizzando i suoi sogni. Io invece sono prigioniera in casa di mia madre.»

«Jazz serve pasti preconfezionati su voli low cost per Malaga. Non mi pare che si possa definire la realizzazione di un sogno, Hanna. Diciamo piuttosto che si è ridotta a questo per colpa tua.» Malcolm andò verso la porta e poi si voltò di scatto. «Su una cosa hai perfettamente ragione: provvederò sempre a mia figlia. Tu invece hai fatto la tua scelta, Hanna, e da me non avrai un soldo.»

7

Scendendo dall'aereo il mattino dopo, Hanna fu investita come sempre dal profumo dell'aria irlandese. Dalla scaletta posteriore dell'aereo, vide campi verdi a perdita d'occhio oltre i quali svettavano le montagne che segnavano l'ingresso alla penisola del Finfarran. Passò la dogana, salì in macchina e mezz'oretta dopo si era già lasciata alle spalle la periferia della città. Dopo un altro quarto d'ora, uscì dall'autostrada e imboccò una strada che esisteva da quando lei era piccola.

La notte prima, non aveva chiuso occhio. In quella camera d'albergo aveva dato libero sfogo a tutte le lacrime che era costretta a trattenere quando stava a casa della madre. E adesso, mentre guidava tra campi e fattorie, si rese conto di essere esausta. Avvistato un negozietto, accostò per scendere a comprare qualcosa da mangiare. Dopo aver gironzolato per un po' tra gli scaffali, acquistò una mela e una barretta all'avena e si sedette fuori su una panchina, accanto all'entrata del negozio. Subito dopo, la donna che l'aveva servita uscì con una tazza di tè. L'aveva appena fatto, ne voleva anche lei? Quando Hanna fece il gesto di prendere il portafoglio, scosse la testa e rientrò nel negozio lasciandola con una tazza di tè bello forte in mano.

Sul filo della biancheria in un giardino dall'altra parte della strada, i panni stesi si asciugavano al vento. Da piccola anche Hanna stendeva lenzuola e camicie da notte all'aperto, nel prato dietro la casa di zia Maggie. Nelle calde giornate estive come quella, il vento che soffiava dall'Atlantico li asciugava in fretta e, quando poi li ritirava e li riportava in casa, erano ancora caldi. Mary Casey invece adorava la sua asciugatrice elettrica e, in effetti, non si poteva dire che non fosse comoda. Hanna però, mentre se ne stava lì a sorseggiare il suo tè, ripensò a quant'era bello sentire il profumo di sale tra le pieghe delle lenzuola asciugate al sole.

E in quel momento le venne un'idea. Forse avrebbe dovuto vedere quell'incontro con Malcolm non come una sconfitta, ma come un punto e a capo. Una casetta a Lissbeg non se la poteva comprare, ma c'era sempre quella che le aveva lasciato zia Maggie. Era piccola, però era sua. E forse, ma solo forse, poteva rappresentare la sua occasione per voltare pagina. Tirò fuori il portafoglio dalla borsa e frugò tra i tanti bigliettini da visita accumulati. Alla fine trovò quello che cercava e, con gli occhi che le brillavano, prese il telefono e compose il numero indicato sul bigliettino.

Mezz'ora dopo era seduta al tavolino di un bar di Carrick insieme a Dennis Flood.

«Dennis, mi dispiace tanto averti disturbato di domenica.»

«Ma figurati! Mi trovavo comunque in città.»

Dennis era il direttore di una banca di credito cooperativo, la Credit Union di Carrick. Erano stati compagni di scuola. Dennis aveva ancora lo stesso sorriso, ma di capelli gliene erano rimasti pochi ed era comparso un bel pancione da birra.

«Sei sicuro che i conti tornino?»

Dennis riguardò il tovagliolino di carta su cui aveva preso appunti. A occhio e croce, gli pareva tutto a posto.

La casa ce l'aveva già e, per ristrutturarla, non le sarebbero serviti chissà quanti soldi.

«E tu dici che la Credit Union mi accorderà il prestito?»

«Santo cielo, Hanna, certo. Sei la cliente perfetta: hai un lavoro sicuro e sei un'impiegata comunale. Vieni lunedì e riempiamo tutti i moduli. Sarò felice di aiutarti.»

Col profumo di salsedine nell'aria, Hanna attraversò la penisola diretta a Crossarra. Aveva bisogno di un po' di tempo per riordinare le idee. Lasciando la strada principale, guidò verso la casa di zia Maggie tra stradine tortuose e campi coltivati.

Nel bagagliaio dell'auto c'erano un paio di calosce. Se le infilò, aprì il cancello e si diresse verso la scogliera sull'oceano. Arrivata al muretto diroccato, la luce che si rifletteva sulle onde era abbagliante. Scansando le pietre cadute, si sedette e chiuse gli occhi.

Ora che non poteva vedere, gli altri sensi si acutizzarono. Tutto intorno a lei, sentiva milioni di piccole vite. Vicino alla casa, un merlo smise di cantare per lanciare un segnale d'allarme. Hanna aprì gli occhi e scorse un falco che volava in cerchio sopra il campo. Il vento portava con sé il sapore salmastro del mare e il profumo dolce dei fiori. Richiuse gli occhi, col sole che le scaldava le palpebre, e sorrise delle piccole ironie della vita.

Era stata Mary Casey ad assillarla con quel lavoro alla biblioteca di Lissbeg. Cos'altro era capace di fare, del resto? E poi doveva ringraziare il cielo che si fosse liberato un posto proprio quando lei era tornata a casa senza un soldo in tasca e con un matrimonio fallito alle spalle. Doveva rimboccarsi le maniche e acchiappare al volo quell'occasione. Hanna si era sentita umiliata e ferita. Aveva sognato di lavorare nei musei di Londra e invece si sarebbe ritrovata nella biblioteca della sua vecchia scuola. Non avendo altra scelta, aveva fatto un corso, si era presentata al colloquio e aveva accettato il suo destino a testa bassa e denti stretti. Adesso però scopriva che proprio quel lavoro verso il quale l'aveva spinta sua madre le avrebbe permesso di conquistare l'indipendenza. Esausta dopo tutta la tensione delle ultime quarantotto ore, si addormentò.

Poco dopo, sentì il cellulare suonare nella borsa. Le era arrivato un messaggio della madre, scritto come al solito senza punteggiatura e tutto in maiuscolo.

DOVE SEI QUANDO TORNI JAZZ RIATTACCA DOMANI E RESTA A DORMIRE QUI STANOTTE

Sbuffando, Hanna pigiò il tasto RISPONDI e scrisse: *Tra mezz'ora*. Non ebbe nemmeno il tempo d'inviare il messaggio, che gliene arrivò un altro.

PASSA ALL'ALIMENTARI

Facendo un respiro profondo, cercò di pensare alla luce in fondo al tunnel, poi attraversò di nuovo il campo, salì in macchina e guidò fino all'alimentari per prendere le cipolle che sua madre avrebbe usato per preparare lo spezzatino di fegato.

8

Jazz stava mangiando una fetta imburrata di Barm Brack seduta al tavolo della cucina a casa della nonna. Il tavolo, proprio al centro della stanza, aveva il ripiano in formica e sedie con la seduta di plastica coperte da un cuscino con la fodera fatta all'uncinetto. Quando la casa era stata costruita, Mary aveva detto al marito di volere una cucina coi mobili a incasso, ma poi al momento di trasferirsi aveva insistito per avere anche una credenza tradizionale. Che senso aveva che possedesse tanti bei servizi di piatti e bicchieri, se non poteva metterli in mostra? La credenza era tra il frigo e un quadro di Padre Pio. Sugli scaffali di pino laccato, sui cui bordi era applicata una fettuccia di merletto, era disposta una collezione di caraffe; dietro le ante a vetro c'erano i piatti e i servizi da tè; i cassetti invece erano pieni di posate. Sulla parete opposta della cucina, dove c'erano il lavello e i fornelli, i mobili incassati avevano finito per diventare un ripostiglio per il cestino del cucito, riviste, vasi inutilizzati e decorazioni di Natale. A Jazz quella cucina piaceva, anche se sapeva che la madre la odiava.

Appena arrivata, Hanna poggiò sul tavolo il sacchetto di carta con le cipolle e allargò le braccia in direzione della figlia, che per tutta risposta le riservò un brevissimo abbraccio. C'era stato un tempo in cui, al rientro a casa, Jazz lanciava gridolini di felicità e l'abbracciava forte. Da bambina, e qualche volta anche da adolescente, quando la vedeva faceva addirittura un balletto della felicità inventato da lei. Ripensando a quei tempi, Hanna sospirò e concluse che quelle cose appartenevano a un periodo in cui la figlia non aveva ancora cominciato a nutrire risentimento nei suoi confronti. Adesso che era diventata un'adulta, quel risentimento si era trasformato in educato riserbo. Mary lasciò per un momento i fornelli su cui stava cucinando il fegato e svuotò il sacchetto sul tavolo. Insieme alle cipolle c'era anche un mazzetto di salvia. Non appena la vide, storse la bocca.

«Ci prova sempre quel Johnny Hennessy. Si vuole sbarazzare delle erbacce e cerca di rifilarle a me!»

Jazz staccò una fogliolina da un rametto e l'annusò. «Fegato e salvia stanno benissimo insieme. Perché non provi a mettercene un po', nonna?»

Mary rifiutò la proposta scuotendo vigorosamente la testa. «Da queste parti, non siamo abituati a mangiare le erbacce!»

«Veramente zia Maggie usava spesso la salvia quando cucinava, mamma. Ci faceva perfino il tè.» Hanna, che nel frattempo si era seduta al tavolo, strappò anche lei una fogliolina. «Usava moltissime erbe, anche se non ricordo più quali.»

Mary mise le cipolle su un tagliere e cominciò a sminuzzarle. «Certo, perché la povera Maggie era un po' tocca. Se ne stava rintanata in quella casa in cima alla scogliera e, se ti presentavi lassù per farle visita, ti sbatteva la porta in faccia.»

Hanna storse la bocca. Aveva dimenticato che anni prima non era corso buon sangue tra zia Maggie, ormai anziana, e sua madre, che voleva mandarla a stare in uno ospizio a Carrick.

Preparandosi a sentire una bella storia, Jazz versò un bicchiere di vino rosso per la madre e prese un'altra sedia. «Chi era questa Maggie?»

Mary rispose con una smorfia. «Era la zia di tuo nonno, tesoro. Una vecchia cattiva, e che Dio mi perdoni se lo dico.»

Senza farsi vedere dalla nonna, che le dava le spalle, Jazz lanciò un'occhiata alla madre. «Una vecchia cattiva? Spiegami meglio, nonna.»

Ma Hanna s'intromise prima che Mary potesse rispondere. «Smettila, mamma! Era una donna eccentrica, ma di sicuro non era cattiva.»

In risposta, Mary fece una faccia schifata e gettò le cipolle in padella insieme al fegato.

Jazz le andò vicino con la bottiglia di vino in mano. «Perché non ci metti un goccetto di questo, nonna?»

Ignorandola, Mary scosse un po' la padella, addensò il sughetto con un po' di amido di mais e versò tutto in una casseruola che aveva rivestito con fette di bacon. Jazz sorrise, recuperò le presine e infilò la casseruola in forno. Poi, senza che nessuno glielo avesse chiesto, accese il pentolino per il tè. Mary Casey non aveva mai usato alcolici nei suoi piatti. A dirla tutta, non beveva mai alcol se non alle nove di sera in punto, quando si sedeva davanti alla televisione a guardare il telegiornale e le previsioni del tempo con in mano quello che lei chiamava «il mio bicchierino di Martini». Era un rituale che Hanna ricordava fin dai tempi in cui da quelle parti si cenava ancora all'ora del tè. Tom non mancava mai di versare alla moglie il suo Martini, nel bicchiere di cristallo che le aveva regalato per il loro anniversario, e di sedersi accanto a lei con una pinta di birra. Mary si sedette insieme a Jazz e Hanna col suo tè davanti, il grembiule ancora addosso e i gomiti puntati sul tavolo. «Insomma? Che racconti? Com'è andata a Cork?»

Hanna temeva quella domanda. Non aveva detto alla madre che sarebbe andata a Londra; si era inventata la festa di compleanno di un'amica, perciò sarebbe andata a Cork e sarebbe rimasta a dormire là. Si sentiva ridicola per questo, ma non ce la faceva proprio in quel momento a mettersi a litigare anche con lei.

«Il viaggio è stato un po' stancante.» E si girò subito verso Jazz. «E tu? Che mi dici? Avrai già raccontato tutto alla nonna!»

«Tutto bene. Come mai sei andata a Cork?»

Seguì qualche istante di silenzio. Hanna si girò verso la madre e si accorse che la guardava in modo sardonico. Ovviamente quel suo tentativo di cambiare argomento non era passato inosservato. Hanna andò nel panico. Non voleva mettersi a spiegare alla madre, davanti a Jazz, che in realtà era andata a Londra. Doveva subito trovare un diversivo. E così, dopo aver fatto un respiro profondo, sganciò la bomba.

9

«Dio santo onnipotente! Hanna Mariah Casey, sei fuori di testa o cosa?»

La bomba aveva fatto effetto. Ignorando la madre, ancora a bocca aperta, Hanna si rivolse a Jazz, che pareva altrettanto scioccata. «Non volevo dirvi niente finché non avessi pianificato tutto, ma visto che siamo insieme stasera, ho pensato di approfittare dell'occasione.»

«Ma come mai non sapevo che avessi una casa?»

Mary alzò gli occhi al cielo. «Perché non ce l'ha una casa. Ha una baracca in un campo in cima alla scogliera che avrebbe dovuto essere buttata giù da un bel pezzo!»

Hanna continuò a rivolgersi a Jazz. «Non ho ancora sistemato la questione dei soldi, non in maniera ufficiale almeno. Domani, però, vado a firmare tutte le carte.»

«Dio del cielo, ho tirato su un'idiota.»

Questa volta fu Jazz a ignorare la nonna. «Però sul serio, mamma, perché non ho mai saputo che avevi una casa?»

Hanna si versò un altro bicchiere di vino e le spiegò che in qualche modo Mary aveva ragione: non era proprio una casa, più che altro quattro mura in mezzo a un campo. E nemmeno lei ci aveva più pensato da quando era bambina.

«Che vuol dire che non ci hai più pensato?»

«Non ci torno da quando ero piccola. Zia Maggie è morta quando io avevo dodici anni, e forse all'epoca non avevo nemmeno ben capito che avesse lasciato la sua casa a me.»

«Cioè, mi stai dicendo che te ne sei ricordata tutto d'un botto?»

«Be', sì. Più o meno.» Non aveva nessuna intenzione di raccontare a Jazz che, dopo la lite furiosa con la madre, aveva sentito il bisogno impellente di un po' di solitudine. Non voleva dirle che dopo quel litigio era scappata via in lacrime. La verità era che quella discussione aveva fatto riaffiorare tutto il dolore per la perdita del padre e così, pensando a lui, si era ritrovata a casa di zia Maggie.

Era stato Tom a dirle che la zia le aveva lasciato quella bizzarra eredità. Erano appena tornati dal funerale e Hanna lo stava aiutando a sistemare sugli scaffali alcune scatole di biscotti. La bara le era sembrata piccolissima sotto la volta di quella cappella e la maggior parte dei presenti non parlava più con Maggie da anni, ma per rispetto della famiglia era andata ugualmente al funerale. Tom si era tolto il maglione a fantasia di tutti i giorni e si era messo il vestito buono. E mentre stava nel negozio con la figlia a sistemare scatole di fagottini ai fichi, le aveva detto della casa di Maggie. Hanna era rimasta scioccata almeno quanto Jazz in quel momento. Il suo rapporto con quella vecchia zia era consistito essenzialmente in cose del tipo: prendimi quel sacco di terra, lava i piatti, che noia queste galline che entrano in casa, ma quanto costa il cherosene, e che rumore fanno i vicini. Il fatto che zia Maggie le avesse dato la casa l'aveva quindi lasciata a bocca aperta.

«E che me ne faccio?» aveva detto Hanna al padre.

Lui allora aveva fatto spallucce e le aveva sorriso. «Nella vita non si può mai sapere, figlia mia.»

Adesso, quarant'anni dopo, era lei a essere bombardata di domande dalla figlia.

«Ma perché, mamma? E dov'è la casa?»

«Più o meno a tre chilometri da qui, un po' più giù di dove c'era il negozio.»

«E ci andrai a vivere?»

«Be', no, non ancora. Tua nonna ha ragione, per ora non è abitabile...»

«È una vecchia topaia in cui non ci lasceresti a dormire nemmeno il cane!» Mary si alzò per versarsi un'altra tazza di tè. A casa sua funzionava così: dopo aver versato una prima tazza di tè, si rimetteva subito l'acqua sul fornello a fuoco basso perché fosse pronta nel caso in cui se ne volesse un altro po'. Tornò al tavolo con la sua tazza, che poggiò sul piattino. «Ti dico un'altra cosa e poi basta, Hanna Mariah. Sei più tocca di zia Maggie! Quando imparerai a pensare prima di fare le cose?»

Era esattamente questa la reazione che Hanna si aspettava dalla madre. Fece un sorrisetto a Jazz.

«Capito? Sono più tocca di zia Maggie.»

«Qual è il tuo piano?»

«Prendo un prestito dalla Credit Union e, coi soldi che mi danno loro e i risparmi che ho messo da parte io, ristrutturo la casa e mi ci trasferisco.»

«La vuoi ristrutturare? Cioè vorresti salire su una scala e sollevare mattoni?»

Hanna si mise a ridere. «Mattoni proprio no. La casa è fatta di pietre. E non sarò io a salire sulla scala, ci penseranno i muratori.» La madre le rise in faccia, ma lei continuò a spiegare alla figlia che i lavori non sarebbero stati complicati e che non ci sarebbe stato bisogno di un architetto. Bisognava solo accertarsi che il tetto e le mura fossero solidi, fare in modo che porte e finestre resistessero alle intemperie e che la casa fosse in generale comoda e funzionale. Questo avrebbe significato comprare una cucina nuova, rifare il bagno e mettere un impianto di riscaldamento.

«Come faceva zia Maggie?»

«Con la torba e il camino. Ci cucinava anche.»

«No!»

«Sì!» Hanna ricordava la pignatta che borbottava appesa a un gancio sopra il fuoco, il pane fatto col bicarbonato e i suoi *scones*. «Li metteva in una pentola di ferro, poi sistemava le zolle di torba bollente sul coperchio e si cuocevano alla perfezione.»

Jazz ridacchiò. «Non riesco a immaginarti in una situazione del genere!»

Neanche Hanna, a dire il vero. Ma una cucina semplice ed essenziale non sarebbe costata chissà quanto. E comunque forse avrebbe mantenuto anche il camino. Perché sarebbe stato bello accenderlo nelle sere d'inverno, a prescindere dai termosifoni.

Mentre Mary sbatteva cose a destra e a manca, Jazz continuò a fare domande alla madre, domande di cui perlopiù Hanna non sapeva la risposta. No, non c'era bisogno di un permesso per i lavori che aveva in mente, o forse sì, oddio, non ne era sicura. Sì, c'era anche il parcheggio, ma era più che altro un'area di sosta sulla strada, si poteva pensare a qualcosa di meglio. Certo, l'acqua c'era, ma forse la pompa era da sistemare. Quanto sarebbe costato aggiustarla? Be', non lo sapeva proprio. Con la coda dell'occhio, Hanna vedeva Mary che schiacciava rape bollite e carote e le mescolava in una padella, poi ci aggiunse la panna e un po' di pepe bianco. La postura e l'espressione di sua madre erano lo specchio evidente della sua disapprovazione. Jazz chiese alla madre anche dell'orto.

«È grande? È curato?»

Mary a quel punto non ce la fece più a star zitta. «Curato? Che Dio benedica te e la tua innocenza, figliola mia! È dell'orto di Maggie Casey che stiamo parlando! È un pezzetto di terra in cui coltivava le patate. E a quanto pare tua madre pensa di poter rimettere a posto tutto con uno schiocco di dita, piantare nove filari e averci pure un alveare!» Chiaramente soddisfatta di aver ridicolizzato le fantasie della figlia citando addirittura Yeats, sollevò il coperchio della casseruola e si girò a prendere le patate da aggiungere.

Hanna riuscì a stento a non perdere la pazienza.

La cena fu ottima, come sempre quando cucinava Mary. Le sue pietanze non erano audaci e di certo la sua cucina non era molto varia, ma serviva sempre piatti abbondanti, sostanziosi e belli caldi. Quando Jazz sentì vibrare il cellulare, lo tirò fuori dalla tasca e lesse il messaggio con un bel boccone in bocca.

«Oh! Áine e Paula sono a casa per il fine settimana! Mi presti la macchina, mamma? Vorrei andare con loro a Lissbeg!»

Hanna non fece in tempo a dirle di sì, che Jazz spazzolò quel che restava nel piatto e corse in bagno a fare la doccia. Hanna pensò che le ragazze sarebbero andate in un pub, ma Jazz sapeva che non doveva bere se guidava, e comunque era un'adulta e non c'era bisogno di preoccuparsi. Una sera era a Roma e l'altra a Malaga, e chissà come passava il suo tempo laggiù. Pertanto non avrebbe avuto senso stare in pensiero per un'uscita innocente a Lissbeg. In ogni caso, quando Jazz ricomparve in cucina venti minuti dopo, Hanna si ritrovò a farle mille raccomandazioni mentre le consegnava le chiavi. «Vai piano, tesoro. E non fare stupidaggini, ok?»

Jazz alzò gli occhi al cielo, prese le chiavi e se ne andò.

Hanna era stanchissima. Avrebbe voluto solo andare a dormire, ma sua madre attraversò la cucina col Martini in mano e andò a sedersi sulla poltrona accanto alla lavasciuga. Quella poltrona, come pure la credenza in pino, era un pugno in un occhio, ma Mary aveva insistito perché stesse davanti alla finestra, così poteva vedere chi passava fuori. Adesso però aveva gli occhi fissi su Hanna, che temeva molto quel tête-à-tête.

«Quindi? Vuoi dirmi cos'è successo oppure no?»

Hanna cedette. «Sono andata a Londra per parlare con Malcolm.»

«E secondo te non l'avevo capito che non saresti andata a Cork?»

«E infatti, mamma, non sono andata a Cork. Ho preso un aereo e ho passato la notte a Londra.»

Era decisa, le avrebbe dato la versione più breve possibile della storia. Non le avrebbe raccontato che Malcolm si era fatto strane idee sul suo invito a salire nella sua camera d'albergo. Non le avrebbe detto che i suoi modi arroganti l'avevano quasi fatta piangere. Non le avrebbe raccontato cosa aveva detto lui quando se n'era andato e con che tono. Una parte di lei sapeva che in quel momento Malcolm si stava solo atteggiando, ma ripensarci la faceva star male e non aveva nessuna voglia di renderne partecipe sua madre. Le avrebbe raccontato solo lo stretto indispensabile, e qualunque cosa Mary le avesse risposto, lei non avrebbe perso la calma.

Alla fine invece Mary la ascoltò in silenzio, senza mai interromperla. Hanna le spiegò che era da un po' che pensava al suo futuro e che per questo aveva deciso di chiedere a Malcolm i soldi per comprare una casa.

«E lui ti ha risposto picche.»

«Già. Mamma, so che secondo te io ho lasciato che la facesse franca, ma ormai è andata così.» Guardò la madre. «E non posso restare a vivere qui con te per sempre, lo sai bene.»

«Te lo dico io cosa so, signorina, anche se è tanto chiaro che farei meglio a farmi gli affari miei. Tu l'hai fatto di nuovo.»

«Cosa?»

«Sei saltata su e hai preso una decisione senza riflettere. Forse è una perdita di tempo stare a frustare un cavallo morto, forse hai ragione tu e sono io che sbaglio, ma come ti è venuto in mente di chiedere un prestito e buttare tutti i tuoi soldi per ristrutturare quella catapecchia di zia Maggie?»

Era la prima volta che Hanna sentiva la madre ammettere che forse era lei che si sbagliava. Doveva assolutamente trovare le parole giuste per spiegarle la situazione, ma come faceva a dirle che non sopportava i suoi modi di fare e che si sentiva soffocata dalla sua presenza? Come faceva a spiegarle il suo desiderio di stare sola? Come faceva a descriverle l'eccitazione che aveva provato quando le era venuta quell'idea? Sapeva bene che la madre considerava la sua decisione alla stregua di quella che l'aveva portata ad andarsene da Londra cinque anni prima. Nella sua testa, invece, era tutta un'altra cosa. Dopo anni in cui si era sentita paralizzata, vedeva finalmente un modo per voltare pagina. E la chiacchierata al bar con Dennis Flood le aveva fatto capire che era un progetto realizzabile, anzi un progettino da niente in confronto all'impegno che si era presa per la casa di Londra e per quella nel Norfolk. Non era un capriccio, ma il raggiungimento di un traguardo.

Provò a spiegarlo alla madre. «Ovviamente ci sono ancora alcuni aspetti da mettere a punto, mamma, lo so. E di certo non mi ci trasferirò domani. Cioè, se per te non è un problema, pensavo di restare qui finché i lavori non saranno finiti. E ci vorranno secoli. Mesi, quantomeno. Devo ancora pensare a come muovermi e fare bene i conti, ma tanto sai benissimo come funzionano queste cose.»

«Certo che puoi restare qui, lo sai. Sei mia figlia e questa è anche casa tua.»

Hanna fece una risata amara. «Dai, mamma, t'immagini noi due che viviamo per sempre sotto lo stesso tetto? Ci scanneremmo.»

«Ah, allora l'hai notato anche tu.»

«Notato cosa?»

«Che non sei l'unica a voler comandare qui dentro.»

Seguì qualche attimo di silenzio. Sebbene avesse appena detto che si sarebbero scannate, Hanna aveva sempre pensato di essere lei quella sensibile e la madre quella che non si faceva toccare da niente.

Mary la guardava con l'aria di chi la sapeva lunga. «Anche se ho cresciuto una figlia scema, io non lo sono affatto. E me la cavo benissimo anche senza te che mi guardi dall'alto in basso dalla mattina alla sera.»

«Mamma!»

«È così, Hanna, è la verità. E adesso che Jazz se n'è andata, credo sia la scelta giusta vivere in case diverse. Tuo padre diceva sempre che siamo uguali. Noi due, sotto lo stesso tetto, è meglio se non ci stiamo.»

10

Quando entrò Tim Slattery, uno dei responsabili del sistema bibliotecario distrettuale, Conor era alla sua scrivania. Miss Casey era andata a Carrick per un corso di aggiornamento sulla sicurezza nei luoghi di lavoro. Lui si sarebbe aspettato che anche Tim Slattery fosse a Carrick, visto che lavorava lì, ma la realtà era che quell'uomo nel suo ufficio non c'era quasi mai, perché passava gran parte del tempo in giro per la penisola a fare riunioni con questo o con quello. Tim Slattery era un tipo bassino e tarchiato, con un casco di capelli grigi in testa e un modo di parlare alquanto pomposo. Portava abiti bizzarri, come un uomo di mezza età che volesse a tutti i costi essere alla moda. Quel giorno indossava un completo a tre pezzi con un fazzoletto vistoso che usciva dal taschino e un orologio enorme al polso, qualcosa di simile a un cronografo da immersione. Ogni volta che Conor lo incontrava, aveva un orologio diverso, in genere bello grosso e resistente all'acqua, ma a volte anche più piccolo e fosforescente, sempre dotato di mille funzioni: dal controllo del battito cardiaco al barometro. Dan Cafferky, che era bravissimo coi soprannomi, lo chiamava il Signore degli Orologi. Miss Casey però andava su tutte le furie quando lo sentiva apostrofare in quel modo, pertanto Conor si sforzava di usare solo il suo vero nome.

Non appena lo vide entrare, nascose il cellulare sotto la

scrivania. In realtà non lo stava usando in quel momento, ma non gli andava di fare brutta figura.

Il signor Slattery si sistemò il fazzoletto nel taschino e poi si sedette sulla scrivania, rovesciando il portapenne di Miss Casey. Conor si era alzato per salutarlo, ma capì subito che non gli avrebbe stretto la mano e allora si rimise a sedere.

«Miss Casey non c'è?»

Conor non sapeva cosa rispondere. Doveva saperlo per forza che non c'era visto che l'email sul corso di aggiornamento l'aveva mandata proprio lui, forse però sarebbe stato sgarbato ricordarglielo. E forse le email che partivano dal suo account le inviava qualche sottoposto. In ogni caso, non sembrava che si aspettasse davvero una risposta. Facendo penzolare il piede, infilato in una bella scarpa di pelle di coccodrillo, il signor Slattery disse di aver fatto un salto a Lissbeg di ritorno da una riunione a Ballyfin perché voleva parlare con Miss Casey. Tuttavia, non era urgente. Le avrebbe mandato un messaggio o ci avrebbe parlato un'altra volta. Conor stava quasi per dirgli che, se voleva, poteva lasciare detto a lui, ma poi cambiò idea. Secondo quanto si vociferava, Slattery credeva d'essere il direttore dei servizi segreti in un film di James Bond, pertanto Conor preferì risparmiarsi una ramanzina e si limitò ad annuire. Proprio in quel momento, però, il cellulare che aveva nascosto sotto la scrivania squillò.

Lo prese, vide che era un messaggio dei suoi genitori e lo spense. Poi, sentendosi in dovere di giustificarsi, disse che gli era appena nato un vitello. «Cioè, è nato un vitello nella nostra fattoria. Una vacca ha appena partorito.» Era contento perché era stato un po' in pensiero, visto che il fratello non era proprio esperto in quel genere di cose.

Il signor Slattery sgranò gli occhi, forse perché si era dimenticato che Conor faceva anche un altro lavoro, poi si alzò e scoppiò a ridere. «La prossima volta che vengo a farvi visita, devo ricordarmi di fare il vaccino contro l'antrace!»

Conor sorrise educatamente, ma scosse la testa non appena Slattery uscì dalla porta: che battuta penosa. Era proprio un idiota, quel tizio. L'ultimo caso di antrace in zona risaliva alla notte dei tempi.

Miss Casey fu di ritorno un'ora dopo. Arrivò in biblioteca con un prontuario sulle norme antinfortunistiche e un cartello con scritto ATTENZIONE AL GRADINO nuovo di zecca da appendere sopra la porta. Aveva portato anche una piantina di lavanda.

Conor la osservò mentre la spostava dalla scrivania alla finestra, senza riuscire a decidere dove metterla. «E quella a che serve? A tenere lontani i vampiri?»

Miss Casey rimise la piantina sulla scrivania. «L'ho vista e ho pensato di prenderla per la biblioteca.»

In effetti, il profumo di lavanda e l'odore dei libri si sposavano bene.

«Bisognerà metterci qualcosa sotto, se poi vogliamo innaffiarla.» Mentre andava a prendere un piattino da sistemare sotto il vaso, Conor pensò che Miss Casey gli era sembrata molto più allegra di quanto non fosse di solito dopo una riunione. Il più delle volte, infatti, tornava borbottando che erano tutti degli idioti incompetenti e che non avrebbero saputo distinguere un libro da una rivista. Quel giorno invece era tutta sorridente. Forse perché la figlia era tornata a casa in visita. Conor non conosceva bene Jazz, anche se avevano un solo anno di differenza e avevano frequentato la stessa scuola. La gente diceva che da ragazzina fosse piuttosto scontrosa come la madre, mentre a vederla adesso sembrava molto socievole. Il motivo di quel cambiamento era facile da intuire: finita la scuola, aveva trovato lavoro in una compagnia aerea come hostess di bordo e ogni volta che tornava nel Finfarran era tutta bella abbronzata. Joe, il fratello di Conor, gli aveva detto di averla vista in centro con alcune amiche, la sera prima. Dunque forse era per quello che Miss Casey era sorridente.

«Ci sono email in sospeso?»

Conor mise il piattino sotto il vaso. «No. Ha scritto un tizio che sta cercando un libro con un cane nero in copertina. Pare che le librerie di Carrick non l'abbiano saputo aiutare.»

«Abbiamo altri indizi?»

«In copertina ci sono il titolo e la foto di un cane nero.»

«Be', se non altro possiamo escludere le opere di Shakespeare.»

Conor si chinò sul computer e aprì la posta. «Gli ho risposto che, se vuole, può venire a trovarci e dare un'occhiata ai nostri libri.»

«Oddio, Conor! Se viene, te lo sorbisci tu.» Lo disse sorridendo, però. Di solito, era molto più severa. E quando lui le raccontò della visita del signor Slattery, Miss Casey si congratulò per la nascita del vitello.

Al mattino presto, prima di andare al corso di aggiornamento, Hanna era passata alla Credit Union a firmare i documenti per la richiesta di prestito. Era stata una sensazione bellissima. Quando Dennis Flood le aveva stretto la mano e fatto gli auguri, Hanna avrebbe tanto voluto mettersi a ballare dalla felicità, come faceva Jazz da piccola quando mamma tornava a casa. Poi aveva visto quella piantina di lavanda nella vetrina di un fioraio, era entrata e l'aveva comprata, perché le ispirava allegria. Mettere quella firma era stato come mettere un punto a tutti i sensi di colpa e alle ansie che l'avevano tormentata negli ultimi cinque anni. L'ex moglie di Malcolm Turner non esisteva più. Adesso c'era solo Hanna Casey, che non apparteneva a nessuno e che poteva andare avanti con la propria vita.

Dopo aver sistemato la piantina di lavanda sulla scrivania, Hanna si rivolse a Conor. «Per caso conosci dei muratori?»

Conor era salito su una sedia per togliere il vecchio cartello da sopra la porta e sostituirlo con quello nuovo. A quella domanda, si era girato a guardarla. «Di che tipo di lavoro si tratta?»

«Oh, niente di complicato. Una semplice ristrutturazione… e forse c'è da dare una sistematina al tetto.»

Conor lasciò perdere il cartello e pensò alla domanda che gli era stata fatta. Quando Hanna si accorse che rischiava di aprirsi una discussione dalla sua domanda, ordinò a Conor di sbrigarsi con quel cartello. «Se qualcuno apre la porta, finisci a terra.»

«Sicuro. Però sarebbe un bel titolo da schiaffare in prima pagina: *Uomo cade dalla sedia mentre appende un cartello sulla sicurezza.*»

Ecco un'altra cosa cui Hanna non aveva pensato: dal momento che a Crossarra o a Lissbeg era impossibile fare qualcosa senza che finisse sulla bocca di tutti, la decisione di ristrutturare la casa di zia Maggie avrebbe dato di che parlare alla gente. Forse sarebbe stato meglio evitare operai del posto; probabilmente le sarebbe costato di più, ma ne sarebbe valsa la pena. Mentre era seduta davanti al computer, tutta presa dai suoi ragionamenti, Conor fece un verso che la distolse da quei pensieri.

«Mai una volta che ti semplifichino la vita!»

Era sceso dalla sedia e stava guardando il muro. Il vecchio cartello aveva lasciato sull'intonaco un segnaccio nero e appiccicoso, che il nuovo non avrebbe coperto.

Hanna guardò il segno sul muro. «Non riusciamo a toglierlo nemmeno con l'acqua calda?»

«No, ci vorrà dell'acquaragia. Per il momento, rimetto il cartello vecchio. A quello nuovo pensiamo domani.»

Hanna annuì, felice che Conor avesse all'apparenza dimenticato la domanda che gli aveva fatto. Così s'immerse nel suo lavoro e accantonò la questione muratori.

11

Finito di lavorare, Hanna tornò in quella che sarebbe diventata la sua casa. Forse non era il caso di stappare addirittura una bottiglia di champagne, ma in qualche modo voleva brindare al suo nuovo progetto. Quella mattina era uscita con un mucchio di commissioni da fare per la madre prima di rientrare. Passare in lavanderia e poi all'alimentari per comprare il sanguinaccio le occupò non più di dieci minuti, perciò decise di fare un salto al nuovo caffè di Lissbeg per prendersi qualcosa da portar via. Lo champagne no, ma un bel cappuccino da bere in cima alla scogliera le pareva una buona idea.

Quando la vide, la ragazza dietro il bancone le sorrise. «Salve, Miss Casey!»

Si era diplomata l'anno prima e aveva passato un sacco di ore china sui libri in biblioteca per preparare gli esami di maturità. Adesso lavorava in quel caffè, con una bella fascia colorata in testa a tenerle indietro i capelli. Era bello vederla sorridere. Il locale era pieno di fiori e dipinto con tonalità sgargianti. Nella vetrina del bancone erano esposti prodotti che facevano venire l'acquolina in bocca solo a guardarli. C'erano piccoli medaglioni di formaggio di capra, di cui Jazz andava pazza, perciò Hanna decise di prenderne uno da portare via insieme al cappuccino. La ragazza mise il medaglione in una bustina di carta e fece una bella decorazione sulla schiuma del suo cappuccino, offrendole anche un biscotto al cioccolato.

«Sono nuovi, li ha fatti Bríd. Questa settimana li offriamo gratis col caffè.»

Hanna scosse la testa. «Conservali per gli altri clienti, Aideen. Si vede che sono fatti con ingredienti di prima qualità, vi costeranno parecchio.»

«Già! Una fortuna!» disse Aideen, ma poi arrossì. «Non dovrei dirlo, però è così. Il fatto è che vogliamo vendere solo prodotti di qualità, e chi non risica non rosica.»

Hanna le sorrise e prese il suo cappuccino. «Certo, e sono sicura che sono buonissimi.»

Immaginando anche i suoi futuri grafici di spesa, si sentì solidale con Bríd e Aideen per il coraggio e l'inventiva che avevano riversato nel loro progetto.

La vecchia casa di zia Maggie era subito dopo una curva a gomito, per cui Hanna si accorse del furgoncino fermo davanti al cancello solo quando stava per piombargli addosso. Era una vecchia Toyota rossa col portapacchi e il gancio per il rimorchio. Hanna dovette sterzare di brutto per non andarci a sbattere contro, poi fermò l'auto un po' più avanti, scese – con gli stivali di gomma ai piedi – e tornò indietro furibonda fino al cancello. Appeso allo specchietto retrovisore della Toyota c'era il gagliardetto della squadra di calcio locale, mentre sul sedile del passeggero un vecchio Jack Russell terrier abbaiava come un ossesso. Intorno, però, non si vedeva nessuno. Probabilmente l'auto apparteneva a qualche contadino che l'aveva lasciata lì per andare a controllare il bestiame. Se fosse successo di nuovo, Hanna avrebbe dovuto scambiarci due parole.

Aprì il cancello e, facendosi largo tra i rami degli alberi che erano cresciuti indisturbati, arrivò in fondo al campo. Arrivata lì, però, rimase di stucco: a pochi passi da lei, c'era un uomo alto e un po' gobbo che le dava le spalle. Indossava una lunga cerata con le tasche strappate, pantaloni di velluto a coste infilati negli scarponi da lavoro e un berretto di lana ben calcato sui capelli grigi e spettinati. Senza darle neanche il tempo di riprendersi dallo spavento e continuando a darle le spalle, l'uomo cominciò a parlare. «Immagino che vorrai tenere quelle ridicole lastre di ardesia.»

«Scusi?»

Col mento l'uomo indicò il tetto, che era fatto di tegole di ardesia, tutte scombinate e ricoperte di muschio. Hanna aveva pensato di sostituire quelle rotte o mancanti andando a prenderle nei cantieri di recupero. Ma anche stavolta l'uomo parlò prima che lei potesse aprire bocca.

«Non si trovano. E se pure dovessi trovarle, se ne approfitterebbero e te le farebbero pagare un occhio della testa», disse, girandosi un attimo a guardarla. Aveva un'espressione lugubre, il naso molto lungo e la barba incolta. Senza darle il tempo di rispondere, si girò di nuovo e tornò a guardare la casa, annuendo come uno che la sapeva lunga. «Se le vendiamo tutte, ci facciamo qualche scellino. Le travi, però, ce le teniamo. Togliamo solo quelle rovinate.»

Hanna finalmente riuscì a dire qualcosa. «Scusi, ma sa che questa è proprietà privata? E che la sua è violazione di domicilio?»

«Violazione di domicilio? A casa di Maggie Casey?» L'uomo si voltò di scatto, e Hanna per un attimo s'impaurì. Poi però le passò accanto senza nemmeno degnarla di uno sguardo. Aveva una sessantina d'anni e si vedeva che era uno del posto.

Allora Hanna lo richiamò. «Mi scusi, non volevo essere sgarbata, però io non la conosco e non so nemmeno di cosa stia parlando.»

«Tranquilla, non c'è problema.» Continuò a camminare fino al cancello, passando in mezzo ai rovi con le ginocchia che si sollevavano come le zampe di una cicogna.

Hanna lo raggiunse alla jeep. Quando la vide, il cane cominciò ad abbaiare e ad agitarsi. «Io sono Hanna Casey, non so se mi conosce», disse alzando la voce.

L'uomo salì in macchina e il cane si tranquillizzò. Ingranata la marcia, ripartì col suo furgoncino e scomparve oltre la curva, lasciando Hanna senza parole.

Alla fine alzò le spalle e se ne tornò alla sua auto. Certo, era evidente che quel tizio non aveva tutte le rotelle a posto, ma aver trovato lì quell'inquietante presenza le aveva rovinato il piano di bersi un cappuccino in santa pace per festeggiare il suo nuovo progetto.

12

Seduta in veranda a casa della nonna, Jazz pensava che avrebbe dovuto rientrare e stirarsi la divisa. Era la sua ultima sera, perché l'indomani sarebbe dovuta ripartire all'alba. Decise però di restare altri cinque minuti lì fuori, a guardare le violacciocche notturne brillare alla luce del tramonto. Tanti anni prima, il nonno le aveva spiegato che le violacciocche erano più profumate se le si piantava in un posto tranquillo. E se non le s'innaffiava troppo e non si dava loro il fertilizzante, fiorivano anno dopo anno riempiendo il giardino del loro profumo. Inebriandosi di quel buon odore, Jazz si disse che ormai era talmente esperta nel fare le valigie, che le ci sarebbero voluti solo pochi minuti. Adorava il suo lavoro, perché la teneva sempre in movimento. Le piacevano tanto anche quei lunghi fine settimana di relax sulla veranda della nonna, che certo non aveva niente a che fare col bel giardino tranquillo della loro casa di Londra o col frutteto che avevano nel Norfolk. La veranda della nonna non c'entrava niente neanche col cortile della casa in cui abitava in Francia, dove le piante morivano sempre perché non c'era mai nessuno a occuparsene.

Gli amici con cui condivideva l'appartamento lavoravano per la sua stessa compagnia aerea e, se il giardino era un disastro, lo stesso non si poteva dire del palazzo, che era un posto bellissimo in cui vivere, proprio al centro della città e a mezz'ora dall'aeroporto. Le stanze però erano piccolissime, per questo molte delle sue cose erano ancora a casa della nonna.

Nella sua vecchia casa di Londra, invece, gli armadi erano vuoti, e la casa nel Norfolk non c'era più perché il padre l'aveva venduta. Quando le aveva detto della vendita, la madre aveva temuto che ci sarebbe rimasta malissimo, ma Jazz non aveva fatto una piega, perché le importava solo di poter passare ancora del tempo col padre. Ormai aveva digerito il loro improvviso trasferimento in Irlanda, anche se all'inizio non era stata certo contenta. La verità era che stare nel Norfolk non le era mai piaciuto, perché a che servono un campo da tennis e un giardino meraviglioso se poi non si conosce nessuno con cui passare il tempo?

Mentre stava seduta in veranda col sole che calava e il profumo delle violacciocche che si faceva più intenso, la raggiunse Hanna. «Posso unirmi a te?»

«È un paese libero.» Jazz si morse la lingua. Era stata antipatica, anche se non ne aveva intenzione. Sua madre, però, aveva l'abitudine di ronzarle intorno in punta di piedi, come se camminasse sulle uova, e questo la irritava parecchio. Con tutti gli altri, Hanna Casey era diretta e pronta a dire pane al pane e vino al vino. Con lei invece era perennemente insicura e ipersensibile, tanto che bisognava stare sempre attenti a non ferirla. Quando vivevano ancora in Inghilterra, non era così. Jazz allungò una gamba e, col piede, agganciò una sedia vuota per avvicinarla alla sua. Di chiederle scusa non le pareva il caso, ma un gesto carino avrebbe aiutato.

Hanna si sedette accanto alla figlia, sperando di non essere stata troppo invadente a raggiungerla in veranda. In passato adoravano starsene lì, l'una accanto all'altra, a godersi il profumo dei fiori. Quando Jazz era piccola, trascorrevano tutta l'estate insieme in Irlanda. All'epoca, Malcolm diceva che era costretto a restare a Londra per via del lavoro, perché altrimenti le avrebbe raggiunte molto volentieri, e Hanna gli credeva. In seguito, aveva scoperto la relazione clandestina del marito e aveva capito che, mentre lei e la figlia facevano castelli di sabbia sulle spiagge del Finfarran, lui e Tessa se la spassavano in casa loro. I vicini non le avevano mai detto nulla. Era comprensibile, perché sicuramente non avevano voluto ferirla, proprio come lei poi non aveva voluto ferire Jazz.

Era stato solo per la figlia che Hanna non aveva fiatato il giorno in cui Jazz, per la prima volta, aveva chiamato Tessa «la nuova fidanzata di papà». Subito dopo il diploma, senza neanche consultare Hanna, Malcolm aveva portato Jazz a cena in un costosissimo ristorante di Londra e le aveva parlato della sua storia con Tessa, descrivendola come una storia d'amore travolgente che era nata all'improvviso.

Jazz era tornata a Crossarra tutta eccitata. «Incredibile, vero? Se pensi che lavorano insieme da anni. E indovina un po'? Papà mi ha invitata ad andare in crociera con loro questa estate.»

Ad Hanna si era fermato il cuore. Mentre cercava di riprendersi, era arrivata Mary Casey che le aveva sbattuto davanti una tazza di tè. Hanna ricordava ancora lo stordimento provato in quel momento, il contrasto tra la tazza bollente e le sue mani gelate, la voce della madre che aveva riempito il silenzio che lei non era stata in grado di colmare.

«E tu che gli hai detto, Jazz?»

Jazz aveva declinato l'invito, perché doveva frequentare il corso di hostess di bordo insieme alle sue amiche Afric e Shane.

«E tuo padre come ci è rimasto?»

Jazz si era messa a ridere. «Secondo me, è stato contento. Si sarà sentito sollevato al pensiero di non dovermi avere tra i piedi. Comunque, chi l'avrebbe mai detto! Papà e Tessa Carmichael!»

Era già passato un anno da quella sera e alla fine Hanna,

per il bene di Jazz, era stata costretta a fingere che la storia di quell'amore improvviso fosse vera, anche se era iniziata ancor prima che Jazz nascesse. Malcolm era stato più svelto di lei e, mentre Hanna stava ancora pensando a come dire alla figlia che il loro matrimonio era finito, lui l'aveva messa in difficoltà inventandosi quella storia. Certo, era probabile che in quel modo avessero evitato inutili sofferenze a Jazz, ma era ancora più probabile che il vero scopo di Malcolm fosse proprio quello di punire Hanna per avergli portato via la figlia. Anche se non era da escludere che fosse davvero convinto che le bugie sono un bene se evitano di soffrire. Al di là di questo, in ogni caso, Malcolm aveva fatto in modo di preservare il suo rapporto con Jazz, a discapito ovviamente di quello tra Hanna e la figlia. *Che fastidio dover stare ancora qui a pensare a Malcolm invece di godermi la compagnia di Jazz,* pensò Hanna.

Sua figlia si stiracchiò inspirando l'aria fragrante. «Il profumo dei fiori mi ricorda sempre il nonno.»

«Anche a me.»

Quando Hanna era bambina, Tom aveva piantato fiori profumati tutto intorno alla panchina fuori del negozio e aveva piazzato vasi di calle sotto le finestre. Quando poi era andato in pensione e avevano comprato la casa nuova, si era finalmente ritrovato nel suo elemento, tra semini, piante e tavole di legno da inchiodare. Hanna si ricordava ancora di quando Jazz, che all'epoca aveva otto o nove anni, passava le vacanze estive in spiaggia ad aiutare il nonno a scegliere le pietre più belle, che poi trasportavano fino all'auto dentro un telo da mare e le infilavano nel bagagliaio. Insieme al nonno prendevano quelle più adatte per forma e colore e le sistemavano intorno alla veranda. Jazz si divertiva di più a scegliere le pietre che a fare giardinaggio, ma Hanna era felice perché in quel modo la figlia avrebbe avuto bei ricordi delle estati passate in Irlanda da piccola.

A casa Turner, invece, l'appassionata di giardinaggio

era Louisa. I terreni che avevano nel Kent non potevano essere paragonati al giardinetto dei Casey, ma nelle rare occasioni in cui i genitori di Malcolm e quelli di Hanna si erano visti, Tom e Louisa avevano chiacchierato a lungo della loro comune passione per i fiori. E la casa di Londra era sempre stata piena dei fiori che la madre di Malcolm mandava loro dal Kent. Quando Hanna, incinta di Jazz, aveva scoperto di aspettare una bambina, lui era andato a trovare i genitori e la sera era rientrato a casa con un mazzo di gelsomini da parte di Louisa, che li aveva avvolti in un foglio di carta umida perché non soffrissero il caldo durante il viaggio in auto. Hanna ne aveva inspirato il profumo, piena di gioia per l'arrivo della loro bambina. Dopo l'aborto spontaneo, i medici le avevano detto che le possibilità di concepire ancora erano alquanto scarse. All'inizio ne aveva sofferto molto, ma poi col tempo aveva accettato la cosa, presa com'era dalla carriera di Malcolm e dalla loro unione che all'epoca sembrava perfetta.

E negli anni che erano seguiti, se qualcuno le avesse chiesto se era felice, lei avrebbe risposto di sì. Dietro casa loro, c'era una bellissima biblioteca che aveva cominciato a frequentare in cerca di libri di architettura e design, ma dove poi aveva scoperto il mondo della letteratura. I libri sull'architettura londinese di epoca georgiana l'avevano condotta a biografie e romanzi di quello stesso periodo. I libri illustrati su tessuti e materiali avevano trascinato la sua immaginazione oltre la Manica, fino alla gloria dei palazzi francesi, alla fiorente eleganza di quelli olandesi e ai modelli greci e latini cui si erano ispirati gli architetti inglesi del Settecento coi loro cappelli a tre punte. Hanna aveva letto un libro dopo l'altro, senza seguire una logica precisa. Attraverso il commissario Maigret di Georges Simenon aveva scoperto i gialli di P.D. James, e leggendo un saggio di uno psicologo americano si era imbattuta nello scrittore irlandese John McGahern, di cui lei non aveva mai sentito parlare prima. Pur avendo soldi a sufficienza per comprarsi tutti i libri che voleva, la biblioteca dietro l'angolo era diventata la sua seconda casa.

Per questo motivo, si era resa conto di quanto desiderasse un bambino solo nel momento in cui aveva saputo di essere di nuovo incinta. Malcolm era felicissimo che sarebbe stata una femmina. E quella sera, col mazzo di gelsomini poggiato sulle gambe, avevano parlato a lungo del futuro. L'idea di chiamarla Jasmine era venuta a Malcolm. A sua madre sarebbe piaciuto un sacco, le aveva detto. «Mi piace, sì, chiamiamola Jasmine.»

Lei gli aveva sorriso. «La vizierai da morire, vero?»

«Certo!»

Invece poi non era andata così. Malcom era stato un padre bravo e generoso, ma severo. Sull'educazione di Jazz, lui e Hanna erano stati davvero un'ottima squadra. A guardarla adesso, seduta in veranda accanto a lei, Hanna si sentiva orgogliosa della figlia. Malcolm, che aveva sempre voluto che facesse l'università, poteva pure continuare a svilire quel lavoro di hostess, ma Jazz era diventata una donna felice, sana e responsabile. E si era diplomata con buoni voti. Chi poteva sapere cosa avrebbe deciso di fare in futuro? Pensando a tutto questo, Hanna stava per dire alla figlia che era fiera di lei, ma prima che potesse aprir bocca Mary aprì la portafinestra e le raggiunse. «C'è un pezzo di formaggio puzzolente che sta impestando il frigo. Avete intenzione di mangiarlo?»

Hanna guardò la figlia e le fece un sorrisetto. «È formaggio di capra, l'ho preso da Aideen e Bríd. Ho pensato che ti sarebbe piaciuto assaggiarlo.»

«Buono!» Jazz si alzò e fece per entrare in casa. «Che ne dite se lo mettiamo sui cracker e ci facciamo un aperitivo?»

«Non contarmi proprio!» le rispose Mary, poi si sedette sulla sedia lasciata libera dalla nipote e disse ad Hanna: «Da quando ha imparato a fare gli aperitivi?»

«Dai, mamma!» rise lei. «È stata praticamente svezzata a intingoli e *crudités*.»

Sentirono Jazz che si muoveva in cucina, allora Mary indicò la finestra con la testa e, per una volta nella vita, parlò a voce bassa. «Non le hai detto che sei andata a Londra, vero?»

«No.»

«Non mi ascolti mai, non c'è niente da fare. Ma ti stai scavando la fossa da sola, dai retta a me.»

Hanna non disse nulla.

Allora Mary si appoggiò allo schienale della sedia e fece spallucce. «Al cieco non si mostra la strada, diceva sempre tuo padre. Sei convinta che con questo progetto della casa diventerai una donna libera e indipendente, ma senti cosa ti dice tua madre: il signorino che sta giù a Londra ti tiene ancora ben bene in pugno.» La portafinestra si aprì di nuovo e Mary abbassò ancora di più la voce. «E ti dico anche un'altra cosa, che sono sicura non ti farà piacere sentire: Jazz non è più una bambina. Un giorno scoprirà che razza di uomo è il padre, e allora capirà di avere non uno, ma due genitori bugiardi.»

13

Il piacere di guidare in solitudine tra paesaggi mozzafiato ripagava del dover lavorare un'ora in più. I giorni in cui portava in giro per la penisola la biblioteca ambulante, Hanna guidava fino a Carrick, lasciava la sua auto davanti alla biblioteca centrale, prendeva il furgoncino e si metteva in viaggio.

Quel giorno il giro l'avrebbe portata nella zona meridionale dell'isola, fino a Ballyfin. Il tempo all'inizio pareva brutto, ma via via che andava verso ovest, le nuvole si erano diradate. La prima tappa sarebbe stata un paesino vicino al mare, al quale si arrivava da una strada a una sola corsia che risaliva una collina. Giunta in cima, Hanna si trovò davanti un arcobaleno che attraversava il cielo finendo su un gruppetto di case sulla spiaggia. Mentre riscendeva la collina verso il paese, scorse i ragazzini che giocavano nel cortile della scuola vicino al molo. Poco oltre, in un'insenatura, le sule nidificavano sulla scogliera e, gridando, scendevano in picchiata per seguire le barche dei pescatori. La scuola aveva soltanto due aule, un insegnante e un assistente e, se non fosse stato per un paio di computer e una pianola, si sarebbe potuto dire che era rimasta uguale all'epoca in cui in quelle classi studiavano i genitori e i nonni degli alunni attuali. Non c'erano più le file di banchi e ormai le pareti non erano più spoglie, ma piene di disegni e lavoretti degli scolari. Sugli attaccapanni nei corridoi, dove un tempo si vedevano appesi solo trench e giacche di velluto a coste e ancora prima scialli e cappotti di lana, adesso c'erano giacche a vento e felpe col cappuccio. Anche Hanna aveva frequentato una scuola simile, prima di andare dalle suore. Tuttavia, proprio come il vecchio convento di Lissbeg, gran parte delle scuole elementari del Finfarran erano state chiuse. E i ragazzini che in quel momento, vedendola arrivare col suo furgoncino, le correvano incontro insieme ai genitori erano gli ultimi a poter ancora godere del piacere di andare a scuola a piedi o in bicicletta.

Per Hanna, aver avuto la possibilità di crescere libera e senza la costante supervisione degli adulti era una delle cose che avevano reso bella la sua infanzia. Forse era per questo che a Jazz, da bambina, piaceva tanto trascorrere l'estate in Irlanda: lì i ritmi erano più rilassati e i bambini, invece di essere sempre impegnati tra laboratori creativi, scuole di danza e campi estivi, passavano le giornate a inventare giochi o dare una mano ai genitori col negozietto di famiglia o con la fattoria.

Lasciata la strada che portava al paese, Hanna si unì alle auto dei turisti che si dirigevano a ovest e, non essendoci più curve o buche, premette sull'acceleratore. Una decina di chilometri dopo, rallentò e svoltò a sinistra, imboccando un'altra strada piena di curve che serpeggiava in mezzo a campi e boschi. L'aveva scoperta anni prima andando in bicicletta, e all'epoca le felci e i rovi le avevano nascosto la vista sui campi circostanti. Dall'abitacolo del furgoncino, invece, era tutt'altra storia: da lassù riusciva a godersi la vista di chilometri e chilometri di prati e terreni arati, dove le mucche pascolavano tra i muretti a secco e i fiori bianchi delle patate che si agitavano al vento e sembravano spuma.

Era diretta a Knockmore, dove c'era un centro anziani ospitato nei locali della chiesa. Accanto alla chiesa il parcheggio era comodo e la gente del posto approfittava dell'arrivo della biblioteca ambulante, oltre che per prendere qualche libro, anche per fare un salto all'alimentari del paese o per pranzare al pub. Mentre passava davanti al cancello di una fattoria, una donna uscì di corsa con un libro in mano e le fece segno di fermarsi. Hanna, suo malgrado, acconsentì. In teoria non avrebbe dovuto farlo, ma nella pratica lo faceva sempre. Abbassò il finestrino e aspettò che la donna la raggiungesse e si appoggiasse allo sportello tutta ansimante. «Mi scusi tanto, Miss Casey, ma ho la mamma con un po' di tosse e oggi non ce la faccio a venire in paese.»

«Non c'è problema, Nell. Non ti preoccupare.» Hanna allungò il braccio fuori del finestrino e prese il libro. «Come va questa tosse? Le è venuta da poco?»

«È un po' che ce l'ha, però il libro che le ha dato la settimana scorsa le è piaciuto tanto. Non ne avrebbe per caso un altro così?»

Le ci vollero dieci minuti per trovare un libro giusto per la signora Reily, appassionata di romanzi gialli, e un altro adatto a Nell, una saga famigliare. Le due donne passavano la maggior parte del loro tempo in casa, a lavorare all'uncinetto davanti alla televisione.

«Ma quando la mamma non sta bene non mi va di fare l'uncinetto e tengo la tv spenta perché ho paura di non sentirla se mi chiama. Questi libri che ci ha dato ci faranno passare il tempo finché la mamma non si sarà rimessa.» Poi poggiò i libri sul cancello e salutò Hanna mentre ripartiva col furgoncino.

Guardandola dallo specchietto retrovisore, Hanna la vide rientrare in casa tutta contenta. Erano stati solo pochi minuti passati a chiacchierare con una conoscente, ma il contatto umano e la prospettiva di avere dei libri da leggere le avevano illuminato la giornata. Per quanto i paesini e le fattorie della penisola sembrassero isolati, i rapporti umani univano le persone, che si davano sostegno reciproco. E questo non valeva solo per gli anziani. I compagni di scuola di Jazz e Conor che volevano farsi una vita nel posto in cui erano cresciuti avevano bisogno di una comunità che li aiutasse. Anche se poi, davanti a certi meccanismi o tradizioni, si rischiava d'impazzire.

Quella mattina Conor era arrivato sulla sua Vespa proprio mentre lei apriva la biblioteca. Era evidente che aveva qualcosa da dirle, ma quel giorno Hanna non voleva fare tardi, perciò aveva fatto finta di niente, sperando che fosse qualcosa di poco conto. Poi però le era caduto l'occhio sul vecchio cartello ATTENZIONE AL GRADINO e aveva chiesto a Conor di sostituirlo. Aveva capito, allora, che era proprio quella la cosa di cui il giovane doveva parlarle. Non avendo più via di scampo, Hanna aveva passato i dieci minuti seguenti ad ascoltarlo, per scoprire finalmente che l'intruso trovato davanti a casa di zia Maggie l'aveva mandato lui.

«Non l'ho fatto per impicciarmi, Miss Casey, davvero. Volevo solo essere d'aiuto. E poi non gli avevo detto di venire, non so neanche come abbia fatto a capire dov'era il posto. Il punto è che lei mi aveva chiesto se conoscevo un muratore e lui fa proprio quel lavoro lì. E quando sono andato chiedergli l'acquaragia per togliere quei segni dal muro, la cosa è venuta fuori.»

Avendo ormai rinunciato a mettersi in viaggio in tempo per evitare il traffico, Hanna si era seduta sulla scrivania ad ascoltare Conor che, paonazzo, le spiegava che non si poteva tirar giù il vecchio cartello finché non si metteva su quello nuovo. Quello nuovo non poteva essere attaccato finché Fury O'Shea non avesse portato l'acquaragia, e c'era il pericolo che Fury non si presentasse più visto che, a quanto pareva, Hanna l'aveva trattato malissimo. Non che lei l'avesse fatto di proposito, si era affrettato a chiarire subito Conor, ma comunque qualcuno li aveva visti discutere davanti al furgoncino di Fury e si era sparsa subito la voce. Quando poi Hanna gli aveva suggerito che l'acquaragia poteva sempre andare a comprarla lui per un paio di euro, lui aveva fatto un'espressione terrorizzata. E se Fury gliel'avesse portata? Si sarebbe arrabbiato ancora di più perché avrebbe voluto dire che Conor aveva messo in dubbio la sua parola. E poi, se lui fosse uscito, chi avrebbe pensato agli utenti della biblioteca? Avrebbe dovuto mettere un cartello con su scritto TORNO SUBITO, ma se poi qualcuno si fosse lamentato? Vedendolo così agitato, Hanna aveva cercato di tranquillizzarlo.

«Non c'è motivo di farla tanto lunga. Lascia il vecchio cartello finché non arriva il signor O'Shea e, se poi lui non dovesse venire, sistemeremo tutto domani.»

Adesso, mentre spingeva sull'acceleratore per cercare di recuperare il tempo perso con Nell Reily, Hanna era preoccupata. Era cresciuta a Crossarra e sapeva benissimo cosa sarebbe successo se Conor avesse avuto ragione e questo signor O'Shea si fosse davvero offeso. Non solo quell'uomo non avrebbe accettato di lavorare per lei, ma nemmeno gli altri muratori della zona l'avrebbero fatto; se non tutti, almeno quelli bravi. Hanna fece un verso di disappunto. Se era fortunata, Conor stava solo esagerando. Tuttavia, da come le era sembrato che stessero le cose, era più probabile che lei avesse fatto un errore che le sarebbe costato caro. Subito, però, cercò di ricomporsi. *Non essere sciocca*, si disse. *La vecchia Hanna si sarebbe preoccupata. La nuova Hanna è diversa*. E poi, tutto sommato, quanto poteva essere difficile avere a che fare con questo Fury O'Shea?

14

Fury O'Shea cercò un po' su Broad Street, poi notò un posto libero e parcheggiò. Il turista che stava seduto vicino al vecchio abbeveratoio pieno di fiori strabuzzò gli occhi quando vide il muso della Toyota rossa fermarglisi a un centimetro dalle ginocchia, mentre il cane nell'abitacolo saltava e abbaiava all'impazzata. Ripiegata la mappa, il giovane si alzò dalla panchina, si rimise l'enorme zaino sulle spalle e se ne andò arrabbiato. Fury spense il motore e si allungò a prendere una vecchia bottiglietta di plastica dal vano portaoggetti, se l'infilò in tasca e poi mise le lunghe gambe fuori dell'abitacolo. Il traffico della mattina imperversava in entrambi i sensi di marcia. Fury scartò una macchina e un camion e si diresse verso la biblioteca. Il cane, conosciuto da tutti come Demonio, vedendo che la sua presenza non era richiesta, si rimise a cuccia sul sedile col muso infilato sotto la coda. Fury percorse il marciapiede che costeggiava il perimetro della vecchia scuola, svoltò all'altezza del convento ed entrò nel cortile.

Conor era seduto alla sua postazione e alzò lo sguardo quando vide quell'uomo alto e un po' curvo sulla porta della biblioteca. «Come va, signor O'Shea?»

«Benone.»

Con un gesto ostentatamente disinvolto, Fury tirò fuori

la bottiglietta e l'appoggiò sulla scrivania. «Ecco qua, ragazzo. Siamo a posto così.»

«Ah, grazie mille, Fury.»

L'uomo guardò il cartello sopra la porta. «Hai già provato a mettere quello nuovo?»

«Sì, certo. È grande la metà. Per questo mi serviva l'acquaragia.» Conor avvicinò una sedia alla porta e ci salì sopra, cominciando a rimuovere il segno lasciato dalla colla dello scotch. «Se aspetta un attimo, quando ho finito le metto su un tè.»

«Lascia stare, ragazzo. Ho da fare.» O'Shea si guardò intorno. «Quindi lei non c'è oggi.»

Conor scosse la testa. Fury sapeva benissimo dov'era Miss Casey, ma bisognava dare tempo al tempo e ci sarebbe voluta un sacco di diplomazia per farli andare d'accordo. Tuttavia, visto che l'idea di metterli in contatto era venuta a lui, Conor era più che determinato a far funzionare le cose.

Secondo suo padre, Fury non aveva rivali in tutta la penisola come muratore. A lui piacevano le case di una volta, non quelle robette moderne che erano spuntate come funghi negli anni Novanta. Per Fury le case si tiravano su solo con pietre e tavole di legno. E poi odiava gli sprechi. Se un altro muratore ti chiedeva una fortuna per fare il minimo indispensabile, Fury invece si metteva sotto e faceva le cose a modo. Conor aveva pensato che lui fosse l'uomo perfetto per Miss Casey, e invece pareva che per colpa sua fosse scoppiata una guerra. Eppure chissà, magari alla fine si sarebbero convinti anche loro. Secondo Conor, per le persone valeva lo stesso che per le mucche: lascia che siano loro a stabilire il passo e vedrai che arriveranno prima e nel posto esatto in cui volevi portarle tu.

Arrivata a Knockmore, alla chiesa di St Mary che ospitava il centro anziani, Hanna parcheggiò il furgoncino e subito il parroco, padre McGlynn, le andò incontro. I pensionati che frequentavano il centro, e che in alcuni casi venivano anche da lontano, lodavano sempre quel prete che faceva così tanto per loro. Dicevano che, se non fosse stato per lui, sarebbero dovuti arrivare fino all'orribile centro anziani di Carrick ogni volta che avessero avuto bisogno di una pedicure o voglia di prendersi una pausa dai fornelli. Sentendo quanto li preoccupava quella prospettiva, Hanna ogni tanto si chiedeva se non fosse stato più carino da parte del parroco non presentarsi come un eroe agli occhi di quegli anziani, ma forse per una parrocchia isolata come quella era un bene avere qualcuno così pieno di energia. Come le aveva raccontato una volta Nell Reily scegliendo un libro, nella zona la metà dei preti delle chiese di campagna erano ben oltre l'età pensionabile. «A dirla tutta, Miss Casey, sono talmente vecchi che probabilmente non sanno più nemmeno alzarsi dal letto e, se lo fanno, non si ricordano perché l'hanno fatto», le aveva detto mentre controllava l'ultima pagina di un libro per assicurarsi di non averlo già preso in prestito.

Hanna entrò nel centro anziani e si sedette a un tavolino libero. I vecchietti, che stavano pranzando nella sala accanto, l'avrebbero raggiunta a breve per bere un tè o un caffè, perciò le restavano ancora una decina di minuti di tranquillità per mangiare il suo panino. Per i frequentatori assidui del centro anziani, il giorno in cui arrivava Hanna con la biblioteca ambulante era un evento speciale: le portavano torte fatte in casa, fiori raccolti dal loro giardino o addirittura gattini e cagnolini che avevano bisogno di adozione. Sapendo che Mary Casey sarebbe inorridita se lei si fosse presentata a casa con un cucciolo, Hanna aveva sempre declinato quel tipo di offerte. Adesso però, mentre scartava il suo panino, pensò che forse un gatto sarebbe stato una buona compagnia una volta trasferitasi a casa di zia Maggie.

Nella sala accanto sentì rumori di sedie e capì che i vecchietti avevano finito di mangiare e si erano alzati da tavola. Proprio in quel momento, le arrivò un messaggio di Tim Slattery. Lo lesse velocemente. Diceva che non l'aveva incrociata quando era andata a prendere il furgoncino, ma che aveva bisogno di chiederle un favore. Poteva richiamarlo quando aveva tempo? Rispondendo con un frettoloso *d'accordo*, Hanna inviò il messaggio e spense il cellulare mentre i vecchietti arrivavano dalla sala da pranzo.

Solo dieci minuti più tardi, il sogno di una casa tutta sua con un caminetto e un gatto coccolone sembrava già distante anni luce. Non appena i vecchietti si erano sistemati ai tavolini, Hanna aveva nominato Fury O'Shea credendo che tra una chiacchiera e l'altra avrebbe potuto informarsi meglio sul suo conto. Il risultato, però, era stato deprimente. Tutti le avevano detto che far arrabbiare Fury non era stata una buona idea. Lui non era violento, per carità, ma cocciuto come un mulo, sì, e molto rispettato. Hanna era disperata: Conor aveva ragione. Lei aveva combinato un gran casino trattando male l'unica persona che avrebbe potuto aiutarla nel suo progetto. Non che Hanna morisse dalla voglia di lavorare con un tipo così. Perché a sentire i vecchietti questo O'Shea non faceva preventivi né tantomeno fattura, e di attenersi a tempistiche prestabilite non se ne parlava proprio. C'era pure da dire che non si sapeva mai dove trovarlo, visto che il telefono lo teneva sempre spento e ai messaggi non rispondeva. Insomma, la gente lo considerava una specie di demonio, peggio di quel cane che si portava dietro e che abbaiava sempre. Del resto, se si chiamava Fury un motivo doveva pur esserci… Quando gli veniva affidato un lavoro, ci si dedicava anima e corpo e non si fermava finché non aveva finito.

L'uomo seduto accanto a Hanna, un fornaio in pensione, le offrì un cupcake. Li aveva fatti con le sue mani, perché era il giorno della biblioteca ambulante. Erano deliziosi, e Hanna ne aveva mangiati già due, ma vedendo che la moglie del fornaio la guardava speranzosa, sorrise e ne prese un altro. La donna allora s'illuminò in viso e diede di gomito al marito, tutta soddisfatta. Quando poi l'uomo si alzò e si allontanò piano piano per offrirli anche agli altri tavoli, la moglie si avvicinò ad Hanna e le disse sottovoce: «Non è facile farlo star su ultimamente, Miss Casey. E lei gli ha dato un motivo per mettersi a impastare».

Mentre diceva così, si sentì scoppiare una risata a un tavolino in fondo alla sala. Quando l'anziano fornaio tornò da loro, stava ancora ridacchiando. «Senta questa, me l'ero dimenticata. Lo sa cosa ha combinato anni fa quel Fury di cui parlavamo prima? Ha tolto tutte le tegole dal tetto di una signora e le ha rivendute a un'impresa edile. *Ci penso io a farle fare un buon guadagno,* le aveva detto. E poi la metà di quei soldi se li è messi in tasca lui. Quello non lo frega nessuno, stia certa.»

15

Mary Casey spalancò le finestre della camera e, con gesti esperti, disfece il letto e cambiò le lenzuola. Jazz era ripartita all'alba insieme a un'amica che le dava un passaggio in macchina e aveva lasciato il piumone appallottolato in fondo al letto, oltre a un bel po' di disordine sulla cassettiera. Ma la nonna non ne era infastidita, perché tanto in quella casa i letti e le pulizie sapeva farli bene solo lei. Mary infilò il cuscino nella fodera pulita, lo scosse un po' e lo sistemò sul letto. Mise anche il copripiumone stirato di fresco e appoggiò alla testiera trapuntata un paio di cuscini a forma di cuore coi volant sui bordi. Riordinata la cassettiera e con le braccia piene di cose da lavare, si guardò intorno orgogliosa del lavoro fatto.

La camera era tornata a essere come l'aveva sistemata lei prima che Hanna e Jazz si presentassero all'improvviso a casa sua con le valigie in mano. Negli anni successivi, poster di attori e cantanti avevano invaso le pareti coprendo la carta da parati con le roselline che Mary aveva scelto per quella stanza, che con l'arrivo di Jazz aveva finito per pullulare di computer portatili, telefoni, trucchi e vestiti.

Mentre con lo straccio della polvere in mano dava la caccia a un'ape entrata dalla finestra, Mary pensò che Hanna era terribilmente cambiata. Era sempre stata tale e quale al padre: troppo ingenua e sempre pronta a fidarsi del prossimo. E infatti Malcolm gliel'aveva fatta proprio sotto il naso. Adesso invece era perennemente tesa e imbronciata e non si fidava più di nessuno. Mary ammazzò l'ape con lo straccio e poi gettò il cadaverino fuori della finestra. C'erano tanti motivi per cui ce l'aveva con quel Malcolm, ma il primo e più grave era quello di aver ridotto Hanna in quello stato.

Tornata in cucina, infilò le lenzuola nella lavatrice e andò al lavello per lavare lo straccio. Tom le aveva messo un filo per stendere le piccole cose fuori in veranda. Per tutto il resto c'era la lavasciuga, che lei azionava tutti i lunedì mattina, con la pioggia o col sole. Insaponando lo straccio, pensò alla povera madre, che per anni era stata costretta a portare la fede al collo perché le tante ore passate a strofinare pavimenti e a pelare patate nell'acqua fredda le avevano fatto venire l'artrosi alle mani. Il ricordo di quelle dita storte e gonfie le faceva ancora male. Hanna, a quanto pareva, preferiva andare a fare la figlia dei fiori dentro una baracca invece di apprezzare il fatto di poter vivere in una casa calda e accogliente e dotata di ogni comodità. Ben presto, però, sarebbe tornata da lei con una pila di panni sporchi, c'era da scommetterci. Anche se quella scommessa avrebbe anche potuto perderla, pensò mentre strizzava lo straccio, perché il problema della figlia era proprio quello: era testarda come un mulo.

L'aveva descritta così quella mattina nella macelleria dei Fitzgerald. Mentre Mary sceglieva le salsicce, era scesa anche Pat, la moglie del macellaio, e si erano messe a conversare al bancone. Mary e Pat erano state compagne di scuola insieme da ragazzine e in classe chiacchieravano sempre sotto lo sguardo severo di suor Consuelo, schizzando fuori della porta non appena suonava la campanella, con le cartelle che sobbalzavano sulla schiena. Il primo appuntamento tra Mary e Tom era stato un'uscita a quattro con Pat e Ger Fitzgerald, un compagno di Tom. E quando Pat e Ger si erano sposati, Mary e Tom erano stati i loro testimoni, anche se Mary non aveva mai capito cosa ci trovasse Pat in quello lì. Già all'epoca Ger era basso, burbero e sempre col broncio, però era figlio unico e il padre aveva un'attività che andava bene. Forse era proprio per quello che Pat l'aveva sposato. Quella mattina, poggiata al bancone, Mary si era confidata con lei, proprio come aveva fatto sui banchi di scuola. Era molto in pensiero per Hanna: non bastava che fosse stata fregata dal marito, adesso si era pure messa in testa di trasferirsi nella vecchia casa di Maggie.

«È testarda come un mulo, è questo il fatto, e provare a parlarci è inutile», aveva detto Mary scuotendo la testa e sollevando il sacchetto della spesa per poggiarselo sul fianco. «Dio solo sa che non andiamo per niente d'accordo, ma – bontà divina – non la caccerei mai di casa.»

Pat aveva annuito comprensiva. Era brava ad ascoltare.

«Il problema è che non ha risparmi da parte e non potrà nemmeno contare sulla pensione, visto che l'unico lavoro che ha avuto prima di andarsene a Londra è stato quello a Dublino. Col posto in biblioteca qui a Lissbeg, quando avrà l'età giusta per la pensione avrà versato appena dieci anni di contributi.»

«E ovviamente l'ex marito non le ha dato un quattrino dopo il divorzio.»

«Non glieli ha dati? Non li ha voluti! È testarda come un mulo, te l'ho detto! Ci pensi, adesso, quanto le costerà restaurare quella baracca?»

Pat aveva scosso il capo. «In effetti è ridotta maluccio.»

«Capisci? E lo sai cos'ha fatto? È andata a chiedere un prestito alla Credit Union.»

«Oh, Mary!»

«S'indebiterà! Alla sua età! Chissà cosa avrebbe detto il suo povero padre.»

In quel momento era entrato in negozio un uomo e Mary aveva fatto per andarsene, ma Pat l'aveva accompagnata fuori. «Non sarà facile neanche per te restartene tutta sola, eh?»

Mary l'aveva guardata malissimo. «Cosa?»

«Non mi saltare subito alla gola, è solo che mi preoccupo per te. Ti mancherà, Mary, e lo sai anche tu. E poi adesso che non c'è più nemmeno Jazz...»

«Signore benedetto, Pat! Stai scherzando? Lo sai che vuol dire avere quelle due in casa?! Altro che mancarmi! Senza contare che Jazz torna ogni dieci minuti e ha sempre una valigia piena di panni da lavare.»

A ripensare all'espressione preoccupata di Pat, mentre stava davanti al lavello con le mani nell'acqua, le venivano ancora i nervi. Dopo aver lavato lo straccio, Mary lo sbatté un paio di volte e lo portò fuori per stenderlo in veranda, poi raccolse i petali delle primule caduti nei vasi e li gettò nel bidone della spazzatura. L'indomani sarebbero passati a ritirarla e bisognava lasciare il secchio fuori del cancello. Hanna tornava stanca dopo una giornata passata a guidare, ma per la verità era sempre lei a portarlo fuori prima di sedersi a tavola per cena. Mary si mise a pulire dietro il bidone con una scopa, perché era sempre pieno di ragnatele. Poi rientrò in casa, andò in cucina e, sebbene fosse già tutto perfettamente pulito e in ordine, pensò a cos'altro c'era da fare.

16

Ballyfin era l'ultima tappa della giornata. Hanna, come sempre, parcheggiò il furgoncino nella piazza, proprio di fronte a un palazzetto molto bello il cui cartello UFFICIO INFORMAZIONI TURISTICHE copriva quasi la scritta BIBLIOTECA incisa sopra l'ingresso. L'edificio era stato costruito duecento anni prima grazie a una donazione dei de Lancy, una famiglia anglo-irlandese di proprietari terrieri che viveva nella penisola da secoli, ma la cui generosità era ormai solo un ricordo. L'ultimo membro della famiglia viveva ancora nel castello dei suoi antenati vicino a Carrick, ma vent'anni prima, quando i soldi dei de Lancy avevano smesso di arrivare, il consiglio regionale aveva deciso di prendersi l'edificio e il governo aveva stabilito che sarebbe stato uno spreco tenerci dei libri. Così la collezione di libri, mappe, foto e dischi dei de Lancy era stata trasferita a Carrick e il posto che un tempo era stato una biblioteca pubblica adesso ospitava una mostra interattiva sulla storia locale e, se la gente di Ballyfin voleva prendere in prestito o consultare un libro, doveva andare a Lissbeg o a Carrick oppure aspettare che arrivasse Hanna con la sua biblioteca ambulante.

Sopra il bancone all'entrata dell'ufficio turistico, c'era un display su cui lampeggiava la scritta INFORMAZIONI TURISTICHE con dei pesci che ballavano intorno. Ogni anno che passava, i turisti che andavano a Ballyfin per pescare erano sempre meno numerosi, ma il pesce continuava a essere il simbolo della città, non per le origini marittime del posto, bensì per via del libro che lo aveva trasformato in un fenomeno turistico.

Los Angeles è lontana era un libro che raccontava la vita di un bellissimo attore di cinema che, in trent'anni di carriera hollywoodiana, aveva recitato in moltissimi film campioni d'incasso. Nel disperato tentativo di far risaltare il libro tra le mille altre biografie delle star che uscivano in libreria, l'editore aveva scelto di puntare sul periodo che l'attore aveva trascorso a Ballyfin a pescare nel tentativo di riprendersi da un esaurimento nervoso. Non sapendo che il nome della città derivava da quello di un santo medievale, il grafico aveva scelto per la copertina l'immagine di un'enorme pinna caudale che usciva dalle onde, mentre l'editor aveva deciso che il racconto sarebbe stato presentato come il flusso di coscienza dell'attore durante le lunghe settimane passate a Ballyfin alle prese con un pesce enorme. Così non era stata solo la storia a giovarne, ma l'immagine stessa della star, diventato una specie di capitano Achab che si era battuto contro mostri marini e pazzia. *Los Angeles è lontana* aveva avuto un successo mondiale, grazie anche al fatto che la sua pubblicazione era coincisa col quinto divorzio dell'attore e col suo sesto matrimonio, che lo aveva visto convolare a nozze con una cantante ventunenne molto seguita su internet. In questo modo, Ballyfin era diventato un posto da visitare.

Ormai vi si andava solo a mangiare il pesce, non a pescarlo, e *Los Angeles è lontana* non si trovava più nelle librerie, ma immagini dell'attore e della copertina del libro erano ancora disseminate in tutta la città, che continuava a rimanere una meta turistica sia per quella storia, sia per i paesaggi spettacolari.

Ad Hanna Ballyfin metteva tristezza. Si ricordava ancora di quando i negozi sulla piazza vendevano generi alimentari, uniformi scolastiche e forniture elettriche, e tra un negozio e l'altro c'erano lo studio medico, l'avvocato e il parrucchiere. E si ricordava anche di quando nel Finfarran c'erano ben sette uffici postali sparsi nei vari paesi, mentre adesso ne era rimasto uno solo a ovest di Carrick, che era gestito dai genitori di Dan Cafferky, l'amico di Conor, e faticava a restare aperto. Dopo aver perso la biblioteca, Ballyfin ormai aveva solo alberghi e negozietti di souvenir.

Hanna guardò l'orologio che aveva al polso e capì che era ora di rimettersi in viaggio. Mentre girava intorno alla piazza, una delle ragazze che lavorava all'ufficio turistico, Gráinne, uscì con una locandina in mano. La salutò e Hanna si fermò a scambiare due chiacchiere.

«Come va?»

«Ah, lo sai meglio di me, c'è sempre un sacco da fare. In questo periodo dell'anno è sempre così, ma ci siamo abituati», disse Gráinne appoggiandosi al furgoncino.

C'era una bacheca pubblica accanto all'ufficio turistico, residuo dei tempi in cui l'edificio era al servizio della gente del posto e non dei turisti.

Gráinne scrutò il cielo. «Il bel tempo regge. Adesso attacco questa in bacheca e poi chiudo, così vado a farmi una nuotata.»

Hanna guardò la locandina. «Di che si tratta?»

«Ah, è una convocazione per un'assemblea pubblica in cui il consiglio regionale parlerà degli stanziamenti per il prossimo anno. È arrivata stamattina da Carrick. E tu lo sai meglio di me che tanto non la leggerà nessuno.»

Hanna rise. «Di questi tempi è difficile che la gente si metta a leggere gli avvisi o tantomeno che partecipi a un'assemblea.»

«Chissà, magari è proprio per questo che l'avviso lo mettono adesso. Perché in realtà non vogliono che la gente partecipi.»

Hanna sorrise e si rimise in viaggio. Non voleva essere scortese con Gráinne, che era una persona carina, ma al telefono con Tim Slattery a pranzo aveva promesso di partecipare a un evento del consiglio regionale quella sera e l'ultima cosa che voleva fare in quel momento era mettersi a parlare di politica locale.

Ad Hanna piaceva Tim. Quando aveva fatto domanda per quel lavoro a Lissbeg, lui era stato cordialissimo, non le aveva posto domande indiscrete sugli anni passati a Londra e aveva concluso il colloquio dicendo che una risorsa come lei era una benedizione per il sistema bibliotecario del Finfarran. Era stato lui ad assegnarle un posto auto nel cortile della biblioteca. E questo l'aveva fatta sentire importante, anche se Hanna non lo avrebbe mai ammesso neanche a se stessa. I modi sofisticati di Tim, poi, la divertivano. Ogni tanto si era chiesta se anche lui si sentisse soffocare lì nel Finfarran. I suoi genitori avevano una fiorente attività a Carrick e sua sorella un lavoro importante a Dublino, mentre lui alla fine lavorava in un cubicolo dentro un edificio orrendo, nonostante il ruolo che rivestiva. Considerati i suoi gusti in fatto di stile, non era certo quello il posto adatto a lui. Hanna, però, non gli aveva mai chiesto niente, rispettosa della sua privacy così come aveva dimostrato di esserlo lui.

Quel giorno, al telefono, era stato più galante del solito. Gli dispiaceva disturbarla, ma voleva chiederle se per caso non avesse voglia di bere qualcosa insieme quella sera. A dire il vero, più che altro avrebbero partecipato a un noiosissimo party organizzato dall'assessore al Turismo in onore di un ministro che era venuto da Dublino per visitare la penisola.

«In realtà, di noi non gliene importa niente, ma vuole fare una buona impressione e allora ha messo in moto una specie di caccia al figurante.»

Hanna aveva sbuffato senza farsi sentire. Evidentemente Tim doveva un favore a quella Teresa O'Donnell se aveva accettato di partecipare a una cosa del genere, ma anche Hanna si sentiva in debito con lui. Nei cinque anni trascorsi da quando aveva lasciato Malcolm, aveva avuto a stento una vita sociale degna di quel nome, altro che portarsi a letto pescatori a tutto spiano. Perciò le poche volte in cui era uscita a cena con Tim e la sua fidanzata erano state una tregua dall'ennesima serata passata a guardare la televisione con la madre mentre Jazz se ne stava chiusa in camera sua. E le chiacchierate che le capitava di fare con Tim, il cui interesse per i libri non era legato solo alla sua professione, rendevano più interessanti le giornate di lavoro. Così, quando le aveva fatto quella telefonata inaspettata, non se l'era sentita di dirgli di no.

«Oggi è la giornata della biblioteca ambulante, quindi devo tornare a Carrick per lasciare il furgoncino. Una cosa da bere ci starà benissimo.»

«Credimi, non lo sarà affatto. Il rosso saprà di tappo e il bianco sarà imbevibile. Lo so che ti sto chiedendo un favore enorme, ma sappi che te ne sarò davvero molto grato. Ci vediamo alle sette.»

Questo significava che Hanna aveva un'ora da perdere, perciò mentre riportava il furgoncino a Carrick col sole basso del tramonto non resistette all'idea di fare un salto a casa di zia Maggie. Ci avrebbe pensato Conor a mettere in ordine e a chiudere la biblioteca. Era un ragazzo affidabile, anche se a volte il suo desiderio di rendersi utile gli faceva oltrepassare il limite. E in realtà quel casino nato con Fury O'Shea era solo colpa di Hanna, in fondo, perché lei avrebbe dovuto sapere che Conor – che voleva risolvere sempre tutto – avrebbe cercato di trovarle un muratore. Pensando a Conor, le venne in mente anche che partecipare a quella serata avrebbe potuto aumentare le probabilità che gli rinnovassero il contratto. E allora, arrivata davanti a casa, prese il cellulare e gli inviò un messaggio per invitarlo a raggiungerla a Carrick alle sette, in giacca e cravatta.

Inviato il messaggio, tornò a pensare alle sue cose. Mentre parcheggiava il furgoncino davanti al cancello, si disse che forse sarebbe stato davvero più intelligente trovare un muratore che non fosse del posto e che, in ogni caso, chiunque avesse ingaggiato, avrebbe dovuto prima avere ben chiari in testa i lavori che voleva fare. Tanto per iniziare, per capire di cosa c'era bisogno, doveva dare una bella ripulita, perché da quando era morta zia Maggie quel posto pareva diventato una specie di discarica. Se c'era una cosa che Hanna aveva imparato dai lavori di ristrutturazione fatti in passato, era che bisognava avere il pieno controllo del progetto sin dall'inizio. Poi, girò l'angolo e si ritrovò davanti una capra.

17

Hanna fissava l'animale ossuto dal pelo bianco e marrone che brucava l'erba con la massima calma. La capra aveva al collo una vecchia corda che la legava alla ruota di un carro mezza interrata. Fin dove arrivava la corda, l'erba era tutta rasa, come se fosse passato qualcuno con una falce. Oltre quella distanza, invece, era più alta che mai, coi cespugli gialli di ginestrone che brillavano al sole. Come il resto dell'immondizia sparpagliata tutto intorno, anche la ruota era stata abbandonata lì a marcire da chissà quanto tempo, ma adesso in mezzo a quel cerchio d'erba ben rasata era quasi decorativa. E già solo con quel pezzetto di prato rasato, la situazione sembrava migliorata. La capra alzò il muso e guardò Hanna per un momento, quindi si rimise a pascolare e a brucare l'erba con fare quasi contemplativo. Frastornata, Hanna stava per avvicinarsi all'animale, quando si accorse che gli occhi gialli con le pupille oblunghe stavano fissando qualcosa dietro di lei. Pochi secondi dopo, sentì una voce familiare. «Direi che adesso è pronta per il freezer.»

Fury O'Shea avanzava verso di lei in mezzo all'erba alta, stringendosi nella giacca impermeabile per riuscire a vedere dove metteva i piedi ed evitare i rovi. Demonio lo precedeva saltellando, sparendo e riapparendo in mezzo all'erba. Arrivato da lei, la puntò e cominciò ad abbaiare.

«Cosa ci fa questa nella mia proprietà?» urlò Hanna indicando la capra.

Il cane smise di abbaiare quando Fury li raggiunse. Hanna ripeté la domanda.

Lui la guardò sollevando un sopracciglio. «Che ne so io di cosa fa?»

«Sta dicendo che non lo sa?»

«Certo che lo so. L'ho portata io.»

«Me l'ha portata? E perché? Qualcuno le ha forse detto che mi serviva una capra?»

«Non c'era bisogno che me lo dicesse qualcuno, lo sanno tutti che ti serve una capra. Anzi, te ne servirebbero due. La seconda l'ho già adocchiata, ma ci vorrà ancora una settimana.»

Hanna era combattuta, non sapeva se urlare o mantenere la calma. Alla fine decise per la seconda opzione. «Quanto ci mettono due capre a ripulire tutto il campo?» disse.

«Bontà divina, ragazza mia, vuoi dirmi che non lo sai? Ma dove sei cresciuta?» Prima che Hanna potesse rispondere, lui la prese per il gomito e la portò fino alla ruota del carro. «Non posso mica venire io tutte le volte, dovrai pensarci tu a spostarla. Avanti, slega la corda e portiamola vicino al freezer.»

Dieci minuti dopo, col cane che le ringhiava e la capra che cominciava a brucare l'erba intorno al freezer arrugginito, Hanna si ritrovò seduta accanto a Fury O'Shea sul muretto in fondo al campo. Le travi del tetto sembravano a posto, le disse, e anche le mura non avevano problemi, a quanto pareva non c'erano infiltrazioni.

«E come fai a saperlo?»

Fury si voltò e le lanciò un'occhiataccia. «Tu che lavoro fai?»

«Lo sai che lavoro faccio, sono una bibliotecaria.»

«Ecco, e io sono un muratore. Dici che basta?» rispose lui e si alzò di scatto. Hanna pensò che se ne sarebbe andato come l'ultima volta, invece allungò una mano per aiutarla ad alzarsi. «Andiamo a dare un'occhiata dentro.»

Con Demonio che le camminava davanti, Hanna seguì Fury in casa. Appena entrata, la prese lo sconforto. Voleva davvero imbarcarsi in quel progetto? La porta di legno era marcia e scardinata, le finestre cadevano a pezzi e i vetri erano rotti. Il pavimento era ricoperto di detriti provenienti dal soffitto, che era macchiato d'umidità in un angolo. La credenza di zia Maggie, in una nicchia accanto al camino, era piena di ragnatele. Sugli scaffali dietro le ante di vetro c'erano ancora vecchie tazze e bicchieri della zia. Dal comignolo era precipitato nel camino un nido di corvi, portando con sé un mucchio di fuliggine e di piume. Dalla porta aperta in fondo al soggiorno s'intravedeva la camera in cui dormiva zia Maggie col letto d'ottone e la carta da parati tutta scollata.

Fury andò a ispezionare la stanzetta che era stata aggiunta alla pianta originale della casa. La copertura, fatta di lamiera ondulata, stava cedendo sotto il peso dell'edera cresciuta sopra. Hanna sentì uno scalpiccio improvviso alle sue spalle e si girò di scatto. Per fortuna era solo il cane che tornava dalla stanza da letto col muso tutto sporco di polvere. Fury si affacciò sulla soglia e Hanna, imbarazzata, gli indicò la camera.

«Credevo ci fossero i topi.»

«Ci saranno di sicuro. Dovrai farti dare una mano anche dal cane, oltre che dalla capra.» Ma non c'era bisogno di andare nel panico, le assicurò poi, col sole che tramontava alle sue spalle. Tutte le case abbandonate erano infestate dai topi, soprattutto se c'era un materasso. Bisognava ripulire quella casa da cima a fondo e impermeabilizzarla, e la stanza aggiuntiva andava buttata giù e ricostruita per bene, e non ci sarebbe voluto un giorno. «Lì ricaveremo il bagno, con la doccia e la lavatrice. Nella sala principale faremo in modo che ci stia una cucina completa, coi fornelli e qualche mobiletto. Una volta che avrai il lavello, il forno, il frigo e gli armadietti, non crederai ai tuoi occhi. Teniamo anche il camino, così ci mettiamo accanto una bella poltrona. Una volta sistemati il tetto e le tubature, sarà un gioiellino.»

Stava andando troppo di corsa per i gusti di Hanna. Aveva bisogno di riflettere, di vedere il progetto su carta, e poi doveva fare un po' di conti e per questo le serviva un preventivo. Si ricordò allora di quello che le avevano raccontato al centro anziani e lanciò a Fury lo stesso sguardo che riservava a chi riconsegnava i libri in ritardo. «Lo capisci, vero, che mi serve un preventivo?»

«Lo capisco, lo capisco», rispose Fury, che poi si alzò e si girò a cercare il cane, che intanto stava facendo conoscenza con la capra. «Però, sai che c'è? È meglio se mi avvio, il cielo minaccia pioggia.»

Hanna si affrettò ad alzarsi a sua volta e gli poggiò una mano sul braccio. «Senti, mi dispiace di essere stata scortese l'altro giorno.»

Fury la guardò un attimo e fece spallucce. «Ragazza mia, la conoscevi anche tu Maggie. Se lei avesse trovato un intruso nella sua proprietà, avrebbe imbracciato il fucile.»

Hanna ridacchiò. «È vero.»

«Perciò sarei stato uno sciocco a offendermi perché la nipotina di Maggie è stata un po' scortese.»

«Sì, però mi dispiace lo stesso.»

Fury raccolse un filo d'erba e se l'infilò in bocca guardando lontano. «Maggie aveva un caratteraccio. Ma sai che ti dico? A me piaceva. Le ho dato anche una mano con la casa quando ero ragazzo. Per un mese. Stava sempre a bisticciare coi vicini e allora aveva deciso di mettere una recinzione. Io avevo bisogno di soldi per andare in Inghilterra e così gliel'ho costruita io.» Indicò la casa col mento. «E già che c'ero le ho anche dato una sistematina al tetto.»

«Ecco, a proposito», disse Hanna guardandolo seria.

«Una volta che l'avremo sistemato, voglio rimetterci le tegole originali.»

«Certo che sì.» Fury infilò le mani in tasca e richiamò il cane con un fischio. «Non dimenticare di spostare la capra, non posso pensarci sempre io.»

«Sì, però aspetta un attimo. Dammi il tuo numero di telefono.»

«Perché?»

«Perché così possiamo tenerci in contatto.»

«Non credo, ragazza mia. Lo tengo sempre spento quel coso.»

18

C'erano giorni in cui, pensava Conor, il lavoro in biblioteca non era granché entusiasmante. Dopo aver passato la mattina a lavorare in fattoria, aveva guidato fino in biblioteca, poi al termine della giornata aveva combattuto un quarto d'ora con la Vespa per farla partire ed era tornato a casa sotto la pioggia. Pertanto in quel momento avrebbe solo voluto buttarsi sul divano a non far niente. E invece doveva andare a farsi la doccia e a mettersi in tiro mentre il resto della famiglia mangiava la pizza davanti a un quiz televisivo. Quando tornò di sotto, il fratello lo guardò strabuzzando gli occhi. Com'è che gli pagavano gli straordinari per vestirsi elegante e andare a Carrick? Conor fece spallucce e non rispose. Sapeva solo di aver ricevuto un messaggio da Miss Casey in cui gli diceva di raggiungerla a non so quale evento del consiglio regionale.

«E soprattutto come mai ti hanno invitato?» insisté Joe spaparanzato in tuta sul divano, aprendosi una lattina di birra. «Non c'entri molto con quella gente, tu, anche se ti metti tutto il barattolo di gelatina in testa.»

La madre gli diede una botta. «Lascia in pace tuo fratello, sta benissimo. E poi perché non dovrebbero invitarlo a un evento? Magari hanno grandi progetti per lui, che ne sai tu?»

Conor si chinò sul divano e baciò la madre sulla testa. «Non ci sperare, mamma. Però, grazie lo stesso.»

Era risaputo che Orla McCarthy stravedeva per i figli. Del resto si erano dimostrati due gioielli prendendosi cura della fattoria dopo che il padre si era infortunato alla schiena. Il dolore e la frustrazione avevano reso Paddy un uomo difficile con cui dividere lo stesso tetto, ma loro si erano rimboccati le maniche. Uscendo, Conor rubò un'oliva dalla pizza del fratello e Paddy lo fermò. «Non dimenticarti che domattina viene il veterinario.»

«Tranquillo, rientro per le dieci.»

E mentre guidava diretto a Carrick, Conor pensò che in fondo il fratello non aveva tutti i torti. Neanche lui aveva la minima idea del perché Miss Casey l'avesse invitato a quell'evento, tanto più che non pareva avesse a che fare con la biblioteca. In ogni caso, si disse, l'avrebbe scoperto una volta arrivato.

Hanna andò a prenderlo all'ingresso e salirono insieme in ascensore. Entrarono in una sala conferenze in cui, a giudicare dal numero di bottiglie e bicchieri, ci sarebbe stata parecchia gente. Evidentemente Teresa O'Donnell aveva fatto un bel po' di telefonate. Hanna vide Tim Slattery in fondo alla sala e lei e Conor lo raggiunsero. Hanna fece subito notare che, nonostante il brevissimo preavviso, il ragazzo aveva accettato l'invito senza indugio. Seguendo diligentemente le istruzioni ricevute da Miss Casey, Conor sorrise e disse che non era tipo da tirarsi indietro quando c'era il lavoro di mezzo. Tim annuì soddisfatto e lo guardò come uno su cui si poteva contare. Hanna allora, lasciando Tim e portandosi dietro Conor, pensò che forse era riuscita a fargli dimenticare l'uscita del ragazzo sul vitello.

Conor non aveva capito che ci sarebbe stata una specie di conferenza. Appena entrò Teresa O'Donnell, infatti, la gente prese posto tra le file di sedie sistemate davanti al palco. La donna presentò un tizio che aveva un sorriso a trentadue denti e che, si scoprì, era un ministro. Si perse un po' di tempo a decidere dove avrebbe dovuto sedersi il ministro, poi se ne perse un altro po' prima che qualcuno portasse un bicchiere d'acqua alla O'Donnell. Alla fine, però, accolta da un bell'applauso, la donna si avvicinò al leggio e iniziò a parlare. Conor non notò se la gente la stava ascoltando oppure no, perché lui stesso smise di seguirla dopo nemmeno cinque minuti. Poi però Miss Casey gli diede una gomitata e lo ridestò, quando ormai Teresa O'Donnell si avviava verso le conclusioni.

«... e questa sarà la nostra app Hands On Hands Off! Una risposta diretta alle raccomandazioni del governo in merito a una gestione mirata del bilancio da parte delle regioni: questa app è stata sviluppata grazie a risorse locali e alleggerirà del dieci per cento le spese di gestione del turismo, offrendo però ai turisti che visiteranno la penisola del Finfarran un'appassionante esperienza high tech. Come ben comprenderete, si prospetta una situazione vantaggiosa per tutti.» Teresa a quel punto fece un passo indietro e si prese gli applausi del pubblico e del ministro. Poi bevve un sorso d'acqua e scrutò la platea. «Fatemi pure tutte le domande che volete. Sono molto curiosa di sentire il vostro feedback!»

Il ministro si passò una curatissima mano sulla nuca e guardò il pubblico. «Be', avrei io una domanda. Vorrei sapere qualcosa di più sul nome scelto per questa app.»

Conor pensava che il nome fosse la cosa meno interessante. Anche l'app in sé gli pareva una cretinata, ma in ogni caso era di quella che avrebbero dovuto discutere.

La O'Donnell riprese subito a parlare. «Ma certo! Il nome che abbiamo scelto definisce il concetto che ne è alla base: "Hands On" perché regalerà agli utenti un'esperienza personalizzata che potranno gestire in prima persona con le loro mani; "Hands Off" perché faciliterà l'interazione diretta tra la persona e la zona turistica in questione. Questa app permetterà ai turisti di vivere un'esperienza di ultima generazione, liberandoli da un sistema impersonale e superato. Abbiamo pensato anche a uno slogan: "Vieni nel Finfarran e scarica la nostra app. Sarà un'esperienza da non dimenticare".»

Conor invece avrebbe voluto dimenticare subito quello slogan; guardò Miss Casey, ma non era certo che lei la pensasse come lui, pertanto preferì non dire niente.

Il ministro si mostrò soddisfatto e prese nota, mentre in platea si alzarono altre mani. Tra quelli che volevano fare una domanda, Hanna riconobbe Gráinne, Phil e Josie, impiegate degli uffici turistici di Carrick e Ballyfin. Teresa li ignorò e diede la parola alla sua assistente, che si mise subito in piedi. «Potrebbe illustrarci meglio l'analisi costi-benefici?»

Teresa allora parlò per altri dieci minuti filati, alla fine dei quali il ministro alzò di nuovo la mano. «Quindi, in ultima analisi, si può dire che questa app prenderà il posto degli uffici turistici?»

«In ultima analisi, sì. Assolutamente.»

«Questo significa che verranno chiusi?»

«E sostituiti con un sistema che, oltre a rispecchiare gli obiettivi del governo, apporterà grandi miglioramenti alla regione. Bisogna stare al passo coi tempi e, stando alle ricerche condotte in merito, il visitatore medio che visita il Finfarran è altamente digitalizzato e dotato di smartphone.» E proseguì dicendo che i turisti volevano un'esperienza divertente e immediata, dinamicità, ma soprattutto il controllo. «E se desiderano che scelgano il Finfarran quand'è il momento di decidere la meta delle loro vacanze, è questo che dobbiamo offrirgli.»

Dieci minuti dopo, Hanna era con Tim Slattery a parlare in un angolo. Guardandosi intorno, si accorse che la maggior parte degli ospiti, per lo più consiglieri o impiegati comunali, stava approfittando dell'occasione per ingollare quanto più alcol gratuito poteva. Dall'altro lato della sala, vide le ragazze dell'ufficio turistico che parlottavano tra loro. E poi c'era Teresa, che monopolizzava l'attenzione del ministro. Hanna si accorse che, di tanto in tanto, Tim si girava a guardarli, ma la cosa non la stupiva: del resto, non capitava tutti i giorni che un ministro si prendesse il disturbo di lasciare Dublino per arrivare fino a Carrick.

Mentre aspettavano che Conor portasse i loro drink, si misero a parlare di acquisti. Tim voleva rimpinguare il numero dei titoli di saggistica presenti nelle biblioteche della regione. E Hanna disse che anche a Lissbeg ce n'era grande richiesta, aggiungendo poi che non sarebbe stata una cattiva idea riaprire la biblioteca di Ballyfin e riportare la collezione dei de Lancy nell'edificio che era stato costruito apposta per ospitarla. Tim, però, si distrasse di nuovo a guardare il ministro.

Hanna gli lanciò un'occhiataccia. «Mi sfugge forse qualcosa?»

«Che intendi dire?»

«Il lancio di questa app non ci riguarda da vicino, giusto? Non c'è in ballo la chiusura della biblioteca di Lissbeg, vero?»

Tim alzò le braccia al cielo con fare teatrale, rivelando un grosso orologio da polso viola col cinturino a scacchi. «Certo che no! Dovrebbero passare sul mio cadavere!»

Ma Hanna non era ancora convinta, allora gli poggiò una mano sul braccio. «Ne sei sicuro?»

Tim la guardò con finta aria di rimprovero e lei si mise a ridere, imbarazzata. Poi, per paura di averlo in qualche modo offeso, si scusò. A quel punto, arrivò Conor coi loro drink. Sgusciando tra la folla come un contorsionista, era riuscito a portare i bicchieri senza versare nemmeno una goccia. Tim e Hanna abbandonarono il discorso e si misero a sorseggiare il loro vino. In effetti era cattivo, esattamente come aveva predetto Tim, perciò non appena fu possibile Hanna disse che doveva andare.

Anche Conor annunciò che si era fatto tardi. «Domattina viene il veterinario.» Ma non finì nemmeno di dirlo che arrossì, ricordandosi delle raccomandazioni che gli aveva fatto Hanna in ascensore.

Vedendolo tutto paonazzo, lei non poté far altro che sorridere. Non c'era niente da fare: nonostante tutti gli sforzi, Conor poteva lasciare la fattoria, ma la fattoria non lasciava mai Conor.

19

La settimana dopo, la biblioteca ambulante doveva arrivare nella parte settentrionale della penisola. La strada era costeggiata da un lato da un'antica foresta e dall'altro da alte scogliere che terminavano su insenature rocciose. Un paesaggio molto diverso dalle spiagge di sabbia che si trovavano a sud. Sole e pioggia si alternavano mentre Hanna guidava. Il cielo sopra l'oceano era carico di nuvole minacciose, gli alberi scuri gremiti di uccelli e le strade sconnesse screziate di luce che filtrava attraverso le foglie agitate dal vento.

I paesini erano meno numerosi e ancora più distanti tra loro in questa parte della penisola, perciò Hanna aveva più tappe da fare, con soste più brevi. La prima fermata era a un incrocio dove una vecchia fucina e la casa adiacente erano state trasformate in una *guesthouse*. Con una posizione perfetta tra la foresta e le scogliere, era stata acquistata e ristrutturata qualche anno prima da una giovane coppia, lui tedesco e lei irlandese. Gunther e Susan vivevano nella casa, dove c'erano quattro camere da letto con bagno privato riservate agli ospiti, mentre la vecchia fucina era stata trasformata in un open space arredato con lunghi tavoli di legno per mangiare e una serie di divani e poltrone sistemati intorno al camino. Gunther si occupava della cucina, mentre Susan pensava alle pulizie, alle pecore e alle capre. Producevano anche formaggio, in una casupola di pietra col pavimento in ardesia che avevano costruito dietro la fucina.

Non appena Hanna accostò lì davanti, Susan le corse incontro. «Salve, Miss Casey. È riuscita a trovare quel libro che avevo ordinato?»

Hanna andò ad aprire il portellone sul retro per prendere il libro. In quella zona della penisola, la banda larga funzionava abbastanza bene, così Susan usava spesso internet per richiedere prestiti interbibliotecari. I vecchietti invece non lo usavano molto, anche se alcuni al centro anziani si erano iscritti a un corso d'informatica che si teneva a Carrick perché si erano convinti che il computer avrebbe rivoluzionato loro la vita. Tuttavia, avevano detto ad Hanna, era un peccato che non ci fossero corsi un po' più vicini a casa, visto che arrivare fino a Carrick la sera non era proprio una passeggiata. E infatti alla fine molti avevano rinunciato. Comunque, a voler essere generosi, la copertura della banda larga sulla penisola era a macchia di leopardo. A Lissbeg, abbastanza vicina a Carrick, c'era, però i grandi alberghi e gli impresari di Ballyfin avevano esercitato forti pressioni perché il ricevitore venisse piazzato in una posizione a loro favorevole. In questo modo, le aveva detto Susan, tutti gli altri si erano dovuti arrangiare. «Noi siamo fortunati, perché il cugino di Gunther ha un'agenzia di viaggi a Stoccarda e ci manda un mucchio di clienti. E parecchi escursionisti che vengono da noi poi tornano spesso. Nei dintorni, invece, la metà dei bed and breakfast alla fine ci ha rinunciato.»

Hanna diede a Susan il libro che aveva ordinato e l'aiutò a scegliere un libro illustrato per Holly, la figlia di cinque anni. Poi servì le altre persone che si erano messe ad aspettare sedute sul muretto, quindi risalì sul furgoncino diretta alla tappa successiva: l'ufficio postale e l'alimentari dei Cafferky. Come i suoi genitori quando lei era ragazzina, anche i Cafferky abitavano sopra il negozio e avevano un giardinetto sul retro. Sugli scaffali del negozietto c'erano gli stessi prodotti che avevano venduto i suoi, ma si servivano anche panini e frappè e poi c'era un internet café, che consisteva in un computer e un paio di tavolini sistemati in una stanzetta sul retro. Hanna si era spesso chiesta cosa ne avrebbe pensato Tom. Una volta ne aveva parlato a Mary, che aveva risposto con un'espressione stizzita. «Tuo padre è stato il primo ad avere l'affettatrice elettrica in negozio, non te lo dimenticare. Siamo sempre stati molto aperti alle innovazioni, qui. Non saremmo mai sopravvissuti se non fossimo scesi dall'Arca di Noè!»

Guardando il bel negozietto ordinato dei Cafferky e il loro internet café con tanto di istruzioni e i prezzi appesi alle pareti, Hanna pensò che sua madre aveva ragione. La gente del Finfarran si era sempre dimostrata piena di risorse. La maggior parte degli adulti e dei ragazzi dell'età di Conor faceva almeno due lavori per riuscire a mantenersi. Molti avevano un lavoro diverso tra l'estate e l'inverno, oltre chiaramente a occuparsi della fattoria se l'avevano. Pensando che era davvero fortunata ad avere un posto fisso in biblioteca, Hanna chiese a Fidelma Cafferky come se la cavava il figlio Dan con la sua attività di escursioni. Fidelma alzò le spalle e fece una faccia.

«Va avanti a stento, a dire il vero. La speranza è che si decidano a investire un po' di soldi per fare strade che ci portino più turisti, ma quelli sanno solo fare promesse. E se poi gli salta in mente di costruire un'altra autostrada come quella per Ballyfin, a quel punto chiudiamo tutti baracca.» Il marito era arcistufo di scrivere lettere al consiglio regionale a questo proposito, disse. «Gliene ha mandate così tante che ormai penseranno che sia un pazzo, ma il problema vero, Miss Casey, è che ormai è disilluso. E Dan è diventato cinico come lui.» Fidelma forzò un sorriso e fece per rientrare in negozio. «Che ne dice se le porto una tazza di tè?»

Poco dopo, tornò con due tazze di tè e uno *scone* appena

sfornato. Bevuto il tè e finito di servire un vecchietto che le aveva riportato un libro, Hanna stava per rimettersi in viaggio, quando arrivò una macchina e ne scesero una giovane donna coi capelli rossi tutti spettinati e un bimbetto con la salopette tutta macchiata di vernice. La donna, che indossava una maxi T-shirt e un paio di leggings e aveva perline d'ambra ovunque, andò verso il furgoncino con una pila di libri tra le braccia. «Buongiorno, Miss Casey. Mi sa che alcuni di questi avrei dovuto riportarglieli tempo fa», le urlò da lontano.

Hanna rispose stizzita: «Mi sa? Dovrebbe saperlo con esattezza, signora Kelly. Dentro ogni libro c'è un bigliettino con su scritta la data in cui andrebbe riconsegnato».

Sapeva di essere stata acida, ma quel tipo di gente le dava sui nervi. Darina poggiò la pila sul muretto e si abbassò per staccare il bambino che le si era aggrappato alle gambe. «Oh, ma sarò in ritardo solo con un paio. E poi quando mi sono resa conto di che giorno era, li ho presi e glieli ho riportati subito», disse con un sorrisone. «Certo che siamo proprio fortunati ad avere questa biblioteca ambulante. È una gran bella cosa per la nostra comunità, e ci unisce tutti. In più, così, non buttiamo un mucchio di soldi per comprare su internet libri che leggeremo una volta sola.»

Prendendo il bimbetto per un braccio, Darina gli sfilò un libro illustrato dalla pettorina della salopette, tutto arrotolato e scarabocchiato. Il bambino si mise a urlare, poi andò da Hanna e le diede un calcio sugli stinchi. La madre scoppiò a ridere. «Non è carino? È proprio un topino da biblioteca. Non vuole restituire il suo libretto.» Dopodiché lo prese in braccio poggiandoselo sull'anca. Lui allora mise il broncio e s'infilò un dito nel naso guardando malissimo Hanna, mentre la madre rideva e gli faceva fare piccoli balzelli.

«Cattiva, Miss Casey! Brutta, lei! Brutta!»

Hanna a quel punto non ce la fece più. Con la schiena

dritta come una scopa, marciò fino al furgoncino, rimise a posto i libri e si voltò di nuovo verso Darina Kelly. «Come può ben vedere, signora Kelly, il libro è tutto rovinato. Dovrà essere sostituito e sarà lei a ripagarlo. Riceverà anche una multa e apprezzerei se la pagasse in tempo. Sui libri per bambini restituiti in ritardo non ci sono penali, ma pagherà la penale per gli altri quattro, tre dei quali sono stati ridotti in condizioni penose. Sono una bibliotecaria, signora Kelly, e non fa parte del mio lavoro staccare adesivi dalle copertine dei libri che diamo in prestito. Se vuole continuare a usufruire dei servizi della biblioteca, le suggerirei di controllare cosa fa suo figlio e di restituire i libri in tempo e in buono stato!»

Più tardi, mentre guidava lungo la scogliera all'ombra degli alberi della foresta, Hanna si disse che perdere le staffe con una come Darina Kelly era stata una cosa patetica. Ma cos'altro si poteva fare con una che faceva le orecchie alle pagine del *Gruffalò*?

20

Le giornate di Hanna ormai iniziavano con una visita alla capra ogni mattina. Era rilassante svegliarsi un'ora prima del solito e andare fino a casa di zia Maggie passando accanto a fossi ricoperti di ragnatele bagnate di rugiada. Tutti i giorni spostava l'animale in un punto nuovo, fissando ogni volta la lunga corda che aveva al collo a qualche ferrovecchio. Da un lato era deprimente scoprire quanta immondizia fosse stata abbandonata in quel campo, ma dall'altro la rassicurava capire che la capra stava facendo un ottimo lavoro. In alcuni punti, l'erba era talmente alta e fitta, che nemmeno la bestia ce la faceva a pulire a dovere, ma in generale pareva contenta di avere ancora tanta roba da mangiare. E, poiché aveva imparato che l'arrivo di Hanna significava spostarsi in un punto in cui c'era altra erba fresca, la capra era sempre contenta quando la vedeva.

Quella mattina Hanna le fece un grattino sulla fronte mentre slegava la corda da un vecchio strizzatoio per poi fissarla a un bidone per il latte tutto ammaccato e pieno di terra. Dopo averla sistemata, si avviò al suo solito muretto con l'intenzione di sedersi un po' ad ammirare l'oceano. Mentre attraversava il campo, però, inciampò e perse l'equilibrio. Rimettendosi in piedi capì in cosa era inciampata: si trovava nella parte di campo in cui zia Maggie coltivava le patate.

Chiudendo gli occhi, Hanna inspirò il profumo dell'erba e l'odore salmastro dell'oceano. Le pareva quasi di sentire zia Maggie che la chiamava, il manico del secchio di ferro che sbatacchiava qua e là e l'asino che viveva lì accanto che ragliava. Con le mani affondate nella terra, ricordò la felicità che provava ogni anno a scavare nel terreno per raccogliere le prime patate. Gli adulti di solito non volevano che si prendessero quando non erano ancora del tutto mature. Zia Maggie, invece, non accettava altre imposizioni che le sue e aveva un debole per le patate piccole, che lei chiamava *novelline*. Allora Hanna, armata di secchio di ferro e istruita a usare solo le mani e non il raspino, veniva spedita ogni anno a raccogliere le patate novelle lasciando le altre a maturare ancora qualche settimana. Poi, quando il secchio era mezzo pieno, tornava a casa e le lavava sotto l'acqua corrente, quindi zia Maggie le buttava nel paiolo appeso sopra il fuoco e le cuoceva. Quando erano pronte, pochi minuti dopo, le avvolgeva in uno strofinaccio e le lasciava asciugare accanto al fuoco. Una volta asciutte, le metteva sul tavolo della cucina e, sedute sugli sgabelli, lei e Hanna le mangiavano intingendole spesso e volentieri nel latticello, oppure a volte ci mettevano anche il pepe e un po' di burro. Quel burro giallo come formaggio lo portava a zia Maggie uno dei pochi vicini di casa con cui non aveva litigato. Glielo lasciava sulla soglia, avvolto in una foglia di verza. Hanna ricordava ancora quel sapore forte, la sensazione delle patate che si scioglievano in bocca e la luce che entrava dalla finestrella e illuminava il tavolo graffiato. D'estate, con la brezza dell'oceano che penetrava dalla porta aperta attenuando l'odore del cherosene, quei pasti erano momenti meravigliosi. Ovviamente il piacere derivava in parte dal fatto che Mary Casey non avrebbe approvato. Secondo Maggie, Dio aveva creato le patate perché venissero mangiate con le mani; secondo Mary, invece, Dio, che era creatore dell'universo, sapeva dell'esistenza di germi e batteri e aveva creato le posate proprio per questo. Non c'era verso di trovare un punto d'incontro, pertanto Hanna aveva imparato a mangiare quello che le veniva dato a casa di zia Maggie senza farne parola con la madre. Adesso che era a terra in mezzo ai solchi che da bambina aveva esplorato in cerca di quei piccoli tesori, le tornò l'acquolina in bocca ripensando alle scorpacciate di patate con zia Maggie.

Più tardi, seduta alla sua scrivania, rifletté se non fosse il caso di chiamare Fury. Era riuscita ad avere il suo numero da Conor, ma non l'aveva mai utilizzato. Il budget che avrebbe investito nella ristrutturazione della casa di Maggie era minuscolo in confronto a quello speso per le case in Inghilterra. E lo stesso valeva per la metratura. Aveva fatto capire a Fury che voleva fare le cose a modo. Ovviamente lui avrebbe impiegato un po' a farle avere un preventivo dei costi per la manodopera e i materiali e a fornirle tutte le informazioni sulle procedure di richiesta della licenza edilizia. Ormai, però, era passata una settimana dall'ultima volta che avevano parlato, e le sembrava ora di chiamarlo.

In biblioteca era una mattina tranquilla. Un paio di giovani mamme avevano fatto capolino dalla porta alle dieci in punto, ma vedendo Hanna e non Conor, se n'erano subito andate a cercare un altro posto dove chiacchierare coi passeggini al seguito. Negli ultimi tempi, Conor le aveva proposto di organizzare una volta a settimana un club del libro pensato appositamente per le mamme con bambini piccoli. Quelli più grandi no, perché avrebbero creato confusione correndo da una parte all'altra della biblioteca, mentre i bimbi di pochi mesi dormivano per quasi tutto il tempo.

«Ma quando non dormono piangono», aveva detto lei.

«Sì, però lo più dormono. E comunque si riaddormentano subito dopo essere stati allattati», si era affrettato a chiarire Conor vedendo la faccia che aveva fatto Hanna.

«Ovviamente non in pubblico. Potremmo mettere un paravento con un paio di sedie e un tavolino in quell'angolo.»

Pur avendo il vago sospetto che qualcosa del genere, ma molto meno disciplinato, accadesse già nei giorni in cui lei non c'era, Hanna era stata irremovibile. Una biblioteca era una biblioteca e basta, non un circolo, aveva spiegato a Conor. E di certo non un asilo nido. In seguito si era sentita in colpa per giorni ripensando alla faccia delusa di Conor, però era riuscita ugualmente a non lasciarsi intenerire. La verità era che, tornata in Irlanda con un matrimonio fallito alle spalle, non voleva in nessun modo attirare l'attenzione su di sé. E, permettendo a Conor di organizzare quel club del libro, avrebbe anche dato il suo beneplacito alle chiacchiere e ai gossip, cui sarebbe stata costretta poi a partecipare. Perché da lei si sarebbero aspettati che presenziasse agli incontri, che organizzasse le uscite e che facesse tutta una serie di cose che avrebbero solo peggiorato la situazione.

Non volendo immaginarsi coinvolta in un gruppo di scrittura creativa a raccontare i fatti propri alla gente, Hanna si assicurò che la porta fosse chiusa prima di chiamare Fury. Considerato che lui l'aveva avvertita, non si stupì quando non le rispose, ma continuò a far squillare il telefono sperando che scattasse quantomeno la segreteria. Invece, dopo un po', la linea cadde. A quel punto rimise il cellulare in borsa e si dedicò a tutt'altro. Qualche minuto dopo, però, le arrivò un messaggio sul cellulare e lo lesse, pensando che fosse di Fury.

MI HANNO DATO UN PASSAGGIO IN MACELLERIA TU PER CASO VAI A CASA?

Hanna chiuse gli occhi, fece un sospiro e si rassegnò all'idea di dover riportare la madre a casa dopo la spesa.

Anche se Hanna le aveva detto di farsi trovare in biblioteca non prima dell'una, Mary Casey si presentò a meno un quarto, con una busta della spesa in mano e la sua migliore amica Pat Fitzgerald al seguito. Hanna capì subito che si trattava di una trappola. Non era vero che Mary aveva rimediato un passaggio dal povero vicino Johnny Hennessy per andare in macelleria. Era da una settimana che sua madre le lanciava frecciatine sul fatto che le sarebbe piaciuto tanto fare un salto a casa di Maggie, e adesso sapeva che, davanti a Pat, la figlia non avrebbe potuto rifiutarsi di portarla. Pat Fitzgerald indossava una gonna di tweed, un paio di scarpe con lo strappo e una giacca a vento gialla. Le sorrise tutta fiduciosa e disse: «Sai una cosa, Hanna? Mi piacerebbe tanto passare a dare un'occhiata alla casa che vuoi ristrutturare prima di tornare da Mary. In fondo è di strada, no?»

Mary fece finta di cascare dal pero. Spiegò ad Hanna che aveva chiesto all'amica di fermarsi da lei a fare due chiacchiere. Ger era andato a Carrick per una riunione e al ritorno sarebbe passato a prendere la moglie. E visto che tanto erano di strada, a quel punto potevano fare un salto a casa di Maggie.

Non avendo alcuna voglia di mettersi a discutere con la madre davanti a Pat, Hanna capì di non avere vie d'uscita, ma per vendicarsi un po' disse che avrebbero dovuto aspettarla su una panchina fino all'una, perché non avrebbe finito di lavorare prima di quell'ora. Scoccata l'una, ritardò qualche altro minuto per dare una sistemata, poi recuperò le due donne e le portò nel parcheggio. Si fece un po' avanti con l'auto per permettere loro di salire comodamente sul sedile posteriore e poi ascoltò Pat che esprimeva tutta la sua sorpresa nel constatare che le avevano assegnato un posto auto tutto per lei. «Non lo sapevo, Mary. Questo allora significa che la tengono in gran conto.»

Hanna le guardò dallo specchietto retrovisore e pensò che sembravano in partenza per una gita. Quasi si aspettava che da un momento all'altro tirassero fuori il thermos e i panini. Da bambina, quando facevano qualche gita, finivano sempre per litigare su dove fermarsi a mangiare. All'epoca, per Hanna una parte del divertimento stava proprio nel dover trovare un posticino adatto al loro picnic, e Tom, che la pensava come lei, era felice di fare una passeggiata alla ricerca del posto giusto. Mary Casey, invece, la vedeva diversamente: si doveva mangiare comodi, non a terra e tormentati dagli insetti. Ogni volta che era lei ad averla vinta, cioè quasi sempre, finivano per mangiare i panini con pomodoro e Marmite seduti in macchina coi finestrini alzati per non far entrare le mosche e un tovagliolino sulle ginocchia perché non cadessero le briciole.

Pat e Mary chiacchierarono allegramente per l'intero tragitto. Mary capì che Hanna era furiosa dal modo in cui teneva la schiena rigida. *Oh, ma che importa? Tanto nella vita non ottieni mai niente se le cose non te le prendi con la forza*, pensò. E lei era arcistufa di lanciare frecciatine alla figlia sulla casa di Maggie, perché tanto lei si ostinava a fare la finta tonta. Da quando Fury O'Shea era stato avvistato davanti a quella vecchia casa, la gente del posto non faceva altro che parlare della pessima idea di Hanna, presentandosi a casa di Mary per sapere cosa fosse saltato in mente a sua figlia. Mary ovviamente non aveva detto niente e non l'avrebbe fatto neanche se avesse saputo dir loro qualcosa. Si sentiva una stupida a dover fare la vaga quando in realtà neanche lei aveva la minima idea di cosa stesse succedendo. E poi, come madre, aveva tutto il diritto di essere messa a parte di quello che combinava la figlia.

Non appena l'auto abbandonò la strada principale, le due donne sul sedile posteriore si misero a ricordare i vecchi tempi. Una volta non c'era tutta quella boscaglia e gli alberi erano più bassi, ma forse il punto era che erano passati trent'anni e in trent'anni gli alberi crescono. E quel campo laggiù, non era forse quello di Dinny Cassidy? O no, forse era di Bob Murtagh. Una volta, comunque, c'erano state un paio di casupole. Oppure no, forse stavano da un'altra parte. Quando Hanna rallentò prima dell'ultima curva, Mary si chinò in avanti e le batté il dito sul braccio. Non era meglio parcheggiare lì, visto che la strada era più ampia in quel punto? Irritata e distratta dal dito ossuto della madre, Hanna superò la curva, parcheggiò e spense il motore, ma quando si voltò per aprire la portiera rimase a bocca aperta. La stanzetta col tetto di lamiera non c'era più. E nemmeno le tegole del tetto. Sul retro della casa, che dava sulla strada, la porta era stata sbarrata con tavole di legno e si vedevano ancora i punti in cui la stanzetta aggiuntiva era collegata all'edificio principale, ma la lamiera e le pareti erano sparite. Del tetto rimaneva solo un reticolo di tavole di legno.

Hanna cercò di pensare in fretta: Mary e Pat non avevano la minima idea di come fosse la casa fino a qualche ora prima, perciò lei non doveva assolutamente lasciar trapelare la sua sorpresa. Doveva far finta di niente. Sul sedile posteriore, però, le due donne scuotevano già la testa.

«Certo che è proprio messa male, eh? Ci vorrà un mucchio di soldi per rimetterla a posto, eh, Mary?» disse Pat Fitz guardando la casa dal finestrino.

Mary Casey afferrò la maniglia e aprì la portiera. «Entriamo lo stesso a dare un'occhiata, visto che ci siamo.»

Hanna andò nel panico. Chissà quali altre sorprese avrebbero trovato dall'altra parte della casa e, peggio ancora, all'interno. Mary scese dall'auto e rimase ferma a guardare. Pat, che era scesa dall'altra parte, arricciò il naso vedendo tutto il fango che c'era a terra. Hanna non si lasciò sfuggire l'occasione.

«Il giardino è un pantano al momento, mi dispiace. Ho dovuto buttare un paio di scarpe prima di capire che mi ci sarebbero voluti degli stivali di gomma.»

Mary scosse il capo. «Giardino? Ma quale giardino? Vedo solo una distesa di fango e un pezzetto di terra che una volta era un campo.»

«Lo so, lo so. Guardate, forse è meglio se tornate quando la casa non sembrerà un cantiere.»

Mary Casey non gliela lasciò passare neanche stavolta. «Se per te questo è un cantiere, allora hai qualche rotella fuori posto. A me sembra solo una baracca senza neanche il tetto. Ma non avevi detto che il tetto c'era?»

Senza aspettare la risposta della figlia, Mary fece cenno all'amica di muoversi. Pat, evidentemente preoccupata per le sue scarpe, parve esitare, ma Mary, che per l'occasione si era messa gli stivali di gomma che usava nell'orto, si era già avviata verso il cancello. Hanna capì che tanto non ci sarebbe stato modo di fermarla, quindi si affrettò e riuscì ad arrivarci per prima: forse, camminandole davanti, avrebbe mantenuto il controllo della situazione. Aprì allora il cancello e le condusse verso la casa, facendole passare su quello che era da poco diventato un sentiero battuto. Svoltato l'angolo, si ritrovarono nel campo, che sembrava uguale a come Hanna l'aveva lasciato quella mattina. Di Fury non c'era traccia, ma legata a un vecchio rullo da giardino arrugginito c'era un'altra capra, ancora più grossa della precedente.

21

Dopo aver lasciato Mary e Pat a casa della madre, Hanna si era rimessa in macchina diretta a Carrick, all'ufficio del catasto. Col telefono in vivavoce aveva provato a chiamare Fury almeno venti volte prima di parcheggiare, poi l'aveva chiamato altre due volte dall'ascensore e adesso provò ancora un'ultima volta prima di entrare al catasto, pur sapendo che era una perdita di tempo. Suonò il campanello al banco di ricevimento, ma non si palesò nessuno. Hanna, però, aveva bisogno di parlare con un impiegato. Dietro la parete di vetro su cui c'era scritto INGRESSO RISERVATO AI DIPENDENTI e cui si poteva accedere solo digitando un codice segreto, si vedeva un open space con varie postazioni, tutte vuote. Furiosa, suonò di nuovo il campanello. Secondo il sito del catasto, era possibile parlare coi tecnici senza dover prendere un appuntamento, a condizione che si arrivasse prima delle cinque. C'era però un sottinteso: dopo un sopralluogo pomeridiano, i tecnici se ne tornavano direttamente a casa, senza rientrare in ufficio. A quanto pareva quel giorno avevano fatto lo stesso anche gli altri impiegati.

Mentre guardava in cagnesco gli uffici oltre la vetrata, Hanna vide un uomo con una borsa a tracolla uscire e andare verso l'ascensore. Ovviamente, la sua comparsa non era una risposta al fatto che lei aveva suonato il campanello, allora Hanna lo fece suonare di nuovo. L'ascensore arrivò al piano e si aprirono le porte, ma invece di entrare l'uomo si voltò verso di lei. «Posso esserle d'aiuto?» Era alto, sulla quarantina, coi capelli scuri pettinati all'indietro. Pareva un tipo schivo. Indossava un paio di jeans neri, una giacca sportiva color indaco e una camicia col colletto slacciato che doveva costare un occhio della testa. Il modo di vestire ammiccava al tipico abbigliamento da ufficio, ma senza grande successo. Il colletto un po' liso e la giacca scolorita lasciavano intendere che non erano capi nuovi di zecca. Sistemandosi la tracolla della borsa sulla spalla, l'uomo indicò il bancone col mento. «Mi spiace, ma non c'è nessuno. Jo stava male e se n'è andata prima.»

Hanna alzò gli occhi al cielo. Quella frase era la goccia che faceva traboccare il vaso.

Le porte dell'ascensore si richiusero e l'uomo la guardò. «Posso aiutarla io?»

«Ne dubito. Come diavolo è possibile che non ci sia nessuno al ricevimento?» disse acidissima, perché in quel momento ce l'aveva col mondo intero.

L'uomo la guardò, fece spallucce e si voltò per andarsene.

«Oddio, mi deve scusare», disse Hanna a quel punto. «È che... mi sono precipitata qui da Crossarra sperando di riuscire ad accaparrarmi un tecnico.»

«Strano.»

«In che senso?»

«Be', di solito è un medico o un avvocato, no?»

Hanna continuava a non capire e lo guardava smarrita.

Allora lui fece un sorrisetto. «No, mi scusi, era solo una battuta. Volevo dire che in genere sono i medici e gli avvocati a essere ritenuti una buona preda, di certo non i tecnici del catasto.»

Hanna sorrise poco convinta. «Guardi, ero sposata con un avvocato e le assicuro che è stato tutto tranne che una buona preda.»

Anche l'uomo sorrise. Poi ci fu un breve silenzio durante il quale le porte dell'ascensore si riaprirono senza che però nessuno scendesse al piano. Alla fine l'uomo le porse la mano. «Non ci siamo già visti alla serata organizzata da Teresa O'Donnell?» disse.

Hanna gli strinse la mano, però non ricordava di averlo mai visto, né alla festa né altrove. Aveva una bella voce, anche se lei non riusciva a individuarne l'accento.

«Piacere, Brian Morton.»

«Hanna Casey, piacere mio. Sono un'impiegata della biblioteca di Lissbeg.»

«Bene. Allora che ne dice se ricominciamo daccapo? Io sono un tecnico del catasto.»

Mezz'ora dopo, Hanna si alzò dalla sedia davanti alla scrivania di Brian Morton e raccolse tutti i moduli e gli opuscoli informativi che lui le aveva dato.

«Quindi pensa che non ci saranno problemi?»

«Assolutamente no. Da quanto mi ha detto, la stanzetta in più è talmente piccola che non c'è bisogno di permessi. E se pure ci sbagliassimo, potremmo comunque rimediare in corso d'opera.»

«Ne è sicuro?»

«Gliel'ho detto. Le regole prevedono una certa tolleranza. Soprattutto con chi investe nella ristrutturazione di una vecchia casa invece di farne costruire una nuova.»

«Sì, però nel mio caso non c'è un piano di ristrutturazione definito. E Dio solo sa che cosa prevederà. Io però vorrei che le cose fossero fatte secondo le regole sin dall'inizio. Non voglio metterci una pezza retroattivamente.»

«O retrospettivamente.»

«Come vuole, anche se "retrospettivamente" in questo caso non è corretto.»

L'uomo la guardò con benevolenza. «Imbarcarsi in questo tipo di ristrutturazioni può essere molto stressante. Mi solleva sapere che lo ha già...»

«Sì, l'ho già fatto. E per case che erano molto più grandi di questa.»

L'uomo si zittì e Hanna si morse la lingua. Lo stress che quella faccenda le avrebbe creato era affar suo e lui non era il suo terapeuta, ma non era sua intenzione trattarlo male.

Brian fece per alzarsi. «Bene, a questo punto mi pare che ci siamo detti tutto...»

Che imbarazzo. «No, mi perdoni, davvero. Lei se ne stava andando... e adesso è l'ora di punta. Che ne dice se... cioè, mi farebbe piacere offrirle qualcosa da bere.» Seguì un attimo di silenzio durante il quale Hanna capì che avrebbe dovuto spiegarsi meglio. «Per ringraziarla, ecco. Del suo tempo e delle informazioni che mi ha dato.»

«Non ce n'è bisogno.»

«Sì, ma...»

«Guardi, sono io che dovrei scusarmi. È venuta fin qui e non ha trovato nessuno. E io stesso me ne stavo tornando a casa prima del dovuto.»

«Non era questo che volevo...»

«Non si preoccupi. Le ho dato i moduli e le informazioni necessari, ma se avrà ancora bisogno di aiuto, mi chiami pure in ufficio. Adesso devo sistemare la scrivania. C'è un pulsante a destra accanto alla porta, lo spinga e potrà uscire.»

Abbattuta, Hanna prese tutte le scartoffie e attraversò l'ufficio tra le scrivanie deserte. Una volta nell'ascensore, si sorprese a sghignazzare. Il cane di Fury era stato più amichevole con la capra di quanto lei non fosse stata col signor Morton.

22

Hanna era quasi arrivata alla sua macchina quando decise che, invece d'impantanarsi nel traffico dell'ora di punta, sarebbe andata a bersi il drink che aveva offerto a Brian Morton. Svoltato l'angolo vide Ger Fitz, il marito di Pat, che stava entrando nell'edificio del consiglio regionale. Subito dietro di lui c'era Joe Furlong, il proprietario dell'albergo più grande di Ballyfin. Hanna e Joe non erano propriamente amici, ma si erano incontrati spesso, perciò lei decise di fargli un saluto con la mano. Ger era già entrato nell'edificio, mentre Joe si girò dall'altra parte, fingendo di non vederla, con grande sorpresa di Hanna. La cosa le parve talmente improbabile che lo salutò di nuovo, dicendosi che doveva non averla riconosciuta. Lui, però, senza degnarla di uno sguardo, entrò nell'edificio mezzo curvo, come se volesse rendersi meno visibile. Forse non l'aveva vista, oppure era in ritardo. In ogni caso, era strano. La conosceva abbastanza da sapere che era una persona molto discreta e che di certo non sarebbe corsa da lui per trattenerlo in chiacchiere.

Perplessa per quel comportamento, ma senza dargli troppo peso, Hanna attraversò la strada ed entrò nel lounge bar del Royal Victoria Hotel e cercò un posticino dove sedersi. Si stava bene lì dentro, perché era fresco e in penombra grazie alle tende semichiuse. C'erano anche alcuni ventilatori a soffitto, ma non venivano mai accesi, visto il clima di Carrick. L'albergo era stato costruito a fine Ottocento in occasione della visita di un membro minore della famiglia reale. Il nome scelto era un tributo a Sua Maestà la Regina Imperatrice, e chi aveva investito denaro per costruirlo aveva sperato che Carrick – porta d'ingresso della bellissima penisola del Finfarran – sarebbe diventata una destinazione consueta per i reali, oscurando perfino la regione dei laghi di Killarney. Il reale in questione, però, si era buscato un brutto raffreddore e, a causa della pioggia caduta ininterrottamente per tutta la durata della visita, invece di godersi le bellezze del Finfarran, era rimasto sempre a letto, lamentandosi del riscaldamento dell'hotel. Quando ormai se n'era andato, il problema col riscaldamento era stato risolto e il sole era tornato a splendere, ma purtroppo era troppo tardi. Tutto ciò era successo più di cento anni prima che cominciassero a spacciare Ballyfin come la perla d'Irlanda. Adesso i turisti che venivano a Carrick preferivano alloggiare in alberghi moderni col bagno in camera e docce multigetto. Quelli che continuavano a scegliere il Royal Victoria Hotel, invece, vi trovavano stanze silenziose, letti comodi e un lounge bar con arredi in mogano e tappezzeria in velluto un po' scolorita. E, proprio per queste ragioni, poi ci tornavano. C'era una sala con scrittoi, calamai in ottone e fogli goffrati, una sala fumatori con biblioteca annessa, un ristorante frequentato da dirigenti di banca e poi il bar, in cui si servivano sandwich, caffè e alcolici. Lo staff era formato perlopiù da camerieri esperti e il servizio era eccellente. Alcuni baristi erano studenti polacchi o rumeni, e a giudicare da come interagivano coi colleghi, si capiva che erano cascati in piedi, perché le cameriere li coccolavano e il responsabile di sala – col suo riportino e una conoscenza enciclopedica di vini e liquori – adorava far loro da mentore.

Era proprio il bar a permettere al Royal Victoria di tirare avanti. Gli uomini d'affari del posto lo usavano per i loro meeting e la gente che andava a fare compere ci si fermava per un caffè. All'ora di pranzo si formava una lunga fila al bancone, perché gli impiegati degli uffici vicini andavano a prendersi un sandwich fatto con prodotti freschi dalle sapienti mani di PJ, il barista. Seduta al suo tavolino con un gin tonic, una ciotolina di olive e noccioline e due sottili fette di pane farcite con straccetti di carne, Hanna si congratulò con se stessa per la scelta fatta. Si sarebbe risparmiata non solo il traffico, ma anche le chiacchiere di Pat Fitz e Mary Casey. L'amicizia tra i suoi genitori e i Fitzgerald le era sempre sembrata improbabile. Certo, poteva darsi che il carattere di Pat, buona come il pane, attutisse l'impertinenza di Mary, ma Ger Fitzgerald con le sue labbra sottili e lo sguardo gelido era solo un viscido e un falso. La teoria di Conor, secondo cui Ger nutriva una passione segreta per i libri di Maeve Binchy, peggiorava solo le cose, anche se Hanna era convinta che la teoria non avesse nessun fondamento. *Però c'erano fette di bacon nella copia di* Amiche, pensò Hanna seduta comodamente al bar col suo gin tonic davanti. Era una brutta abitudine, ovviamente, ma la gente lasciava le cose più assurde nei libri della biblioteca: fili di lana, santini, fiori essiccati e perfino banconote, oltre a volantini come quello della mostra d'arte che le aveva cambiato la vita.

La sua vita, al momento, era una causa persa, come voler inserire un paletto quadrato in un buco rotondo, ma forse la prospettiva di una casa tutta sua sarebbe riuscita a farla sentire di nuovo felice. Inspiegabilmente, o forse proprio perché anche lui le era sembrato un pesce fuor d'acqua, Hanna si ritrovò a pensare a Brian Morton. Le dispiaceva di averlo trattato male, quando lui invece era stato tanto gentile. *Però quant'è stato permaloso!* si disse. Di certo, considerata la sua età, non doveva dare spiegazioni a nessuno se usciva prima dall'ufficio, ma in effetti il problema poteva essere proprio quello: forse ricopriva un ruolo inferiore alla sua esperienza. Ad Hanna era sembrato autorevole e al tempo stesso rilassato mentre parlavano, e per questo lo vedeva più come dirigente che non come un semplice impiegato. Non che le importasse, del resto, però era stato gentile e di grande aiuto. L'aveva ascoltata mentre lei si scagliava contro chi lavorava infischiandosene delle regole e poi, quando finalmente si era zittita, le aveva lanciato un'occhiata indagatrice. «È di Fury O'Shea che stiamo parlando, vero?» aveva chiesto.

Hanna era rimasta di sasso, non era certo sua intenzione mettersi a parlar male di Fury con uno sconosciuto, meno che mai con un tecnico del catasto.

Brian le aveva sorriso. «Fury farà pure come gli pare, ma non c'è muratore più bravo di lui in circolazione.»

«Me lo dicono tutti, però riuscirebbe a far perdere la pazienza perfino a un santo.»

«Voglio darle un consiglio, ma sono certo che non mi ringrazierà.»

«L'ascolto.»

«Fury è un tipo vecchio stampo: quando mette le mani su una casa, per tutta la durata dei lavori è roba sua e la restituisce al legittimo proprietario solo quando decide che ha finito. E poi un'altra cosa: stia certa che non riuscirà a farsi firmare nemmeno un pezzetto di carta. Ancora non abbiamo capito se questa sua ritrosia a mettere le cose nero su bianco abbia a che fare con la furbizia o col non aver studiato.» Vedendo la faccia di Hanna, Brian si era messo a ridere. «Gliel'avevo detto che non mi avrebbe ringraziato. Le cose stanno così, però, e se riesce a farsene una ragione le diventerà tutto più semplice.»

Hanna non lo aveva ringraziato, e l'idea di dover consegnare casa sua in mano a un ignorante irresponsabile le pareva assurda. Ma visto che tanto ormai sembrava non avere altra scelta, la rincuorava il fatto che non fossero solo i vecchietti del centro anziani a pensare che Fury era un bravo muratore.

«Se non sa leggere e scrivere, come fa cavarsela col resto della società?»

«È il resto della società a doversela cavare con lui, però sono pochi i miei colleghi che sarebbero d'accordo con me.»

Le era parso infastidito quando aveva detto quella cosa. Forse allora il problema era quello: Brian Morton nel suo ambiente era visto come un cane sciolto e per questo non poteva fare carriera. Negli uffici pubblici del Finfarran, l'anticonformismo non era ben visto, in effetti. Ma Hanna aveva la sensazione che ci fosse altro sotto, solo che sapeva di non poterlo più scoprire, visto come si erano lasciati.

In quel momento le si avvicinò PJ con altre due ciotoline di stuzzichini e lei guardò l'ora.

«Un altro gin tonic, Miss Casey?»

«No, grazie, PJ. Devo guidare.»

«Le porto un caffè, allora?»

Aveva bevuto solo un gin tonic, ma ripensando a tutte le raccomandazioni che faceva alla figlia disse di sì. Il caffè del Royal Victoria era buonissimo e veniva servito sempre in tazzine di porcellana insieme a un biscottino di pastafrolla. Nella borsa aveva un libro di racconti di Saki e mettersi a leggerlo in quella cattedrale nel deserto sarebbe stato perfetto. Trascorrere un'altra mezzoretta sotto le pale silenziose dei ventilatori le avrebbe dato la certezza di tornare a casa solo dopo che le chiacchiere tra Pat e Mary erano già finite.

23

Ger Fitgerald aveva detto alla moglie che sarebbe andato a riprenderla a casa di Mary Casey alle sei e mezzo, ma Pat lo conosceva bene e sapeva che sarebbe arrivato in ritardo. Non era una cosa grave, però ogni tanto le dava fastidio. Ormai era da un anno che aveva dovuto rinunciare a guidare, pertanto non era messa meglio di Mary, che non aveva mai preso la patente. Tanti avrebbero continuato a guidare nonostante l'artrite alle mani e la vista non più tanto buona, ma Pat non era tipo da rischiare. E, a differenza di Mary che non si faceva problemi a rompere le scatole ai vicini, lei non avrebbe mai chiesto passaggi a destra e a manca. C'era da dire però che Mary abitava in campagna, mentre lei stava in città, vicina a tutte le comodità. A Ger non era mai piaciuto che la moglie se ne andasse in giro in macchina, che era stato un regalo di Frankie, il figlio più grande. Non gli stava molto bene nemmeno quando la moglie usciva, però se si recava da Mary non gli dava fastidio. Ger aveva sempre voluto molto bene al povero Tom e, a dirla tutta, una volta aveva avuto un debole per Mary, però i due amici non avevano mai litigato per lei ai tempi della scuola, quando all'uscita si vedevano all'abbeveratoio su Broad Street e mangiavano patatine insieme. Un giorno Ger si era messo a fare il funambolo camminando sul bordo dell'abbeveratoio, che all'epoca era ancora pieno d'acqua, e un ragazzino l'aveva spinto e l'aveva fatto cadere dentro. Mary e Pat allora lo avevano tirato fuori dall'acqua e Tom aveva preso il ragazzino per il collo e gli aveva messo la testa sott'acqua. Funzionava così tra Ger e Tom: si guardavano le spalle a vicenda. Erano rimasti amici tutti e quattro sino alla fine, e quando Mary aveva sposato il proprietario dell'ufficio postale di Crossarra, Pat aveva sposato il macellaio di Lissbeg. Pat, a voler essere giusti, era stata fortunata a sposare Ger, sebbene lui avesse un caratteraccio. Tom aveva speso tutti i suoi soldi per star dietro ai capricci di Mary, mentre Ger, che era molto oculato, avrebbe potuto comprarsi tutto il Finfarran adesso, se solo avesse voluto. Pertanto Pat non aveva di che lamentarsi, visto che alla fine l'affare migliore l'aveva fatto lei.

L'unica cosa di cui Pat si dispiaceva era che i loro due figli più piccoli vivessero in Canada. Ger non aveva mai fatto mistero di tenere ai propri soldi. Come suo padre prima di lui, non aveva lavorato tutta la vita per farli sperperare tutti ai figli. Così Frankie, il più grande, era rimasto a Lissbeg a lavorare nella macelleria, mentre Jim e Sonny erano stati mandati all'università e, non appena si erano laureati, si erano trasferiti in Canada, proprio come voleva Ger. Dopo qualche anno, si erano sistemati a Toronto e si erano sposati. Solo che, un po' per gli impegni di lavoro e un po' perché i voli per l'Irlanda costavano tanto, erano vent'anni che non tornavano a casa e, nonostante le telefonate, i regali e le poche visite in Canada, alla fine per Pat e Ger i nipotini erano degli sconosciuti. Certo, volendo, era facile tenersi in contatto grazie a Skype e alle email, ma ogni volta che Pat postava una foto sulla pagina Facebook della famiglia Fitzgerald, aperta per lei dal figlio Sonny, capiva che il danno era stato fatto e che non c'era modo di porvi rimedio. Ce la metteva tutta a postare cose che potessero interessare i nipoti, ma capitava spesso che per settimane intere nessuno le commentasse. Poi alla fine compariva un commento del tipo «Ti voglio bene, mamma» con una faccina sorridente accanto alla miniatura della foto del figlio. Quello che faceva stare male Pat era soprattutto che a casa Fitzgerald non erano mai andati in giro a dire quanto si volessero bene e nessuno dei figli l'aveva mai chiamata «mamma», perciò sospettava che non fosse suo figlio Sonny a scrivere quei commenti, bensì la moglie che s'impietosiva. Gli altri nipoti, i figli di Jim, andavano ormai all'università e schifavano Facebook, per cui su quella pagina non ci erano mai andati neanche una volta. Se non altro, però, snobbavano lettere alla nonna per ringraziarla dei soldi che mandava loro per i libri, anche se poi le veniva il dubbio che le sciarpe e i maglioni che faceva per loro non arrivassero mai. In Canada faceva freddissimo, e meglio della lana non c'è niente per star caldi.

Seduta in cucina a casa di Mary, Pat era contenta di stare lì a chiacchierare con l'amica. Non appena erano scese dall'auto di Hanna, Mary era corsa a mettere l'acqua sul fuoco e aveva tirato fuori un dolce buonissimo: una torta al caffè e noci. Pat andava matta per quel genere di dolci, però a casa loro non ne mangiavano mai perché Ger aveva problemi coi denti. Mary non era il tipo di persona che si metteva a mangiare all'aperto, sebbene il giardino fosse bellissimo e pieno di sole, perciò si erano sistemate in cucina. Si vedeva che l'amica non era rimasta contenta di come aveva trovato la vecchia casa di Maggie. D'altronde, era impossibile biasimarla: era una baracca in mezzo a un campo pieno di erbacce. «Però vedrai, quelle capre lo ripuliranno in tempo record ed è stata davvero un'ottima idea portarle lì!» le disse.

Mary, girando il tè con fare nervoso, le rispose che due capre non sarebbero bastate a rendere quel posto abitabile: era una catapecchia punto e basta. «Hanna Mariah insiste nel dire che a lei piace, ma aveva lo sguardo terrorizzato di una lepre davanti ai fari di un'auto. Non ti è mai capitato di vederlo? Mette i brividi.» Poi abbassò la voce e aggiunse: «Ti dico solo un'altra cosa, Pat. Lei si aspettava di trovare la casa in un modo e invece l'ha trovata in un altro».

«Ah, certo! Quando mai gli operai rispettano gli accordi?»

«E poi chi è andata a chiamare?»

Però bisogna dare a Cesare quel che è di Cesare, pensò Pat. «Fury è un bravo muratore.»

«È un opportunista e lo è sempre stato.» Poi mise una fetta di torta su un piatto di porcellana con le roselline e lo diede a Pat. «E si è approfittato anche di Maggie Casey cinquant'anni fa!»

«Non vorrai mica dire che…»

«Avanti, Pat, non essere sciocca. Maggie aveva settant'anni! Sto dicendo che gliene ha combinate un paio. Fury è uno scorbutico e sai benissimo che Maggie non era da meno.»

«Dai, non era così male.» Pat prese una noce dalla sua fetta di torta e la sgranocchiò, tutta soddisfatta. «Ce l'hai sempre avuta con quella povera donna, Mary. Sai che ti dico? Secondo me, eri un po' gelosa.»

Guardò Mary piegando la testa di lato, poi si mise a girare il tè aspettando che il colpo arrivasse a segno.

L'altra fece un sorriso amareggiato. «Benedetto il cielo, Pat Fitz, quanti anni sono che ci conosciamo? Pensi davvero una cosa del genere?»

Pat fece spallucce. «Sbaglio o Tom passava un mucchio di tempo con Maggie?»

«E quindi?»

«Oh, no, niente. Dicevo per dire.»

Mary si alzò e prese dal frigo una bomboletta di panna montata. L'agitò bene e ne spruzzò una bella quantità nel piatto di Pat e nel suo, poi si rimise seduta a mangiare la sua fetta di torta. *Pat ha ragione*, pensò. Tom era l'uomo più premuroso del mondo, ma Mary ce l'aveva con lui perché, invece di passare il suo tempo libero con lei, che era la moglie e ne aveva tutto il diritto, se ne andava da Maggie a sistemare la torba, a raccogliere le patate o a tenerle compagnia accanto al fuoco. Quella cosa la faceva impazzire, ma ovviamente non gli diceva nulla. Che figura ci avrebbe fatto a sgridare il marito perché si prendeva cura di una vecchia zia che non aveva nessun altro oltre lui? Aveva dovuto mandare giù il boccone, ma non appena Hanna era diventata abbastanza grande, aveva cominciato a mandarci lei a dare una mano alla zia. Tra l'altro, Hanna detestava Maggie almeno quanto lei però non le avrebbe fatto male rendersi utile, diceva al marito. Quello che non diceva a nessuno era che non sopportava neanche le pretese di Hanna di stare col padre, e così, mandandola dalla zia, prendeva due piccioni con una fava.

A Pat cadde un po' di panna sul tavolo e Mary corse subito a prendere uno strofinaccio. Nessuno poteva sapere quanto le mancasse Tom. Dicevano tutti che l'aveva viziata, e forse era vero, ma lei sapeva anche che il marito l'aveva amata fin dal primo momento che l'aveva vista nel cortile della scuola e che il giorno in cui lei aveva accettato di sposarlo era stato l'uomo più felice della terra. Era stata l'ultima cosa che le aveva detto in quella brutta stanza di ospedale coi dottori che gli stavano intorno. Avevano provato a farla uscire, ma non c'era stato verso. Tom le teneva la mano e Mary non si sarebbe spostata neanche se fosse caduto il cielo e si fosse aperta la terra. Lei aveva piantato i piedi e non si era mossa. Tom a un certo punto l'aveva tirata a sé, le aveva detto quelle cose e poi se n'era andato.

24

Brian Morton valutò le opzioni disponibili: una porzione di pasta al pollo in un contenitore di alluminio o una zuppa in scatola con contorno d'insalata in busta. Nessuna delle due gli pareva tanto invitante. In freezer aveva il necessario per un pasto decente, ma avrebbe implicato scongelare, assemblare e impiegare del tempo a cucinare, mentre lui aveva fame in quel momento. Rigettando l'inutile e probabilmente infondata ipotesi che se fosse arrivato prima al supermercato avrebbe trovato qualcosa di meglio in offerta, bocciò sia la pasta che la zuppa e tornò alla macchina a mani vuote. Era stata una giornata bellissima e quasi certamente ci sarebbe stato un tramonto stupendo, perciò decise di andare a casa, cambiarsi, prendere un po' di formaggio e un pacchetto di cracker e poi fare una passeggiata. Uno degli aspetti positivi che lo ricompensavano del fatto di vivere a Carrick era avere la natura selvaggia a poca distanza da casa. Un altro erano i tramonti straordinari che si potevano ammirare dalle scogliere.

Tornato a casa, Brian indossò un paio di scarponcini da trekking, afferrò la macchina fotografica, la giacca a vento e prese l'ascensore per scendere i sei piani del palazzo fino al garage. Sulla strada per Ballyfin pensò che, nonostante i ristoranti ricercati, quella città non gli sembrava affatto interessante. Dopo una decina di chilometri, abbandonò la statale e svoltò a destra, imboccando una strada piena di curve che l'avrebbe portato in uno dei suoi posti preferiti lungo la scogliera battuta dal vento. L'unica costruzione che si vedeva nel raggio di chilometri era una fattoria distante, circondata da fienili e capanni. Tenendo d'occhio il cielo, Brian parcheggiò accanto a un campo, scavalcò il cancello e attraversò il pascolo. Nel vederlo, un gregge di pecore si disperse. In fondo al campo oltrepassò il filo spinato di una recinzione e si avviò verso il ciglio della scogliera a strapiombo sull'oceano. Arrivato al suo punto preferito, si mise a sedere con la schiena poggiata contro la roccia. Era giunto in tempo. Seduto in cima a quel promontorio poteva mangiare i suoi cracker col Camembert e godersi lo spettacolo del tramonto. Con gli scarponcini piantati nell'erba ispida, prese il cibo che aveva in tasca e se lo sistemò accanto mentre ammirava l'orizzonte.

Era stata una giornata vagamente irritante e non era affatto una novità per Brian. Divideva l'ufficio con gente carina, ma con loro aveva ben poco in comune, perché la maggior parte aveva la metà dei suoi anni e quelli che non uscivano tutte le sere erano in procinto di sposarsi oppure avevano una nidiata di figli cui badare. Di conseguenza, le conversazioni che si facevano vicino al boccione dell'acqua erano abbastanza limitate. Sarebbe stato banale bollare i colleghi come persone senza ambizioni, ma per Brian, che aveva sempre considerato il lavoro fisso come la peggiore delle punizioni, le ambizioni di quei giovani erano davvero incomprensibili. Crescere in un paesino di provincia come quello e decidere di restarci gli sembrava quantomeno bizzarro, eppure i suoi colleghi avevano una cosa in comune: che il lavoro li riempisse di entusiasmo o che lo vivessero come un'assicurazione sulla pensione, erano tutti felici del posto in cui vivevano. L'idea che Brian si era fatto, allora, era che i più ribelli e indipendenti se ne fossero già andati alla fine degli studi, mentre chi era rimasto aveva come massima aspirazione quella di trovare un lavoro vicino alla famiglia e agli amici di sempre.

Brian alla loro età sarebbe rabbrividito all'idea di sistemarsi, e ancora adesso, mentre addentava la mela che si era ritrovato in tasca, pensare a un lavoro che lo costringesse tutti i giorni in ufficio dalle nove alle cinque gli faceva storcere la bocca. D'altra parte, però, se proprio doveva lavorare al catasto, era meglio stare in un open space che non in un ufficetto chiuso insieme ai suoi superiori, tra cui uno era un alcolizzato e l'altro era noioso da morire. Appena arrivato a Carrick qualche anno prima, alla tenera età di quarantasei anni, Brian era così sovraqualificato per quel lavoro che Con Short e Paddy Mackin, che avevano passato entrambi la cinquantina, avevano smesso di farsi la guerra per cercare di tenere Brian al posto suo. Ancora oggi, per pura forza dell'abitudine, quell'alleanza perdurava. Col passare degli anni, poiché si era capito che Brian non aveva alcun secondo fine, i suoi colleghi avevano smesso di chiedersi che diavolo ci facesse lì dentro. Solo lui continuava a porsi quella domanda, senza trovare peraltro una risposta convincente.

Di una cosa, però, era certo: l'introspezione non lo portava da nessuna parte. E allora, con la schiena poggiata contro la roccia scaldata dal sole, spostò l'attenzione sulle cose che lo circondavano. Dove altro avrebbe potuto voler essere? Il cielo lì era un incendio di nuvole scarlatte, e una scia di luce cominciava a scintillare sull'oceano. Brian pensò di prendere la macchina fotografica, ma poi cambiò idea e fermò la mano sul ginocchio. Aveva fatto talmente tante foto di tramonti negli ultimi anni che le pareti del suo appartamento in affitto a Carrick avevano finito per essere tappezzate. Dopo aver coperto fino all'ultimo quadratino di pittura color magnolia, Brian aveva staccato tutte le foto dai muri e le aveva gettate nel cestino. Provare a fotografare il momento esatto e trascendentale in cui il disco di fuoco del sole viene inghiottito dall'oceano era una cosa ridicola. Mentre l'occhio guarda attraverso la lente, perde la sua visione periferica e insieme a essa anche i suoni e i profumi che sono parte integrante dello spettacolo del tramonto. Ripensando alle pareti del suo appartamento al sesto piano, ormai sgombre e tutte bucherellate dalle puntine, Brian cercò di non pensare al passato e al futuro e di concentrarsi soltanto sul presente. Le nuvole avevano striature dorate. Le onde si sollevavano pigre, mentre la scia di luce che le sovrastava si faceva sempre più larga. In basso, le onde s'infrangevano contro la scogliera rombando come un tamburo. Brian rimase lì a guardare l'orizzonte mentre il sole spariva nell'oceano, il cielo si tingeva di madreperla e il profilo delle scogliere a nord-ovest sfumava e si addolciva. Poi una fresca brezza agitò l'erba, facendo volar via le briciole e sollevando la carta del Camembert, che Brian riuscì a bloccare a terra col tallone. Quando rialzò di nuovo lo sguardo, il cielo era una macchia nera bordata d'argento e la scia di luce era svanita.

Avrebbe voluto fare una passeggiata sulla scogliera al chiaro di luna, ma il vento che soffiava dall'oceano cominciò a prendere forza e lo costrinse a rinunciare. Mangiare quei cracker col formaggio gli aveva fatto venire ancora più fame e capì di aver bisogno di un pasto serio. L'idea di dover cercare un tavolo per uno in qualche ristorante di Ballyfin in alta stagione lo scoraggiò subito, perciò decise di rimettersi in auto e tornare a Carrick. Non era solo affamato, era anche arrabbiato, perché continuava a ronzargli in testa la convinzione che, se quella donna non l'avesse trattenuto, sarebbe riuscito a trovare qualcosa di meglio al supermercato. Ovviamente quando era uscito dall'ufficio avrebbe potuto ignorarla, ma si vedeva che dietro quell'aria bellicosa nascondeva in realtà una grande preoccupazione, per questo si era fermato ad aiutarla. A ripensarci adesso, se ne pentì. Non sopportava le persone che s'imbarcavano in cose più grandi di loro: se volevano complicarsi la vita erano liberissime di farlo, ma la pretesa che poi fosse qualcun altro a tirarle fuori dai guai lo faceva infuriare. Perciò, sì, era stato stupido a farsi coinvolgere. Tra l'altro, sapeva anche che quella non era una donna facile, anche se non ricordava dove o da chi l'avesse sentito dire. Pareva comunque opinione diffusa che Hanna Casey fosse una «altezzosa», per usare il termine più carino che si sentiva in giro. E, dopo l'incontro di quel giorno, Brian poteva ben dire che era vero. Quando invece l'aveva incontrata durante alcuni eventi o l'aveva incrociata in mezzo al traffico di Lissbeg, le era piaciuta la sua postura eretta e la treccia senza fronzoli in cui si raccoglieva i capelli neri. L'avevano colpito piacevolmente anche le mani tozze e le unghie corte, perché da quando quel centro estetico cinese aveva aperto a Carrick, non c'era donna che non sfoggiasse unghie lunghe e dipinte con colori sgargianti che ticchettavano quando componevano un numero al telefono o scrivevano al computer. Hanna Casey invece non portava neanche anelli.

Mentre guidava verso Carrick, Brian rallentò per permettere a un furgoncino d'immettersi nel traffico. Stava uscendo dal vialetto d'ingresso di quella casa rosa acceso che lo irritava ogni volta che ci passava davanti. Il furgoncino s'immise sulla strada; sulla carrozzeria c'era la scritta: MACELLERIA FITZGERALD, LISSBEG. L'ometto rinsecchito che era al volante non lo degnò di uno sguardo, mentre la donna seduta accanto, con una giacca a vento gialla, lo ringraziò con la mano. Rispondendo con un cenno della testa, Brian proseguì dritto, ritrovandosi a pensare per l'ennesima volta com'era possibile che avessero ottenuto il permesso di costruire quell'obbrobrio.

Seduta sul sedile del passeggero, Pat guardò il marito.

Ger non era mai stato tipo da notare quello che gli succedeva intorno, ma quella sera sembrava più assorto del solito. Quando era passato a prenderla da Mary aveva declinato l'invito a fermarsi a bere una birra. Neanche Pat aveva l'abitudine di bere, ma le piaceva farsi un Martini con Mary. Era un bel modo per rilassarsi e ricordare i vecchi tempi, quando Tom era ancora vivo e preparava i Martini per la moglie e per Pat, e poi prendeva una birra o un bicchierino di whisky per lui e Ger. Quest'ultimo era sempre di ottimo umore quando stavano tutti e quattro insieme.

Guidando verso Lissbeg, Ger chiese alla moglie come stesse Mary.

«Sta benissimo. Non l'hai vista quando sei arrivato? Avresti potuto rimanere a bere qualcosa.»

Lui disse che aveva avuto una giornata pesante, e poi non avevano chiacchierato abbastanza loro due?

«Signore benedetto, Ger! Avresti potuto fermarti per una birra. Non ti faceva piacere stare un pochino con Mary?»

Ger fece un verso di disappunto. Certo che gli avrebbe fatto piacere, e comunque non credeva che Mary stesse poi tanto bene.

«Be', le manca Tom, è evidente. E poi, anche se non lo ammetterebbe mai, è preoccupata del fatto che la figlia se ne va. Quella casa è troppo grande da quando non c'è più Tom.»

«Ma che dici? Hanna va a stare qualche metro più in là. E poi, scusa, sbaglio o Jazz torna ogni due per tre con valigie piene di panni sporchi?»

Pat sospirò. Era vero, sì, e Mary era una donna fortunata. Ma tanto lui non poteva capire cosa volesse dire per una madre avere un nido vuoto. Allora mise il broncio e si zittì.

Un minuto dopo, Ger si girò a guardarla. «Scommetto che stai di nuovo rimuginando sul fatto che non vedi mai i tuoi figli e i nipoti, non è vero?»

«Sono affari miei.»

Ger pareva felice come una Pasqua mentre svoltava per

Lissbeg. «Non è ancora sicuro, ma forse a Natale andiamo in Canada», le disse. Pat rimase a bocca aperta, ma prima che potesse chiedergli qualsiasi cosa, lui le fece segno di no col dito. «Guarda che non è certo. Perciò meno ne parlo, meglio è. Oggi ho avuto un incontro importante a Carrick, è il massimo che ti posso dire. Anzi, ti dirò di più: ho avuto un incontro molto importante.»

Pat, con la testa che quasi le girava, si poggiò allo schienale. Chissà che colpo aveva in canna il marito per dire una cosa del genere. A lui piaceva pensare d'essere un uomo d'affari, anche se lei aveva sempre avuto il sospetto che i suoi affari non andassero molto oltre bestie e pezzi di terra. Di sicuro, però, gli passavano un mucchio di soldi tra le mani. E adesso, incredibilmente, pareva che volesse addirittura spenderli. Erano passati quindici anni dall'ultima volta che Pat aveva visto Sonny, Jim e i nipoti. Solo pochi minuti prima, non aveva la minima idea di quando avrebbe potuto riabbracciarli, poi era bastata una frase di Ger per cambiare tutto. Così felice da non trovare le parole, Pat si girò e fece un gran sorriso al marito, mentre già pensava alle valigie e ai regali da scegliere e incartare.

25

Jazz si stiracchiò, rigirandosi nel letto e rimanendo lì a oziare. Non sai mai che tipo di giornata aspettarti quando vivi con dei coinquilini che hanno turni sempre diversi. Quel giorno, però, sembrava che si fossero incastrati alla perfezione: lei avrebbe avuto la casa tutta per sé durante la giornata e poi la sera sarebbero stati tutti insieme. Georgiou si era offerto di preparare la cena per tutti, se Jazz fosse andata a fare la spesa. Le aveva lasciato la lista con tanto di istruzioni: doveva tastare bene il melone per capire se era buono, mentre con l'origano bisognava che facesse attenzione a prendere quello giusto. Georgiou era sempre molto diffidente quando si parlava di prodotti francesi, e questo faceva ridere i suoi coinquilini. Però era un cuoco fantastico, che tra l'altro stava mettendo da parte i soldi per diventare chef, quindi gli altri dovevano ritenersi fortunati ad averlo in casa, come lui stesso non mancava mai di sottolineare. Il programma di Jazz per la giornata, ora che finalmente si era decisa ad alzarsi dal letto, era di farsi un lungo bagno rilassante – e non la solita doccia veloce prima di scappare al lavoro –, poi passare la mattina a oziare in cortile e andare a fare la spesa verso mezzogiorno. Oltre a comprare il necessario per la cena, si sarebbe fermata in piazza a prendere un caffè.

Sebbene le piacessero il gioco di squadra e la convivialità del suo lavoro, apprezzava molto quelle ore di solitudine. Quando i coinquilini erano in casa, c'era sempre qualcuno che ascoltava musica, qualcun altro che urlava da una stanza all'altra e cellulari che squillavano. Jazz si alzò dal letto, senza neanche preoccuparsi di controllare il telefono, e camminò pigramente fino al balcone. Aveva scelto la camera doppia proprio per quel delizioso balconcino con l'edera che si avvinghiava sulla ringhiera e la vista sulle montagne lontane, oltre i tetti dei palazzi vicini. Lei e Sarah, la ragazza con cui divideva la stanza, facevano raramente lo stesso turno, pertanto era come avere una singola; e poi andavano molto d'accordo. Di fatto, a parte le sfuriate che faceva Georgiou ogni tanto se trovava il forno sporco, in casa regnava la pace. Ed erano stati fortunati, perché scegliere i coinquilini sulla bacheca degli annunci al lavoro era sempre un azzardo. Loro erano andati d'accordo sin dall'inizio, ma nonostante questo la nonna di Jazz era uscita di senno quando aveva saputo come il gruppo si era formato. «Mi stai dicendo che vivi con persone che hai conosciuto su internet? Sei fuori di testa, Jazz? Non li leggi i giornali?»

Era stato inutile tentare di spiegarle che quella bacheca degli annunci era accessibile solo ai dipendenti della compagnia aerea e che c'era sempre un moderatore a controllare tutto. Mary Casey era rimasta della sua opinione.

A dirla tutta, solo la madre di Jazz non aveva fatto storie quando aveva saputo la faccenda, visto che anche il padre si era rabbuiato offrendosi di pagarle una casa tutta per lei se avesse rinunciato a quell'idea. Ma lui non capiva neppure perché Jazz si ostinasse a fare quel lavoro, perciò alla fine non ne avevano neanche discusso. C'era da dire che il padre non era tipo da mettersi a discutere, soprattutto perché non sopportava di perdere. Per un po' di tempo, comunque, si era fatto vedere contrariato, ma fortunatamente Jazz aveva imparato già da piccolissima a ignorare i suoi malumori: la tattica migliore infatti, era ignorarlo e continuare per la propria strada. E prima o poi gli sarebbe passata. Funzionava così quando c'era di mezzo Jazz, perché lui ci teneva troppo a non rovinare le occasioni che avevano di passare del tempo insieme. Una volta le aveva detto che la cosa più importante nella vita è essere felici. Lei aveva pensato subito che quella filosofia fosse pericolosa, perché a meno di vivere in un compartimento stagno, la felicità propria sarebbe sempre dipesa da altre persone. Perciò se si fosse attribuita tanta importanza alla felicità, consapevolmente o no, si sarebbe finito per mettere la propria esistenza in mano agli altri.

Per Jazz, la cosa più importante della vita era sperimentare nuove strade e fare esperienze, belle o brutte che fossero. Quando andava a scuola, erano tutti convinti che si sarebbe iscritta all'università. Il padre avrebbe voluto che andasse a Cambridge, dove avevano studiato anche lui e, ancor prima, nonno George. E, per molti anni, Jazz aveva dato per scontato che sarebbe stato proprio così, poi però, col grande stravolgimento dell'arrivo in Irlanda, pareva che tutti i piani fossero saltati. Aveva rifiutato quel trasferimento all'inizio, tanto che aveva tenuto il muso per un sacco di tempo, ma in seguito aveva capito che andare a vivere in un posto diverso le aveva aperto nuove possibilità. Nella scuola privata che frequentava a Londra, tutti i ragazzini avevano un percorso obbligato: una laurea a Oxford o Cambridge, un tirocinio prestigioso, con ogni probabilità pagato dal «paparino», e una carriera che avrebbe garantito uno stipendio ogni anno più alto. A differenza dei suoi ex compagni di Londra, quelli di Lissbeg erano pieni di aspirazioni, pochissime delle quali si basavano su possibilità concrete, forse perché avevano modelli di riferimento diversi. Nella maggior parte dei casi, i genitori di quei ragazzi erano agricoltori o pescatori la cui vita dipendeva dal tempo, oppure erano gente i cui affari cambiavano e si evolvevano a seconda della congiuntura economica del momento. Alcuni compagni avevano in mente di proseguire gli studi, mentre altri non ci pensavano neppure, perché tanto non avrebbero potuto permetterselo. Non aveva senso riempirsi di debiti per studiare, l'ideale per loro sarebbe stato cercare di aprire qualche attività.

E poi c'erano quelli come Conor McCarthy, che per andare all'università avrebbe fatto carte false ma la situazione famigliare glielo aveva impedito, perché lui e suo fratello Joe dovevano pensare alla fattoria. «Ma alla fine va bene così. Perché tanto, se ci fossi andato, mio padre mi avrebbe obbligato a fare Scienze agrarie», le aveva detto una volta Conor.

«E non ti sarebbe piaciuto?»

«Per carità, no! Metà della roba che t'insegnano riguarda l'espansione e la razionalizzazione della produzione, cose che non m'interessano per niente, perché hanno a che fare col commercio agroalimentare e non con l'agricoltura.»

Lui voleva diventare bibliotecario come Hanna, anche se Jazz non capiva proprio cosa lo attirasse di quel lavoro: la biblioteca di Lissbeg era quasi sempre vuota e la madre non pareva particolarmente felice di quel che faceva.

«Si potrebbero fare dei cambiamenti per rendere il lavoro più interessante, più divertente. La mia però non è una critica, eh.»

Jazz non riusciva proprio a immaginarsi come si potesse rendere più divertente il lavoro in un posto tetro come la biblioteca. Era ospitata nei locali di un ex convento, con un cortile fatiscente e circondato da uffici del consiglio regionale messi lì solo temporaneamente. Come sarebbe mai potuto diventare il centro vibrante d'energia che immaginava Conor? Non le era parso carino, però, contraddirlo, perché quel povero ragazzo era intrappolato a Lissbeg insieme ai suoi sogni, mentre lei poteva prendere e andarsene quando voleva. Una delle cose che le piacevano di più del suo lavoro era proprio quella prospettiva: poteva girare il mondo e vivere dove voleva, scoprire nuovi modi di pensare e mangiare, e vivere cose che i suoi vecchi compagni di Londra non si sarebbero neanche immaginati. Al momento, in realtà, quello che faceva era passare da un aeroporto all'altro, ma aveva cominciato a lavorare solo da sei mesi e già viveva in Francia in un bell'appartamento con tanto di cortile, balconcino e piante rampicanti.

Il bagno era uno specchio, il che voleva dire che Georgiou era stato l'ultimo a utilizzarlo. Jazz riempì la vasca e poi s'immerse nell'acqua profumata. L'unica domanda che le aveva fatto la madre alla notizia che sarebbe andata a vivere con altra gente riguardava il numero dei bagni e, sentendo che ce n'era solo uno, aveva riso e si era raccomandata con la figlia di lasciarlo sempre pulito.

«I litigi peggiori tra coinquilini riguardano sempre le pulizie del bagno.»

«Come fai a saperlo?»

«Perché ci sono passata anche io.»

A quanto pareva era vissuta anche lei in un appartamento in condivisione con tre inquiline prima di sposare papà.

«In che zona di Londra?»

«Vicino a Paddington Station.»

«Figo!»

«Non tanto, ai tempi. Era una zona un po' malandata e si sentivano sirene della polizia a tutte le ore.»

«Però ti piaceva, giusto?»

«Certo, ero giovane. Era la prima volta che vivevo da sola. Be', è stata anche l'ultima, per la verità, perché poi sono andata a stare da tuo padre.»

«Cosa? Prima di sposarvi?»

«Erano gli anni Ottanta, non il Medioevo! Aveva un appartamento su Sloane Square – molto figo – e ci abbiamo vissuto finché non abbiamo trovato casa.»

«Non eri stata tu a trovarla?»

«Be', sì, perché avevo tempo da dedicare alla ricerca.»

«E poi hai pensato alla ristrutturazione.»

«Sì.»

«Papà ha sempre detto che hai un talento come progettista. Come mai non lo hai fatto di lavoro?»

«Ecco, perché...»

«Voglio dire, ne avresti avuto il tempo, siete stati senza figli per anni.»

Jazz non ci aveva mai riflettuto, ma in effetti era strano che la madre non avesse mai lavorato prima e che poi avesse deciso di farlo quando in realtà non ne aveva più bisogno: di certo, papà le passava un sacco di alimenti. Forse era perché in Irlanda mamma si annoiava e non voleva stare tutto il tempo con nonna Mary. Perché allora aveva chiesto un prestito alla Credit Union? Avrebbe potuto farsi dare i soldi da papà, che glieli avrebbe sicuramente prestati per ristrutturare la casa di zia Maggie, perché se era disposto a spendere tanto per l'affitto del suo appartamento in Francia, sarebbe stato più che contento di aiutare l'ex moglie a metter su una casa tutta sua in Irlanda. Jazz prese la spugna, la sollevò e si fece cadere l'acqua sul viso. La finestra era aperta e fuori il sole splendeva e gli uccellini svolazzavano: avevano fatto i nidi sulle grondaie dei palazzi che si affacciavano sul cortile. *Più tardi scendo a svuotare un po' di vasi e a metterci piantine nuove,* pensò. I gerani che aveva piantato mesi prima erano morti stecchiti da un pezzo perché nessuno li innaffiava. La gente che abitava in quegli appartamenti non si curava del cortile, pertanto alla fine i vasi erano sempre pieni di fiori rinsecchiti. Solo l'edera cresceva rigogliosa. Di sicuro prima o poi l'amministratore del condominio l'avrebbe fatta sradicare per evitare che facesse danni, ma per il momento continuava a crescere e ad avvinghiarsi alle ringhiere dei balconi fin sulle grondaie.

Dopo aver svuotato la vasca e pulito il bagno, Jazz stese l'asciugamano sul balcone, cosa che in teoria non era permessa, poi si vestì per andare a fare la sua passeggiata fino al mercato. Arrivata nell'androne, salutò la portinaia che stava al telefono, e schizzò fuori per non darle il tempo di rimproverarla per l'asciugamano steso.

Mentre camminava verso la piazza, continuò a pensare al nuovo progetto della madre. A dar retta alla nonna, si sarebbe rivelata un'impresa suicida, ma Mary Casey esagerava sempre. Per la mamma non doveva essere stato semplice crescere con una persona tanto negativa, che riusciva a trovare sempre il brutto di ogni cosa. Certo, poteva essere divertente, ma a volte ti deprimeva anche. Era raro che Hanna si lamentasse, eppure negli ultimi tempi Jazz aveva capito che la cosa la faceva star male. Prima di trasferirsi in Irlanda, la mamma era stata una donna serena ed elegante, impegnata a organizzare feste per gli amici di papà e a mandare cestini pieni di bontà prese da Fortnum & Mason a casa loro nel Norfolk. Anche durante le estati passate in Irlanda quando Jazz era piccola, Hanna le era sempre sembrata allegra e rilassata. All'epoca però era ancora vivo il nonno, e questo forse faceva una bella differenza. In ogni caso, qualunque fosse la ragione, adesso la mamma era tutt'altro che serena e, quindi, era probabile che andarsene a vivere in una casa tutta sua lontano da nonna Mary si sarebbe rivelata un'ottima idea. L'unica cosa strana era che avesse scelto un posto che cadeva a pezzi. La prima volta che fosse tornata a casa, Jazz voleva proprio andare a darci un'occhiata, perché era probabile che la nonna come al solito avesse esagerato e che in realtà la casa fosse un gioiellino, con tanto di caprifoglio rampicante intorno alla porta.

26

C'era un uomo in tuta da ginnastica che cercava tra i libri della biblioteca passando in rassegna ogni singolo volume. Aveva iniziato dagli scaffali in fondo e aveva proseguito con tutti gli altri, seguendo sempre la stessa procedura: prendeva un libro, ne ispezionava la copertina e poi lo rimetteva a posto. Dopo averlo osservato per circa mezz'ora, Hanna non ce la fece più, si alzò e attraversò la biblioteca per andargli a parlare.

«Posso aiutarla?» chiese a bassa voce, ma con tono brusco.

L'uomo si guardò intorno e la fissò attraverso gli occhiali spessi. «No, no. Non c'è bisogno, grazie», rispose con voce tonante.

«Potrebbe abbassare la voce?»

«No, no, sono a posto, grazie.»

«Sì, ma se potesse abbassare la voce…»

«No, sul serio, non c'è bisogno. Ci ha già pensato Conor.» Detto ciò, l'uomo si girò, prese un altro libro, ne ispezionò la copertina e lo rimise a posto. Avendo passato in rassegna tutto il ripiano, iniziò a ispezionare quello sopra.

Hanna ci rinunciò. Continuare a insistere che doveva abbassare la voce era inutile. Dopotutto non dava fastidio a nessuno e non aveva detto una parola finché non era stata lei a parlargli. Alzando le spalle, tornò alla scrivania a cercare di far funzionare il computer. Già il giorno prima aveva cominciato a darle problemi, ma adesso cercare i file era diventata una specie di roulette russa. A volte Hanna li trovava subito, altre invece i file scomparivano e poi riapparivano nelle cartelle sbagliate. Secondo il tecnico informatico, era lei il problema, perché non era capace. Dopo venti minuti al telefono, aveva sospirato e le aveva detto che sarebbe passato in settimana.

«Sì, ma a me il computer serve adesso.»

«Mi dispiace, Miss Casey, non posso fare altro. Lei è sicura di aver seguito le mie indicazioni?»

«Certo, e prima di chiamarla ho cercato di rimediare da sola.» Non aveva nemmeno concluso la frase che già si era pentita di averla detta.

Il tono annoiato del tecnico dall'altro capo del telefono era diventato ancora più saccente. «Guardi, forse è meglio se non ci mette mano: rischia di peggiorare solo le cose.»

Allora Hanna, facendo uno sforzo immane per non rispondere in malo modo, aveva salutato senza tanti convenevoli e aveva riattaccato. Non era un'esperta di computer, ma certo non danneggiava le cose con cui lavorava, e se non avesse rischiato d'inimicarsi il tecnico ancora di più, gliel'avrebbe fatto notare. Adesso però, più che dirne quattro a quel moccioso di Carrick, l'importante era far funzionare quella dannata macchina.

Era appena arrivata alla sua postazione quando entrò Conor, con addosso l'incerata che usava in Vespa e il casco ancora in testa. «Come va col computer?» le chiese.

«Mi sta facendo impazzire. Ma tu che ci fai qui?»

«Eh, so che non sono di turno, però passavo da queste parti perché sto cercando un pezzo di ricambio per il trattore e, mentre guidavo, ho avuto un'illuminazione. Proviamo a reinstallare l'ultimo programma.»

Hanna si fece da parte e gli lasciò il posto davanti allo schermo.

Conor si tolse il casco. «Lo ha installato il tecnico l'altro giorno, ma mi era parso che stesse facendo un casino.»

«Al telefono mi ha detto di non toccare niente.»

Conor fece la faccia di chi se l'aspettava. «E ci credo, perché lo sa che è stata sua la colpa. Mi dia un minuto e vediamo se riesco a sistemarlo io.» Dieci minuti dopo, spinse la sedia lontano dalla scrivania e la guardò trionfante. «Cosa sono io?»

«Un genio!» esclamò Hanna.

«Esatto. Adesso dovrebbe essere tutto a posto.»

«Ti posso offrire un caffè?»

«No, grazie. Devo mungere le vacche e sistemare il trattore. Ci vediamo domani», disse recuperando il casco.

Hanna gli tenne aperta la porta mentre lui cercava di allacciarsi il casco. In fondo alla sala, da dietro alcuni scaffali, l'uomo con la tuta e gli occhiali spessi fece capolino e lo salutò.

«Conor, ciao. Come stai?»

«Tutto bene, Oliver, grazie. L'hai trovato?»

«Macché, ancora niente, ma stai certo che non mollo. Venti minuti al giorno, un giorno sì e uno no: è il ritmo che mi sono imposto.»

Quando la testa dell'uomo scomparve di nuovo dietro gli scaffali, Hanna prese Conor per il braccio. «Ma chi diamine è quello là?»

«Quello del cane. Non si ricorda?»

«Quello del cane?»

«Il tipo che ci ha scritto perché sta cercando un libro con un cane nero in copertina.»

«Mi stai dicendo che vuole cercarlo scaffale per scaffale?»

«Be', lo ha già fatto nelle librerie.»

«Quant'è che va avanti questa storia?»

«Qualche settimana. Mi sa che capita sempre quando lei è in giro col furgoncino. Gli ho detto io che poteva farlo, è un problema?»

Hanna scosse la testa. «No, no, certo che no.»

«Gli ho anche detto che dovrebbe sforzarsi di ricordare il nome mentre lo cerca.»

«Sì, sarebbe una buona idea.»

Tornata alla scrivania, Hanna cliccò col mouse e trovò subito il file che cercava. Fuori della biblioteca, il motore della Vespa rombò nel cortile e si allontanò. Passata una decina di minuti, arrivò un fiume di genitori e ragazzini a riconsegnare i libri e a prenderne di nuovi. Dietro di loro, con le mani infilate in tasca, la cerata addosso e il cane al seguito, Hanna vide anche Fury O'Shea.

27

Hanna attraversò di corsa la sala e lo fermò alla porta. «È una biblioteca, non puoi portarci il cane.»

Il cane in questione forse non era più scattante come un tempo, ma l'ostilità la percepiva ancora benissimo e allora, con gli occhi fissi su Hanna e nessuna intenzione d'indietreggiare, cominciò a ringhiarle contro minaccioso. Un bambino notò la scena da lontano e scoppiò a piangere, al che il padre fulminò Hanna, che a sua volta fece lo stesso con Fury.

«Il cane non può stare qui. Portalo via», gli disse.

Il ringhio di Demonio si fece ancora più intimidatorio. Fury lo guardò pensieroso e si rivolse ad Hanna. «E io che pensavo che avessi bisogno di parlarmi. Stai tranquilla, ce ne andiamo subito.» Infilò un piede sotto la gabbia toracica del cane, lo sollevò e lo fece uscire.

«No, aspetta un attimo...»

I genitori allora fecero tutti un verso di disapprovazione. Erano davanti alla sezione «Libri per bambini», dove c'era pure Darina Kelly – in pantaloncini e scarpe alla schiava – che cercava un libro di Pippi Calzelunghe da far distruggere al figlio. Hanna afferrò Fury per la manica e lo costrinse a tornare dentro, sbattendo subito la porta e lasciando così fuori il cane. «Perché non hai risposto alle mie chiamate?»

«Te l'avevo detto il giorno che mi hai assunto. Non lo guardo mai.»

«Non mi risulta di averti mai assunto.»

«Be', però le capre te le sei prese.»

Hanna fece un sospiro. «Senti, non sto dicendo di non averti affidato il lavoro, ma sinceramente pensavo che ti saresti comportato secondo i patti.»

«I patti?»

«Mi pare che parliamo la stessa lingua, no? Io ti avevo detto che volevo tutto nero su bianco, che bisognava prima ottenere i permessi del catasto e che dovevi farmi avere un preventivo coi costi e le tempistiche. E ti avevo detto anche che le tegole volevo tenerle. E invece l'altro giorno sono passata di là e ho scoperto che, senza degnarti nemmeno d'interpellarmi, hai fatto sparire le tegole e buttato giù un pezzo di casa.»

Fury si girò verso i genitori che sostavano davanti ai libri per bambini. Ormai avevano smesso di fare finta di non ascoltare. Hanna si rese conto che quello non era il posto indicato per parlarne, afferrò Fury per il gomito. All'esterno Demonio ululò, come se avesse capito che il padrone era in pericolo, ma lui aprì la porta, gli ordinò di fare silenzio e la richiuse cercando di fare meno rumore possibile. Hanna s'infilò le mani in tasca e gli indicò col mento di andare verso la cucina, quindi lo raggiunse e chiuse la porta, contravvenendo alla sua regola numero uno: mai lasciare i libri incustoditi.

Fury la incalzò prima che lei potesse dire qualcosa. «Come fai a essere così sicura che le tue tegole non siano state portate in qualche luogo riparato per poi essere rimesse al posto loro?»

Hanna sgranò gli occhi. «È così?»

«No, le ho vendute.»

«Le hai *vendute*?»

«Be', in realtà non proprio. Le ho barattate.» Le spiegò che, quando aveva cominciato a ispezionare il tetto, aveva scoperto che le travi erano in condizioni molto peggiori di quanto credesse. «È una cosa che capita spesso, bada bene, perché finché non apri, non sai cosa trovi dentro.» Comunque, a quel punto, la cosa più intelligente da fare era mettere delle travi nuove, solo che il legno sarebbe costato un occhio della testa. «Così ho barattato le tegole di ardesia con un carico di tegole normali ma con l'aggiunta delle travi.»

«Ma io ti avevo detto...»

«Lo so bene cosa mi avevi detto, però non mi avevi detto anche di sprecare i tuoi soldi.»

Hanna fissava la propria immagine riflessa nel bollitore, cercando di mantenere la calma. «Ed è proprio questo il punto, no? I *miei* soldi. Io sono il cliente e tu fai quello che ti dico, perché i soldi sono miei e decido io come spenderli.»

«E tu lo sai quanto sarebbero costate quelle travi?»

«No, però so cosa voglio. E ti avevo detto che volevo mantenere le tegole originali. Ti è più chiaro adesso?»

Fury aprì la scatola dei biscotti e ne prese una manciata. «Certo, chiarissimo, non dubitare.»

«Bene. Passerò domani a casa di Maggie e mi aspetto di ritrovare le tegole originali.»

«Be', se è questo che ti aspetti, mi dispiace ma resterai delusa», rispose Fury poggiandosi sul piano di lavoro. «Ero venuto a dirti proprio questo. Per una settimana non ci potrò andare.»

Assurdo. Come pure era assurdo il fatto che tutti, lei compresa, si ostinassero a chiamare quel posto «casa di Maggie».

«Non puoi interrompere i lavori e andartene così!»

«Certo che cambi idea con una velocità incredibile», disse Fury con la bocca piena di biscotti. «Quanto tempo pensi che ci voglia per ottenere tutti i permessi?»

Hanna sgranò gli occhi e lui scosse la testa.

«Ti devi decidere. Vuoi che mi metta sotto oppure no? Perché a voler essere precisi, finché non ci sono i permessi, non potrebbero in teoria nemmeno pascolarci le capre lì.»

Irritata oltre misura, Hanna rispose senza riflettere. «Sì, ma tanto non ci servono i permessi, perché la metratura di quella camera aggiuntiva è irrisoria. E se poi dovesse venire fuori che ci vogliono, posso sempre ottenerli retroattivamente.»

«Retrospettivamente.»

«Quello che è.»

«E allora, mia cara signorina Casey, perché mi hai rotto le scatole con questa storia dei permessi?» disse Fury e rimase immobile a guardare nel vuoto e masticare biscotti. Ci fu un lungo silenzio durante il quale Hanna ebbe il tempo di capire che aveva fatto la figura della scema, poi Fury le fece l'occhiolino e se ne andò.

28

Per raggiungere il castello dei de Lancy, Fury prese la circonvallazione di Carrick che portava a est, lasciando la penisola in direzione di Cork. A mano a mano che il suo furgoncino avanzava sferragliando lungo la strada, le alte mura del castello si stagliavano sempre più nitide sullo sperone roccioso sul quale sorgevano. Nel Medioevo i de Lancy avevano scelto con cura il punto in cui costruire la loro fortezza. Protetto dalla montagna, ma abbastanza distante dall'altura alle sue spalle, il castello dominava l'ingresso nella penisola. Carrick stessa all'epoca era nata come centro di approvvigionamento per i de Lancy.

Tutti gli abitanti della penisola conoscevano la storia del castello. Era stato costruito nel Duecento come fortezza dei signori anglo-normanni del Finfarran, con tanto di fossato, ponte levatoio e due torrette d'avvistamento al cancello d'ingresso. Quando il pericolo degli attacchi dei vicini irlandesi si era attenuato, le generazioni successive dei de Lancy avevano allargato le finestre e ampliato l'edificio, spogliandolo pian piano di tutte le sue caratteristiche tipicamente medievali, fossato compreso. Nel Settecento erano diventati mercanti di spezie e proprietari terrieri dallo spirito vagamente filantropico. Il loro dominio sulla penisola era assoluto. Possedevano una casa in una delle piazze più belle di Londra dove andavano a passare «la stagione» tutti gli anni, facevano sposare le figlie con gli aristocratici e andavano a teatro. In Irlanda, avevano buttato giù quel che rimaneva della loro fortezza medievale e avevano preferito una tenuta di campagna con tutti i comfort e le comodità, però le alte mura che sorgevano dalla solida roccia erano rimaste come protezione. I de Lancy avevano continuato a guadagnare denaro col commercio e a investirne una parte in iniziative benefiche per la gente, come ad esempio la biblioteca che avevano fatto costruire a Ballyfin. Poi però, nell'Ottocento, un giovane de Lancy dallo spirito avventuroso aveva scoperto una miniera d'argento in America e la famiglia aveva deciso di lasciare la sovversiva Irlanda per attraversare l'Atlantico e stabilirsi a New York. Quando le rivolte in Irlanda erano sfociate nella guerra d'indipendenza prima e nella guerra civile poi, i de Lancy avevano pensato bene di restare parte dell'anno a New York e il resto a Londra, abbandonando il Finfarran e il loro castello. A differenza di tante altre fortezze abbandonate dai signori, però, il castello dei de Lancy era sopravvissuto. Il casato dei de Lancy, invece, si era estinto.

Lady Isobel de Lancy, nata a New York negli anni Trenta, era stata l'ultima e non aveva avuto figli. Lei e suo marito, Charles Aukin, figlio di un banchiere americano, avevano trascorso gran parte del loro matrimonio a viaggiare e fare crociere prima d'innamorarsi della dimora dei de Lancy negli anni Novanta. Dedicarsi a quella tenuta era diventato l'hobby preferito di Lady Isobel e, quando poi era morta dieci anni più tardi, il marito vi era rimasto a vivere da solo. Le stanze erano quasi tutte chiuse ormai, ma una donna del luogo continuava a occuparsi dell'edificio e a tenerlo pulito, mentre il cortile, le stalle e i giardini erano caduti a poco a poco in disuso.

Fury prese l'uscita per il castello. Col suo furgoncino passò sotto l'arco d'ingresso tra le due torrette e superò il cancello di ferro che ormai era perennemente aperto. Parcheggiò sotto il portico che un tempo aveva fornito ombra alle signore imbellettate che scendevano dalle carrozze e si allungò verso la portiera del passeggero per far scendere Demonio, quindi scese anche lui. Demonio scomparve alla ricerca del gatto, suo storico nemico, e Fury salì l'ampia scalinata che portava all'ingresso vero e proprio. Trovando il portone accostato, entrò e, ai piedi di una scalinata che si ramificava in più direzioni, cacciò un urlo. Qualche istante dopo, in risposta, Charles Aukin apparve in cima alle scale.

«Ce ne hai messo di tempo! Vieni su, sono in salone.»

«Non m'importa dove sei tu, a me interessa dov'è il problema.»

«È la caldaia, tanto per cambiare. Ma non ti andrà mica di scendere di sotto adesso e metterti ad armeggiare?»

«Certo che no, però sono venuto apposta.» Fury attraversò l'atrio e prese la porta che conduceva alle scale sul retro.

Charles si affacciò dalla balaustra e gli urlò: «Be', vieni su quando hai finito! Ho una cosa da mostrarti!»

Installato in occasione di un matrimonio, l'impianto di riscaldamento del castello rappresentava il culmine dell'idraulica di epoca edoardiana. La sposa, che era la zia di Lady Isobel, non era mai stata lì prima, ma l'idea di sposarsi in mezzo alla natura selvaggia irlandese l'aveva stuzzicata, però sarebbe stato inaccettabile far lavare gli ospiti nei semicupi e avere la servitù che andava avanti e indietro con secchi pieni di acqua calda. Così erano arrivati alcuni operai da Dublino e avevano installato un'enorme caldaia nel seminterrato e portato acqua corrente nei bagni.

Per Fury quella caldaia era un tormento. Sebbene fosse magnifica, avrebbe dovuto essere sostituita molti anni prima. Cambiare i pezzi di un sistema di riscaldamento malandato era un buon modo per fare soldi, come ben sapeva Charles Aukin, ma trovare i pezzi di quel mostro era impossibile, pertanto tutto quello che poteva fare Fury ogni volta era cercare di convincere la caldaia a ripartire. Così, alla fine, non si faceva neppure pagare.

Era stupido da parte sua, e lo sapeva, ma la verità era che non gli avrebbero mai dato cifre sbalorditive, quindi in ogni caso non l'avrebbero ripagato del fastidio del viaggio e della manodopera. E poi, a un certo punto, far funzionare quella caldaia era diventata una specie di sfida personale per Fury, che oltretutto, seppur a malincuore, ammirava la furbizia di Charles: era stato bravo a fare i soldi. Bisognava ammettere, in generale, che i de Lancy avevano riempito parecchio le tasche di commercianti e artigiani. A contare molto di più, però, era l'esistenza di un legame di lunga data tra la famiglia di Fury e quel castello. Gran parte della legna utilizzata lì dentro proveniva dall'antica foresta al centro della penisola che, molto prima della famiglia de Lancy arrivata nel Medioevo, era appartenuta agli O'Shea. Per come la vedeva Fury, quindi, anche se la sua gente aveva dovuto pagare l'affitto per ottocento anni a quei tizi, restavano comunque degli intrusi. Quel castello apparteneva a chi l'aveva costruito, a chi ne aveva gettato le fondamenta e l'aveva tirato su una pietra dopo l'altra. E adesso, accovacciato davanti al mostro di rame, Fury vi poggiò una mano sopra e sospirò: che ormai fosse arrivata la sua ora oppure no, di certo non avrebbe permesso che tirasse le cuoia proprio davanti a lui.

Mezz'ora dopo, Fury salì le scale ed entrò nel salotto dove Charles stava facendo un cruciverba seduto accanto alla finestra.

«È resuscitata?» chiese Charles.

«Rantola come una bestia morente.»

«Oh, ma quello lo fa sempre.» Charles si alzò per liberargli un posto sul divano davanti alla finestra. Era un settantenne pacato, coi capelli sempre più radi, un abito fatto su misura e pantofole di pelle logora ai piedi. «Allora, se la caverà. Bravissimo. Siediti. Bevi qualcosa?»

«No. E me l'hai chiesto solo perché tanto sapevi che non avrei accettato.»

«Accomodati, su. Raccontami che si dice in giro.»

Se glielo avesse detto chiunque altro, Fury si sarebbe lanciato in una serie infinita di aneddoti, ma ogni volta che era Charles a fargli quella richiesta, lui non sapeva che dire. Charles era un brav'uomo, ma a che serviva raccontargli quello che succedeva in giro? Non sapeva di chi fossero i campi della penisola, non sapeva nulla delle diatribe tra famiglie né tantomeno aveva la minima idea di quali fossero gli antichi dissapori che provocavano quegli alterchi. A Fury piaceva raccontare i fatti che succedevano nel Finfarran almeno quanto gli piaceva costruire case, però non sopportava di essere interrotto ogni cinque minuti perché il suo interlocutore aveva bisogno che gli venissero spiegati tutti i retroscena. Tuttavia, gli dispiaceva per quell'uomo, rimasto solo nel suo castello. Si diceva che Lady Isobel avesse espresso il desiderio di essere sepolta nella cappella di famiglia e che Charles avesse scelto di restare confinato nella sua proprietà per non lasciare la moglie sola. Fury aveva sempre trovato toccante quella storia. E se era vero che il pover'uomo manometteva la caldaia di proposito per avere l'occasione di scambiare due chiacchiere con qualcuno, non c'era che da provare pena per lui.

Facendo finta di non aver colto la domanda di Charles, Fury si mise a sedere sul divano, dove c'era una pila di vecchi giornali. «Non volevi farmi vedere una cosa?»

«Ah, già. La prendo.» Charles attraversò il salotto e tornò con un leggio di legno intagliato. Era uno di quelli da scrivania, con un piano inclinato di stecche incrociate e una mensolina in basso, con due foglioline d'ottone attaccate che potevano essere girate e servivano per tenere ferme le pagine, esattamente come nei leggii da pianoforte. Le foglioline erano avvitate a una bacchetta, che era a sua volta attaccata alla mensola.

Fury prese il leggio e lo ispezionò. «La bacchetta è rotta.» Lo rigirò tra le mani. «Trecento anni senza un graffio e poi ci metti le mani tu e lo sfasci!»

Charles annuì dispiaciuto, mentre Fury cercava di capire meglio quali fossero i danni. La bacchetta si era fessurata da un'estremità all'altra.

«Hai provato a sostituire una vite, vero?»

«Ecco io...»

«Benedetto Dio! Possibile che non ti sei accorto che era troppo grande?»

«Credevo che...»

«E quando hai sentito che non entrava che hai fatto? Hai forzato e la bacchetta si è spaccata.» Fury si alzò in piedi e gli lanciò un'occhiataccia severa. «E adesso vorresti che te l'aggiustassi, vero?»

«Lo puoi fare?»

«Il problema non è solo la vite. Bisognerà trovare il legno adatto, perché la bacchetta va sostituita. Questo significa che dovrò mettere mano anche alle foglioline. Per la miseria, hai combinato un disastro!»

Charles si buttò sulla poltrona. «Ma mi serve per le parole crociate», disse, indicando la pila di giornali sul divano. «Non sono più veloce come una volta. Mi si accumulano, non vedi? Così ho inventato un sistema. Metto sul leggio il cruciverba su cui sto lavorando al momento, ma il leggio deve funzionare, perché altrimenti il sistema salta.» Charles passò dallo scontento alla rassegnazione. «Mi costerà un occhio della testa, vero?»

«Potresti sempre spedirlo a New York da Sotheby's. Dicono che sono bravi a restaurare.»

Charles storse la bocca. «Sei proprio sicuro di non volere nulla da bere?»

«Ascoltami bene, Charles. Il leggio me lo porto a casa e vedo cosa si può fare, d'accordo? Tu intanto comincia a cercare in cantina, ma sappi che qualunque bottiglia mi porterai, non varrà mai abbastanza.»

29

Parcheggiato il furgoncino nel posto assegnato, Hanna entrò nell'edificio della biblioteca centrale per riconsegnare le chiavi. Seduto al bancone trovò Tim Slattery, con un fazzoletto a pois nel taschino della giacca e un cronografo da immersioni al polso. Sistematosi i polsini, la salutò con la mano, lasciando in bella mostra un paio di gemelli di onice. «Proprio te cercavo! Aspetta un attimo.» Lasciò la postazione per entrare nel suo ufficio, quindi tornò da Hanna con un tubo di cartone in mano. «Sapevo che saresti venuta oggi, perciò ho pensato di consegnartelo personalmente invece d'inviarlo tramite posta. Risparmiare anche sulle piccole cose non guasta.» Le porse il tubo. «Dovreste affiggerlo in bacheca.»

C'era una bacheca pubblica fuori della biblioteca di Lissbeg e spesso dai vari uffici le mandavano cose da affiggere. Hanna aprì il tubo e srotolò la locandina per metà. Era la stessa che aveva visto all'ufficio turistico di Ballyfin.

«Che cos'è?» chiese.

«Il risultato di una lunga consultazione. Non se ne vede ancora la fine, ma adesso vogliono sentire cosa ne pensa la gente. Io, personalmente, non c'entro, è un'idea del consiglio regionale. Roba interessante.»

Hanna aveva i suoi dubbi. Ogni anno era la stessa storia: discussioni su discussioni su come investire il denaro pubblico e alla fine il risultato era sempre lo stesso, e cioè che i soldi investiti erano sempre di meno. Chi voleva costruire nuove strade si scontrava con gli ambientalisti, mentre i politici locali si vantavano di aver fatto edificare bagni pubblici o migliorato la situazione del traffico, ma alla fine la verità era che la gente non si accorgeva nemmeno della differenza. Hanna rimise la locandina nel tubo di cartone e salutò Tim dicendogli che si sarebbero visti la settimana successiva. Tim annuì.

«Buona serata.»

«Anche a te», rispose sistemandosi di nuovo i polsini.

A guardarli da vicino, Hanna si accorse che avevano dei piccoli teschi intagliati con tanto di ossa incrociate. Insieme a quell'orologio subacqueo, le fecero capire che probabilmente Tim quella settimana era in fissa coi pirati.

Quando Hanna uscì nel parcheggio, pioveva e lei camminò a testa bassa, evitando le pozzanghere e rovistando nelle tasche per recuperare le chiavi. Arrivata alla macchina, non le aveva ancora trovate, così rimase sotto la pioggia a cercarle nella borsa.

«Salve.» Colta alla sprovvista, Hanna si ritrovò davanti Brian Morton, che aveva parcheggiato l'auto accanto alla sua e reggeva un grosso ombrello in mano. «Mi scusi, non volevo spaventarla.»

«Si figuri, è solo che non l'avevo vista. Non riesco a trovare le chiavi e credo che a breve morirò annegata.»

Brian la raggiunse e la coprì con l'ombrello.

Hanna fece un passo indietro. «Oh no, non si preoccupi, sono a posto.» Nel frattempo trovò le chiavi in fondo alla borsa e le tirò fuori con aria trionfante. «Ecco fatto. Grazie, comunque.»

«Si figuri.» Poi però, mentre Hanna apriva l'auto, lui le rivolse di nuovo la parola. «Senta, mi chiedevo... non è che le andrebbe di andare a prenderci quel famoso drink?» E prima che Hanna potesse rispondere, lui le sorrise. «Non deve bere per forza qualcosa. Le sto solo offrendo l'occasione di trattarmi male.»

«Come?»

«È una questione di equità. Sono stato molto maleducato con lei l'altro giorno.»

Pur non volendo, Hanna si mise a ridere. «Anche io non sono stata da meno.»

«E poi non vorrà mica mettersi in viaggio con questa pioggia?»

In effetti no, non le andava. A giudicare dal cielo, probabilmente nel giro di mezz'ora avrebbe smesso di piovere. «Va bene, allora, ci sto. Però offro io.»

«Di questo possiamo discutere lungo la strada.» Brian scansò un po' l'ombrello per dare un'occhiata al cielo e suggerì che forse non era il caso di avviarsi a piedi. «Conosce il Royal Victoria? Possiamo andarci con una sola macchina.»

Scelsero di prendere quella di Hanna perché così, se avesse piovuto ancora dopo il drink, Brian aveva l'ombrello e avrebbe potuto tornare tranquillamente a piedi fino alla sua auto. E poi, in quel modo, si sarebbero risparmiati di camminare sottobraccio per le strade di Carrick come la piccola Lucy e il signor Tumnus delle *Cronache di Narnia*. E avrebbero anche evitato che i pettegoli della biblioteca vedessero la sua auto ancora parcheggiata lì fuori quando lei se n'era già andata da un pezzo.

Durante il tragitto fino al Royal Victoria, le cose non si misero bene. Dopo un'impacciatissima conversazione in auto e il più goffo tentativo di parcheggio della sua vita, Hanna era più imbarazzata che mai. *Devo solo bere qualcosa con un conoscente, perché mi sto comportando come una ragazzina al primo appuntamento?* Neanche i coetanei di Jazz sarebbero stati tanto impacciati. Anzi. C'era da dire, però, che in questo senso Brian Morton non l'aiutava.

Il barista PJ, con fare esageratamente discreto, li mise a sedere in un tavolino in disparte e poi tornò con una ciotola di olive.

«Un gin tonic, Miss Casey? E per lei, signore?»

Non appena PJ si allontanò verso il bancone, Brian incrociò lo sguardo di Hanna. «Se pure fosse stata la moglie un po' farfallona di un ufficiale partito per la caccia alla tigre, avrebbe potuto contare sul riserbo di PJ.»

Hanna scoppiò a ridere e in quel mentre le andò di traverso un'oliva. Respingendo il tentativo di Brian di darle qualche colpetto dietro le spalle, alla fine si ricompose e gli sorrise. «L'ultima volta che sono venuta qui, mi sono messa a leggere un racconto di Saki.»

«Quale? Quello degli elefanti del Cooch Behar? Ci starebbe benissimo.»

Sorpresa dal fatto che anche lui fosse un amante della letteratura edoardiana, Hanna sorrise. «Come ha fatto a indovinare?»

«Perché credo che ci starebbe benissimo leggere quel racconto in questa cattedrale nel deserto.»

«Le piace? Il Royal Victoria, intendo.»

«Lo adoro. Non ci vengo solo perché i miei colleghi non lo frequentano.»

«Nemmeno i miei. Chissà perché. Io lo trovo splendido, ma va bene così, perché probabilmente se lo frequentassero loro non ci verrei io.»

Non finì nemmeno di dire quella frase, che già se n'era pentita. Anche se avevano in comune l'amore per i racconti di Saki, non voleva dire che dovessero diventare confidenti. Comunque, con suo gran sollievo, Brian lasciò cadere la sua ultima affermazione, perché mentre aspettavano da bere stava cercando di ricordare i versi dello scrittore. Hanna gli suggerì alcune parole, pensando che erano passati anni dall'ultima volta che aveva fatto quel genere di conversazione.

«Il racconto è stato scritto in onore del Delhi Durbar, ed è per questo che gli elefanti vengono dal Cooch Behar...»

«Perché fa rima...»

«Esatto. E fa così: "Tornati a casa loro sulle cime dell'Himalaya, i vecchi elefanti pallidi del Cooch Behar avanzano come galeoni su un mare piatto..."»

«... e poi però Bertie dice che il Cooch Behar non è affatto vicino all'Himalaya...»

«... e allora c'è il pezzo in cui spiega che le poesie in inglese sulla Russia sono così poche perché è difficile trovare una parola che faccia rima con Minsk o Tobol'sk.»

«E più avanti dice: "Dove il cobra si nasconde nell'oscurità dell'ombra".»

«"... e la pantera furtiva pedina la capra..."» Brian aggrottò la fronte, cercando di ricordarsi altri versi. «Manca un pezzo, però.»

«No, no.»

«Sì, sì.»

Hanna lo guardò infastidita. «Quand'è stata l'ultima volta che l'ha letto?»

Brian le sorrise. «Quando andavo a scuola, probabilmente.»

«Ecco. Io invece l'ho letto la settimana scorsa.»

«Va bene, va bene. Forse allora la parte della capra mi piace così tanto che volevo fosse più lunga.»

Hanna sgranò gli occhi. «Oddio, che cosa mi ha ricordato! Ho dimenticato di spostare le capre!»

30

Entrato nel suo appartamento, Brian Morton si diresse subito verso il frigo per prendersi una birra, poi uscì sul balcone e si appoggiò alla ringhiera con lo sguardo diretto a ovest. Lontano, oltre le luci di Carrick, la cima delle montagne si stagliava nella tonalità purpurea del crepuscolo. Laggiù, da qualche parte, Hanna Casey stava spostando le sue capre. Brian prese un sorso di birra e sorrise, ricordandosi il verso della poesia di Saki in cui il cobra si nascondeva nell'oscurità. Era stato strano ritrovarsi a citare quei versi al Royal Victoria, e ancora di più chiacchierare con la donna che solo qualche giorno prima gli aveva fatto perdere la pazienza.

Del resto, tutta la serata era stata strana. Brian non aveva la minima idea di cosa l'avesse spinto a dare riparo ad Hanna Casey col suo ombrello e a proporle addirittura di bere qualcosa insieme. È vero, si era sentito un po' in colpa per il modo in cui l'aveva trattata, ma di certo non ci aveva perso il sonno, anzi non aveva proprio più pensato a lei dopo che se n'era andata piccata dal suo ufficio. Eppure, quando l'aveva vista sotto la pioggia senza ombrello, aveva sentito la necessità di comportarsi da persona civile.

Brian era perfettamente consapevole che la sua reputazione di misantropo faceva stare alla larga vicini di casa e colleghi, e proprio per questo ci teneva a mantenerla. Dopo che Hanna aveva lasciato il suo ufficio, però, aveva riconosciuto in lei la stessa tendenza e si era dispiaciuto di averla trattata male, quindi gli era sembrato giusto fare ammenda. Solo che si era stupito lui stesso di averlo fatto in modo tanto plateale: un minuto prima era lì che le dava riparo col suo ombrello e un minuto dopo si era ritrovato a offrirle da bere. Il tragitto in macchina fino al Royal Victoria era stato parecchio imbarazzante, al punto che si era pentito di non aver tenuto la bocca chiusa. Erano riusciti a rompere un po' il ghiaccio solo quando avevano scoperto una comune passione per un autore e, nonostante questo, i momenti d'imbarazzo non erano terminati. A ripensarci, affacciato al balcone con la birra in mano, Brian fece una smorfia. Era evidente che nessuno dei due aveva l'abitudine di andare a bere in compagnia, o comunque erano fuori allenamento.

Dopo una mezzora al bar, avevano deciso di fermarsi a cena nel ristorante dell'albergo, perché tanto fuori pioveva ancora e l'idea di mangiare una bistecca non sembrava male. Il ristorante del Royal Victoria aveva pareti rivestite in legno di quercia e grandi finestre con tende color cremisi. Negli arredi abbondavano l'argento e l'ottone e tutto intorno c'erano vasi di felci e un buonissimo profumino proveniente dalla cucina. Hanna non aveva mai mangiato lì.

«Davvero?»

«Sì, davvero. Non so perché. Anzi, sì che lo so: diciamo che non mi sembra il posto adatto a una donna sola», aveva detto, pentendosene all'istante. «Oddio, ma che dico! Questa è colpa di PJ e dell'atmosfera da impero britannico.»

Brian si era poggiato allo schienale imbottito della sedia. «Il tipico posto di cui un uomo sarebbe frequentatore abituale.»

«Lei ci viene spesso?»

Brian aveva sorriso. «No, ma se si ha fame e si vuole mangiare una bella bistecca, questo è il posto giusto.»

«Sono pronta! Non sa che fame da lupi viene a star seduti per ore in un furgoncino a Ballyfin», aveva detto Hanna spiegando il tovagliolo.

E mentre lei studiava il menu, Brian aveva studiato il suo viso, e la schiena dritta e le mani senza smalti o anelli. E gli piacevano anche le sue sopracciglia, scure come i capelli. Hanna aveva la pelle chiara con un po' di lentiggini, la fronte ampia e liscia e qualche ruga che si formava sopra il naso quando era pensierosa e aggrottava le sopracciglia, proprio come in quel momento mentre leggeva il menu mettendolo a favore di luce. Vederla così cupa aveva fatto venire il dubbio a Brian che i prezzi fossero troppo alti e allora le aveva subito detto che la cena l'avrebbe offerta lui. A quell'affermazione, lei lo aveva fulminato.

«Non se ne parla. Facciamo a metà.»

«E se decidessi di prendere litri e litri di vino costosissimo?»

«Allora ognuno pagherà il suo, perché altrimenti rischiamo d'infilarci nel vortice infinito del "questa volta pago io, la prossima paghi tu".»

Voleva forse assicurarsi di non doverlo rivedere più? Brian aveva sorriso, perché non si sarebbe mai aspettato di sentirsi offeso per una cosa del genere. Lei però aveva mal interpretato quel sorriso e aveva aggrottato la fronte.

«Posso tranquillamente permettermi di pagarmi la cena da sola.»

«Ma certo. Faremo così, infatti: ognuno paga il suo.»

E Hanna allora si era rivolta alla cameriera comunicandole con una certa autorità la sua ordinazione. «Prendo una bistecca al sangue. Mi raccomando, che sia ben al sangue. E senza cipolle, per favore.»

La cameriera aveva preso nota, poi era passata a Brian.

«Bistecca anche per me. Cottura media, però. Sono un rammollito.»

La cameriera si era messa a ridere e aveva portato l'ordinazione in cucina, lasciandoli di nuovo soli e imbarazzati.

Hanna allora aveva cominciato a guardarsi intorno. «Certo, è strano pensare che qualcuno abbia investito tanti soldi in questo posto nella speranza d'ingraziarsi i favori reali.»

«Già, e infatti l'azzardo non li ha ripagati.»

«S'immagina quel povero principino raffreddato che va a lamentarsi con la regina imperatrice dicendole che Carrick non regge il confronto coi laghi di Killarney?»

«Be', è così che funziona il turismo. Il successo di un posto dipende al novanta per cento dal passaparola.»

«È veramente così o ha detto un numero a caso?»

Brian si era messo a ridere. «Ho detto un numero a caso, però il passaparola ha davvero una grande importanza. E comunque quello del turismo è un mercato instabile. Pensi a Ballyfin.»

«Cioè?»

«Be', in questo momento lì il turismo è in espansione, ma io personalmente non investirei in un posto come quello.»

«No? E perché?»

«Credo siano arrivati al limite della saturazione laggiù. E, se vuole saperlo, questo nuovo finanziamento mi pare una cosa ridicola.»

«Quale nuovo finanziamento?» gli aveva chiesto allora Hanna mentre imburrava una fetta di pane.

Brian aveva sorriso. «Ah, che boccata d'aria fresca parlare con qualcuno che non vive a Carrick!» E mentre la cameriera portava al tavolo un altro cestino di pane, aveva spiegato ad Hanna che per l'anno successivo era previsto un nuovo programma di finanziamenti pubblici per la regione. «Sono mesi che ci lavorano, e nonostante una consultazione dietro l'altra, alla fine il risultato mi pare ridicolo.»

«Lo ha fatto presente?»

«Non è a quelli come me che vengono a chiedere un'opinione.»

Adesso, sul suo balcone, Brian ripensò a quel momento

in cui aveva parlato senza pensare e poi a quanto era seguito e alla sua speranza che il discorso non andasse a focalizzarsi sulla sua vita e sulla sua carriera. Ad Hanna era bastato uno sguardo per capire e, invece di fargli domande al riguardo, aveva tirato fuori un tubo di cartone che conteneva una locandina.

«È di questo che parla questa locandina?» aveva detto spiegandola sul tavolo per fargliela vedere.

Brian aveva annuito. «Esatto. Dopo tutti gli studi del caso, ora vogliono sentire l'opinione dei cittadini, poi faranno votare i consiglieri della giunta regionale.»

«Ho capito, ma in pratica di cosa stiamo parlando? Qui sopra dice "consultazione pubblica", ma sembra più che altro una presentazione vera e propria.»

«Intende dire che metteranno i cittadini davanti al fatto compiuto?»

«Non lo so cosa intendo. È lei quello informato.»

«Be', non è certo un segreto di Stato. Alla base di tutto c'è la pianificazione strategica. In parole povere, se ci sono pochi soldi, non vengono dispersi in mille cose diverse, ma investiti tutti in un solo progetto, in modo da ottenere il rendimento massimo.»

«E in questo caso il progetto sarebbe...?»

«Ballyfin. Che promette di far arrivare decine di migliaia di turisti ogni anno, se il consiglio regionale costruisse un porto per le navi da crociera. Non di quelle enormi, ovviamente. Comunque non ci sarebbe più posto per il vecchio porto.»

«Quindi il piano sarebbe questo? Destinare tutti i soldi a Ballyfin?»

«Ballyfin e Carrick.»

«Cioè? Che succederebbe a Carrick?»

«Il motivo per cui al consiglio regionale piace tanto questo piano è proprio questo: a Ballyfin verrebbe costruito un porto nuovo, mentre a Carrick un edificio destinato a ospitare tutti gli uffici comunali. E non solo uffici: il progetto prevede anche un centro sportivo, servizi, presidi sanitari...» Brian a quel punto si era interrotto perché era arrivata la cameriera con le bistecche. «Grazie, hanno un aspetto meraviglioso.»

Ripensando a quel momento, si rese conto che senza quell'interruzione le avrebbe certamente chiesto cosa ne pensasse dell'ipotesi di trasferire anche la biblioteca in quel nuovo complesso. Ma la cameriera aveva messo i piatti a tavola e si era creata un'atmosfera d'intimità. Brian aveva temuto che potesse infastidire Hanna, invece lei aveva sorriso e commentato che il cibo sembrava ottimo. Poi, quando erano tornati sull'argomento, lei gli aveva chiesto la sua opinione sulla app di cui aveva sentito parlare qualche sera prima. «Rientra sempre in questo piano?»

«Non direttamente, ma è in linea con la pianificazione strategica. E comunque tutte le strade portano a Roma.»

«A Dublino, intende?»

«Sì, certo. Il governo è sempre d'accordo quando c'è da risparmiare.»

Hanna si era messa a ridere. «E Teresa O'Donnell aspira a guadagnarsi un posticino in parlamento.»

Brian aveva fatto un sorrisetto. «Incredibile quanto entusiasmo dimostri certa gente quando c'è da fare un avanzamento di carriera. Ma ce la farà?» Brian aveva mimato un rullo di tamburi. «Corre il rischio di ritrovarsi confinata nel Finfarran ancora per un bel po'.»

Si era pentito subito di quella battuta, perché forse riferirsi al Finfarran come a un posto isolato dal resto del mondo poteva essere visto come una mancanza di tatto. E anche perché Hanna aveva deciso di tornarci sebbene dovesse aver avuto la possibilità di restare a Londra. Lei però non si era offesa, anzi si era messa a ridere.

Poi erano finiti a parlare di nuovo di libri e a discutere dell'origine della frase «Se lo costruisci, loro verranno».

«Era nel film *L'uomo dei sogni,* vero?»

Hanna aveva scosso la testa. «No. E poi diceva "lui tornerà", non "loro verranno". È una citazione dal libro *Shoeless Joe,* su cui si basava il film.»*

«Sono senza parole.»

Hanna aveva sorriso. «Be', sono una bibliotecaria.»

«Ed è questo che fa tutto il giorno? Legge libri?»

«In realtà no. Negli ultimi tempi passo un mucchio di ore in un campo in cima alla scogliera.»

La serata era proseguita così, a parlare dei loro interessi comuni e a godere della reciproca compagnia. E a ripensarci, affacciato al balcone di casa sua, Brian sorrise. Si erano comportati un po' come una coppia di ragazzini, cercando di fare colpo l'uno sull'altra. Però era stato divertente e gli era parso di capire che anche per lei fosse passato parecchio dall'ultima volta che aveva avuto una serata tanto piacevole.

31

Mentre Brian Morton era affacciato al suo balcone a Carrick, Hanna era seduta su una pila di pietre a godersi il tramonto. Le capre brucavano l'erba vicino a lei, e le travi spoglie sul tetto della casa che avrebbe ospitato il suo futuro sembravano un sorriso sdentato. Una stella brillò in cielo e, subito dopo, fu inghiottita dalle nuvole che si muovevano veloci. Le nuvole poi si aprirono, rivelando un manto di stelle che si rifletteva sull'oceano. Era evidente che, al contrario di quanto le aveva detto, Fury ci era andato eccome a lavorare alla casa. Gran parte dell'immondizia sparsa nel campo era sparita e le capre avevano brucato altre porzioni di campo.

Prima, Hanna era entrata anche in casa. Quella che era stata la porta della stanzetta aggiuntiva era sbarrata da alcune assi di legno. Col tetto scoperchiato, l'ambiente era molto più luminoso. Non si sentiva più nemmeno l'odore di muffa. Evidentemente Fury aveva portato via tutte le cose che stavano marcendo: la porta coi cardini arrugginiti, i mobili fradici e gli scatoloni pieni di cianfrusaglie. Era rimasta solo la credenza di Maggie, al suo posto vicino al camino, ma senza più le ragnatele, che erano state lavate via dalla pioggia.

Hanna aveva attraversato la stanza e aperto le ante della credenza. Sugli scaffali impolverati c'erano ancora tazze e bicchieri. Quando faceva il pane, Maggie utilizzava uno di quei bicchieri come misurino per il latticello. Il bordo era tutto scheggiato e il vetro ingiallito. Hanna lo prese: erano passati più di quarant'anni dall'ultima volta che lo aveva tenuto tra le mani, ma le pareva che fosse passato solo un giorno. Così aveva deciso di portarselo dietro.

Adesso, mentre stava seduta con quel bicchiere in mano, si chiese se fosse ancora il caso di continuare a combattere con Fury O'Shea. Forse Brian Morton aveva ragione, forse doveva accettare il fatto che quella casa, per il momento, sarebbe stata proprietà di Fury e non sua. E mentre ragionava, si ritrovò a pensare ad altro, a cose successe tanto tempo prima.

Aveva ventun anni quando aveva perso il suo primo bambino. Era assurdo ricordarlo ora, mentre se ne stava seduta in un campo, con le stelle che brillavano sulla vecchia casa di Maggie e le onde che s'infrangevano contro la scogliera. Era successo un lunedì, a casa di Malcolm, quella vicino a Sloane Square. Lei stava girando per casa in camicia da notte nel tentativo di tenere sotto controllo le nausee mattutine. Aveva appena fatto colazione con un toast e un tè leggero. Alla radio Joni Mitchell cantava *Chelsea Morning* e Malcolm era uscito per andare al lavoro. Le finestre erano aperte, la porta che dava sul balcone accostata, dalle tende immobili filtrava la luce che si rifletteva sul parquet.

Era da oltre una settimana che Hanna non faceva altro che girare per casa o stare sdraiata a leggere sul divano. Quel giorno si era detta che avrebbe cercato di fare almeno una cosa. Il vestito indossato il giorno del matrimonio era ancora appeso dentro l'armadio, ad aspettare che qualcuno lo portasse in lavanderia. Era un abito color crema, con delle perline cucite intorno al collo e sull'orlo della gonna che arrivava ai polpacci. Così Hanna era andata in camera da letto, aveva aperto l'armadio e si era allungata per prendere il vestito. In quel momento il leggero crampo che aveva sentito quella mattina al risveglio era diventato una fitta acuta e lancinante. Lei aveva lasciato cadere il vestito e si era stretta le braccia intorno ai fianchi, lanciando un grido di dolore, poi aveva visto del liquido colarle lungo le gambe e si era trascinata fino in bagno.

A distanza di trent'anni, Hanna strinse il bicchiere che teneva in mano. Ricordava ancora i raggi di luce sul pavimento del soggiorno e la voce di Joni Mitchell che cantava mentre lei piangeva, piegata in due sopra il water. La porta del bagno era aperta e, con la testa poggiata sulle ginocchia, sentiva i rumori che provenivano dalla strada. Alla fine era riuscita ad arrivare al telefono e a contattare il dottore. Lui le aveva ordinato di chiamare un taxi e farsi portare in ospedale. Al telefono l'infermiera, gentile, le aveva fatto una serie di domande e poi le aveva detto che non c'era bisogno di correre. Se il marito stava tornando a casa, tanto valeva che lo aspettasse. Malcolm però era in tribunale e a quei tempi i cellulari non c'erano ancora. «Non si preoccupi, venga quando può.» Con la cornetta del telefono ancora in mano, Hanna aveva capito il messaggio tra le righe: ormai era troppo tardi, il bambino non c'era più.

Ore dopo, distesa a letto mentre Malcolm le preparava un tè in cucina, le era parso di non sentire più niente. Il sole filtrava ancora dalle finestre, ma le sembrava che tutto fosse a chilometri di distanza da lei. Malcolm le aveva portato il tè con le lacrime che gli rigavano il viso. Il giorno dopo aveva chiamato la madre per dirle quello che era successo e, a quel punto, anche Hanna aveva avvertito a casa. Le aveva risposto Mary al telefono. Lei avrebbe preferito parlare col padre, ma non se l'era sentita di escludere la madre, allora le aveva raccontato brevemente l'accaduto.

E la risposta di Mary era stata immediata. «Oh, povera bambina mia, vieni a casa. O se preferisci vengo io da te.» Le era venuto da piangere e allora aveva passato la cornetta al marito.

Anche Tom aveva detto ad Hanna di tornare a casa, ma lei, con le lacrime agli occhi, gli aveva risposto di no. Perfino nelle settimane successive, quando aveva creduto che il suo matrimonio fosse stato un errore, non aveva mai pensato di lasciare Londra. Se lei e Malcolm si fossero lasciati, Hanna avrebbe ripreso gli studi. Poi, però, il marito l'aveva convinta che sarebbero stati felici insieme, che lei avrebbe trovato un bellissimo nido d'amore per loro due e che avrebbero avuto altri bambini. E infatti alla fine aveva trovato la casa ed era arrivata Jasmine, la loro bambina col nome di un fiore, che sarebbe cresciuta e diventata la Jazz adolescente sempre imbronciata e poi la donna di ora, pronta ad abbracciare la vita. E anche se Malcolm le aveva mentito e l'aveva tradita, era ancora l'unica persona al mondo che poteva capire il dolore per quell'aborto. Per anni aveva ricordato quel giorno portandole un mazzo di fiori. Non li prendeva dal giardino della madre, ma li andava a comprare al chioschetto all'angolo, quello tutto colorato che si vedeva dalla loro finestra. Dopo aver scoperto di Malcolm e Tessa, ricordi come quello l'avevano fatta soffrire molto. Adesso però, seduta su quella scogliera, ripensarci le fece un po' meno male, anche se non capì bene perché.

32

Con gli occhi ancora chiusi, Conor allungò il braccio per spegnere la sveglia e ficcò la testa sotto il cuscino cercando di riaddormentarsi. Cinque minuti dopo, la madre bussò alla porta e sbirciò nella stanza.

«Conor, ti alzi? Tuo padre sta brontolando.»

Conor fece un verso. Quando la madre aveva quella voce, voleva dire che il padre aveva passato una brutta nottata e che sarebbe stato un giorno pesante per tutti. Da quando l'incidente con la schiena aveva compromesso la sua mobilità, Paddy McCarthy sapeva di doversi ritenere fortunato perché aveva due figli che sapevano come portare avanti la fattoria. Ciò nonostante, faticava ancora ad accettare la sua situazione e in più gli antidolorifici lo rendevano irritabile. A volte non chiudeva occhio tutta la notte per l'ansia e lo sconforto, e il giorno dopo era un inferno per tutti.

Quel giorno Joe e Conor avrebbero avuto parecchio lavoro da fare nei campi, Paddy invece sarebbe rimasto in casa a sistemare un po' di scartoffie. In realtà, non c'era nessun bisogno che si mettesse a fare quell'odioso controllo di tutti gli scontrini e le fatture, perché Joe aveva ormai eliminato il cartaceo per gran parte delle transazioni, ma se Paddy non si rendeva utile in qualche modo stava male. E, visto che il computer non aveva mai imparato a usarlo, i figli gli lasciavano sistemare ugualmente le scartoffie per tenerlo occupato. Conor non era affatto convinto che fosse una buona idea, perché era risaputo che era una finta e c'era anche il rischio che non gli tornassero i conti. E questo preoccupava un po' tutti.

La madre lo guardò dispiaciuta. «Vuole che tu vada con la Vespa a Lissbeg a recuperare i suoi occhiali.»

«Come mai?»

«Ah, ieri sera ha giocato a carte con Johnny Hennessy e se li è dimenticati al pub.»

Un disastro, quindi, perché senza gli occhiali non poteva dedicarsi alle odiate scartoffie e di sicuro si sarebbe arrabbiato al pensiero di non poterli prendere da solo. In famiglia capivano che era dura e cercavano di far finta di niente, ma a volte avevano una gran voglia di strozzarlo. Ovviamente, capivano come doveva sentirsi, visto che un tempo non gli avrebbe fatto paura neanche sollevare una montagna, mentre adesso se voleva passare una serata al pub giù a Lissbeg doveva chiedere un passaggio a Johnny Hennessy e farsi aiutare a scendere e salire dall'auto come se avesse avuto novant'anni.

Quando Conor arrivò in cucina, il padre era già arrabbiato.

«È questa l'ora di alzarsi? Fino a che ora sei stato a bere ieri sera?» gli disse. Ancora non gli andava giù il fatto che il medico gli avesse vietato di bere alcol per il resto della vita. Non gl'importava che un mucchio di gente si fosse ormai convertita al caffè e alle bibite analcoliche nei pub; una partita a carte da Moran's non aveva nessun senso se non c'era una pinta di birra sul tavolo. E infatti erano stati necessari gli sforzi di tutta la famiglia e di Johnny Hennessy, sempre pronto a fare favori alla gente, per convincerlo a mettere il naso fuori di casa di tanto in tanto. Dopo settimane intere che non usciva, la sera precedente l'avevano infine convinto ad andare al pub. Adesso guardava il figlio mortificato, perché sapeva di averlo trattato male e ingiustamente.

Conor fece finta di non aver sentito la sua domanda e gli chiese dove avesse lasciato gli occhiali.

«Nella saletta sul retro da Moran's. Devo averli poggiati sulla mensola vicino alla porta.»

«Va bene.» Conor buttò giù la sua tazza di tè e guardò l'orologio. «Vado e torno.» Mentre guidava la Vespa in mezzo al traffico di Lissbeg, pensò che in effetti aveva fatto parecchio tardi la sera prima. Non gli capitava spesso: non era molto intelligente fare tardi la sera se poi la mattina dopo ti dovevi svegliare presto per lavorare nei campi. Oltre al fatto che bere aveva un costo. La sera prima, però, era uscito con Dan dopo il lavoro e avevano incontrato Bríd e Aideen. Erano andati nel negozio delle ragazze a mangiare gli avanzi di sformato, poi Conor e Dan avevano proposto di bere qualcosa insieme in un posto vicino a Broad Street, un po' più carino di Moran's e con la birra altrettanto buona. Bríd e Aideen si erano sedute a un tavolo e i ragazzi erano andati a prendere da bere al bancone.

Quando poi erano tornati al tavolo con le birre, Bríd aveva alzato il bicchiere e aveva fatto un brindisi. «Testa alta e guardiamo avanti!» Aveva perso un sacco di tempo a riempire moduli per farsi accordare il prestito necessario a promuovere il negozio e aveva appena ricevuto l'ennesimo rifiuto. Dan le aveva chiesto cosa avesse intenzione di fare. «Non lo so. Andremo avanti lo stesso. Avrei voluto pagare un grafico per fare dei volantini e un consulente per dare un'occhiata al nostro business plan. Ma, a quanto pare, dovremo cavarcela da sole.»

Dan era tornato al bancone a prendere delle noccioline e Aideen aveva tirato di nuovo fuori la storia della consultazione pubblica. Forse avrebbero dovuto andarci e fare delle domande? Cercare di capire cosa avevano in mente e se in qualche modo potevano ricavarne qualcosa anche loro? Magari avrebbero dovuto fare pressioni perché anche Lissbeg ricevesse fondi per il turismo.

Secondo Conor, il piano del consiglio regionale era una stronzata e, bevendo la sua birra, aveva raccontato della serata a Carrick alla quale aveva partecipato insieme a Miss Casey. «Credetemi, quella donna mi ha fatto paura. Secondo lei, i turisti che vengono nel Finfarran appartengono a tre diverse categorie, e in ogni caso sono tutti altamente digitalizzati e dipendenti dai loro smartphone.»

«E quindi?»

«Eh, non lo so. A sentir lei pareva che avessero fatto la scoperta del secolo.»

«Sì, ma di cosa ha parlato?»

«Di una app che hanno creato e che permetterebbe ai turisti di godere di un'esperienza immediata su cui avrebbero il totale controllo. C'era anche un ministro che l'ascoltava e pareva molto colpito da quello che diceva.»

«Accidenti a loro!» aveva detto Dan aprendo un pacchetto di noccioline. «Metà dei turisti che vengono da me sarebbero felici di gettare nella spazzatura i loro smartphone, visto che li costringono a lavorare ventiquattr'ore su ventiquattro.»

«Be', a sentire quella tizia, il progetto che hanno in mente è di ultima generazione.»

«E tu le hai creduto?»

«Certo che no, e neppure metà dei presenti. All'altra metà, non gliene fregava proprio nulla. Fondamentalmente, il consiglio regionale ha fatto in modo di riempire la sala solo per far bella figura col ministro.»

Bríd aveva scosso la testa. «È assurdo. Mai una volta che ascoltino anche la nostra opinione.»

Allora Aideen era intervuta sottolineando il fatto che in realtà sulla locandina c'era scritto LA TUA REGIONE TI ASCOLTA.

Dan le aveva lanciato un'occhiataccia. «Sì, certo. Peccato che mio padre avrà scritto un miliardo di volte al consiglio regionale e nessuno si è mai degnato di rispondergli.»

Prima che Aideen potesse parlare, Bríd aveva dato un

pugno sul tavolo. «Visto? Ascoltano solo quelli dei piani alti, a noi non dà retta nessuno.» Erano seguite altre birre e i pugni sul tavolo erano diventati sempre più forti. «Sapete che vi dico? Dovremmo organizzarlo noi un incontro e farci sentire. Dovremmo far capire loro che siamo stufi e che vogliamo essere ascoltati davvero quando ci sono decisioni da prendere!»

Mentre andava al pub, Conor si rese conto che da quel momento in poi i suoi ricordi della serata diventavano un po' confusi. Non è che si fossero proprio ubriacati, ma ricordava che l'atmosfera si era surriscaldata e che si erano convinti che bisognasse fare qualcosa. Dan era stufo, perché aveva dovuto interrompere le escursioni per i turisti per andare a lavorare con Fury O'Shea, visto che gli servivano soldi. Bríd aveva detto che metà delle sue compagne di scuola erano dovute andare a cercare lavoro altrove, anche se sarebbero state felici di restare a vivere a Lissbeg. Il pub alla fine aveva chiuso e loro si erano salutati tutti in preda all'eccitazione, anche se Conor non ricordava perché.

Arrivato da Moran's, sbirciò dalle finestre sul retro e vide la signora Moran che andava ad aprirgli la porta. «Eccoti, Conor. Sei venuto a recuperare gli occhiali del babbo, vero?» Prese la custodia degli occhiali e gliela consegnò.

Conor se l'infilò in tasca. «Grazie, signora Moran.»

«Figurati, ragazzo. Come sta il povero Paddy?»

«Alti e bassi, ma se la cava. Adesso, però, è meglio se gli riporto gli occhiali.»

Joan Moran, che sarebbe stata capace di parlare anche con le pietre, lo seguì fuori. «E la povera Orla? Come sta?»

«Bene, bene, grazie. Mi deve scusare, signora Moran, ma devo scappare, così chiamo i miei e li avverto che ho recuperato gli occhiali.»

Si allontanò, salì sulla Vespa e prese il cellulare. Gli era arrivato un messaggio di Dan. *Vedrai che ci sarà un mucchio di gente stasera.* Trovò altri due messaggi. Il primo era di Aidee: *Ho fatto un po' di telefonate.* Il secondo era di Bríd: *Ti serve una mano con le sedie?* Conor non capì subito di cosa diavolo stessero parlando, ma poi gli tornò un vago ricordo di quello che era successo la sera prima. E a poco a poco il ricordo si fece più nitido e spaventoso. Allora accese la Vespa col pedale e pensò che gli occhiali del padre non erano più la priorità. Doveva correre in biblioteca e fare una confessione a Miss Casey.

33

Hanna era seduta alla scrivania quando Conor fece capolino dalla porta della biblioteca. Indossava i guanti da moto e il casco, ed era sorridente come al solito, ma si vedeva che c'era qualcosa che un po' lo preoccupava.

Hanna lo guardò. «Non sei di turno e i computer funzionano, che ci fai qui?»

Conor era stato una mezzora vicino al vecchio abbeveratoio ad aspettare che la biblioteca aprisse. Mentre si guardava intorno per vedere se stesse arrivando Miss Casey, e ancora con la speranza di ricordare male gli eventi della sera prima, aveva chiamato Dan Cafferky, il quale però aveva confermato i suoi sospetti.

Miss Casey gli lanciò un'occhiataccia. «Che hai deciso? Entri o no? Non stare lì sulla porta.»

Conor fece un respiro profondo e le si avvicinò. Imbarazzato, col casco ancora in testa e le mani giunte, sputò il rospo. Seguirono alcuni secondi di silenzio: lui la guardava con grande apprensione e lei non sembrava affatto contenta.

«Fammi capire bene. Avresti organizzato un incontro pubblico qui in biblioteca?»

«No, no. Cioè, non volevo farlo. È che abbiamo parlato e... ci siamo fatti prendere dall'entusiasmo e... Mi creda, Miss Casey, io in realtà non ricordo neanche bene che cosa ho detto.»

«E questo migliorerebbe le cose?»

No, certo, ma era la verità. Dopo aver salutato le ragazze, la sera prima, Dan gli aveva detto che era prevista una pioggia di stelle cadenti e che lui sarebbe andato a guardare il cielo dalla scogliera. Conor, se voleva, poteva accompagnarlo. Allora erano tornati a casa di Dan ed erano saliti sulla scogliera. Dan aveva portato una fiaschetta di whisky e se l'erano bevuta mentre si godevano le stelle.

«E quindi mi staresti dicendo che eri ubriaco?»

Evidentemente sì. Un po'. Perché non era mai stata sua intenzione organizzare un'assemblea in biblioteca. Eppure doveva aver suggerito l'idea. Quella mattina poi Dan si era svegliato e aveva scritto alle ragazze e da lì le cose erano precipitate. Secondo Dan, con cui aveva appena parlato al telefono, sarebbero venute un mucchio di persone. E l'assemblea era fissata per le sette. «Mi creda, Miss Casey, sono mortificato. E non so proprio che cosa fare.»

La suoneria del cellulare che aveva in tasca lo fece trasalire. Proprio sopra la testa di Miss Casey c'era un grosso cartello con su scritto SI PREGA DI SPEGNERE I TELEFONI CELLULARI. Conor allora, tutto agitato, cercò di sfilarsi un guanto, ma il velcro gli creò qualche problema. Al che Miss Casey allungò una mano e diede un colpo secco al velcro, come un'infermiera che strappi via un cerotto. Conor si sfilò il guanto e prese il cellulare. «È mio padre. Dice che, se tra dieci minuti non sono a casa, mi spezza le gambe.» Suo malgrado, gli tremò la voce.

Pur essendo seccata, Hanna non ebbe cuore di mortificarlo ulteriormente. «Adesso calmati. Va' a casa da tuo padre.»

«Ma come facciamo con questa assemblea? Pare che verrà un mucchio di gente.»

«È inutile angosciarsi, tanto ormai non ci puoi fare niente. Comunque, stai sicuro che metà della gente che ha aderito, non si presenterà.»

«Ma io non so nemmeno di cosa bisogna discutere in questa assemblea!»

«Non ricordi di cosa avete parlato ieri sera?»

«Sì, della consultazione pubblica che ha organizzato il consiglio regionale e che, secondo Dan, è una presa per i fondelli.»

Hanna gli indicò con la testa la locandina che gli aveva dato Tim Slattery. «Intendi quella?»

Conor si girò. «Credo di sì. Aideen dice di aver visto un manifesto a Carrick.»

«Be', non potete convocare un'assemblea per annunciare che a Dan non piace una cosa di cui non sa nulla.»

«Eh, appunto!» Conor si prese la testa tra le mani.

Hanna allora gli afferrò un braccio e lo accompagnò alla porta. «Ascolta, adesso va' a casa e smettila di preoccuparti. Terrò aperta la biblioteca fino alle otto. Secondo me, non si presenterà nessuno ma, in caso contrario, puoi sempre fingere di aver convocato l'assemblea per metterli al corrente che ci sarà una consultazione pubblica cui è importante partecipare. A quel punto gli farai vedere la locandina.»

«Giusto, e poi?»

«Poi li ringrazi e li rimandi a casa.»

«Oddio, Miss Casey, non so se Dan sarebbe d'accordo.»

«Be', hai due possibilità: o dici ai tuoi amichetti che l'assemblea in biblioteca non si può fare perché non sei tu a decidere, oppure fai finta di niente e se si presenterà gente farai quello che ti ho detto.»

Ad Hanna parve di vedere gli ingranaggi che giravano nella testa di Conor, che alla fine si decise e annuì. «D'accordo. Farò così.»

«Bene. Ah, e non dirlo agli altri. Neppure dopo. Neanche per scherzo. Perché se uscisse fuori una cosa del genere ti prenderebbero in giro per sette generazioni. E io la conosco questa gente, quindi dammi retta.»

Conor annuì di nuovo, deciso. «Va bene. Ricevuto, Miss Casey. Grazie.»

Tornata alla sua postazione, Hanna sperò di aver preso la decisione giusta. Non poteva permettere che il povero Conor perdesse la faccia, ma se si fosse rivelata tutta una farsa e fosse venuto fuori che era stata lei a non voler tenere un'assemblea in biblioteca, la figuraccia sarebbe stata la sua, non di Conor.

All'ora di pranzo, Hanna andò da Aideen e Bríd a prendere un caffè e una fetta di torta da accompagnare al panino che si era portata da casa. Di solito, quando aveva il turno da sola, chiudeva la biblioteca per una mezzora e passava la pausa pranzo nel cucinino a mangiare in compagnia di un libro. In teoria le sarebbe spettata un'ora e, quando c'era Conor, se la prendeva tutta, ma molte persone a Lissbeg potevano passare in biblioteca solo durante la loro pausa pranzo, pertanto lei si sentiva in dovere di garantire il servizio.

Mary Casey diceva che era una stupida. «Ti pare che non hai nemmeno il diritto di mangiare in santa pace come Cristo comanda? Pensi che i commercianti di Lissbeg facciano lo stesso? Ma neanche per sogno. Quelli, all'una in punto, ti sbattono la porta in faccia e ti saluto!»

Non era vero. Erano anni che i negozi a Lissbeg facevano orario continuato, ma nella testa di Mary Casey era ancora l'Irlanda degli anni Cinquanta e le drogherie vendevano lo zucchero nei cartocci di cartapaglia. Più Mary invecchiava e più le sue fissazioni peggioravano. Hanna non sopportava queste sue uscite, che la preoccupavano. Nella maggior parte dei casi le sparate di Mary erano normale amministrazione, ma altre volte parevano indice di un contatto sempre più labile con la realtà. In quel caso, voleva dire che in un futuro prossimo la madre non avrebbe più potuto stare da sola, e certo non faceva piacere ad Hanna, proprio adesso lei stava cercando di riconquistare spazio per sé e indipendenza.

Hanna chiuse la porta della biblioteca e uscì. Da Aideen e Bríd c'era la fila. Quando arrivò il suo turno, indicò quale fetta di torta alle mandorle volesse e prese il caffè da portar via che aveva ordinato, poi si congratulò con Aideen per il successo del locale.

«È fantastico, no? E andrebbe ancora meglio se avessimo lo spazio per un paio di tavolini. All'ora di pranzo c'è tanta gente, ma poi il resto del tempo siamo vuoti.»

Mentre attraversava Broad Street schivando le macchine, Hanna si disse che Aideen aveva ragione. Sarebbe stato bello poter mangiare in quel grazioso localino con le pareti colorate e quel profumo delizioso nell'aria. Arrivata dall'altra parte, pensò di andare a sedersi accanto al vecchio abbeveratoio, ma subito cambiò idea: era troppo triste con tutte quelle auto parcheggiate intorno. Così decise di portarsi il pranzo in biblioteca.

Il caffè di Aideen era buono come sempre, fresco e aromatico. Sorseggiandolo, Hanna si chiese se davvero quella consultazione pubblica di cui parlava la locandina non fosse altro che un modo per mettere i cittadini davanti a un fatto compiuto. In quel caso, se cioè era vero che tutti i soldi sarebbero stati destinati a Carrick e Ballyfin, le attività commerciali nel resto della penisola se la sarebbero vista brutta, compresa quella di Aideen e Bríd, nonostante tutti i loro sforzi e l'energia profusa.

Ragionando sulle due ragazze, le venne automatico pensare a Jazz, che avrebbe passato i successivi giorni di riposo con Malcolm. Ogni volta che la figlia tornava nella casa di Londra, Hanna avrebbe voluto chiederle se la carta da parati era ancora quella di un tempo, se Tessa aveva fatto abbattere i peri in giardino o se avesse cambiato il mobilio. Ma parlare di Tessa sarebbe stato troppo pericoloso, perché Jazz rischiava di scoprire la verità su quando era cominciata la sua storia con il padre. E poi parlare di quella casa significava, per Hanna, ripensare al tradimento di Malcolm e quindi domandarsi se fosse il caso di reggergli ancora il gioco oppure no. Sebbene le accuse assurde che lui le aveva rivolto in quella camera d'albergo la ferissero ancora, Hanna sapeva di doversi comportare da donna responsabile: i suoi sentimenti erano irrilevanti se in gioco c'era la serenità della figlia. E nonostante tutto, seduta nel cucinino della biblioteca, sognava ancora quella bella scala lucida in mogano e la stanza da letto con la biancheria perfettamente abbinata alle pareti.

Tuttavia, Londra apparteneva al passato. Il suo futuro adesso era quella casa sull'oceano. Appallottolò il sacchetto di carta in cui c'era la torta alle mandorle, infilò la palla nel bicchiere del caffè ormai vuoto e andò a girare il cartello APERTO sulla porta. Forse il suo lavoro era noioso, ma se non altro era sicuro. E adesso lei doveva fare un salto nel buio, investire tutto l'amore e la creatività che aveva in un progetto che avrebbe trasformato quel rudere di pietra in un santuario. Il dado era tratto, i soldi impegnati e nulla ormai avrebbe potuto fermarla.

34

Con quella storia dell'assemblea che lo tormentava, Conor passò il resto della giornata a immaginare disastri. E se si fossero presentate centinaia di persone che poi avrebbero innescato una rivolta? E se lui avesse dimenticato quello che doveva dire? E se Miss Casey avesse tenuto la biblioteca aperta, ma non si fosse presentato nessuno? A peggiorare ulteriormente le cose, il trattore faceva ancora le bizze e Joe non si era lasciato sfuggire l'occasione per sottolineare il fatto che era la seconda sera di seguito che il fratello spariva dalla circolazione.

Per darsi un po' di sicurezza, Conor si era vestito elegante, attirandosi ancora di più gli strali di Joe. Non aveva preso bene la solita frecciatina del fratello su come si era pettinato e gli aveva dato una sberla in testa, facendo arrabbiare il padre. Perciò l'ultima cosa che aveva sentito, uscendo di casa e mettendo in moto la Vespa, era stata la voce ansiosa della madre che cercava di tranquillizzare tutti.

Arrivato in biblioteca, trovò solo Aideen e Oliver – l'uomo che cercava il libro col cane nero in copertina – che sistemavano le sedie. A quanto pareva Miss Casey aveva chiesto agli uffici del consiglio regionale se potevano prestargliene un po'. Conor, allora, posò il casco nel cucinino e andò in cortile a prenderle. Trovò la porta chiusa ma poi bussò e andò ad aprirgli Liam Ryan, il figlio di quelli che avevano l'officina nella periferia di Lissbeg. Nell'androne si respirava ancora aria di convento, tra il pavimento di maiolica e i quadri di santi attaccati alle pareti. Liam lo condusse in una piccola sala d'aspetto tra due uffici. «Miss Casey dice che ve ne servono otto.»

Conor non aveva idea di quante potessero servirne. I partecipanti avrebbero potuto essere sessanta come seicento. Alla fine, comunque, rispose di sì e cominciò ad accatastarle.

Liam gli diede una mano. «Mi fermo ancora un po', perciò quando avete finito passo io a riprenderle.»

Quando arrivarono Dan e Bríd, Miss Casey aveva già posizionato il leggio e Conor e Aideen avevano sistemato le sedie a semicerchio vicino alla sezione «Biografie». Alle sette in punto, all'assemblea erano presenti Conor, Dan, Bríd, Aideen, due amici di Dan, una tizia che masticava un chewing gum, Miss Casey e Oliver. Più tardi giunsero altri amici di Dan, che occuparono sei sedie. Un ragazzo si spaparanzò col braccio sulle spalle della tizia con chewing gum e i piedi sulla sedia davanti. Miss Casey lo fulminò con lo sguardo, tanto che quello tolse subito i piedi dalla sedia, e poi avvicinò il secchio alla ragazza dicendole che in biblioteca non era permesso masticare chewing gum, quindi distolse lo sguardo mentre quella sputava la gomma in un fazzoletto e la gettava nel cestino. Passati alcuni interminabili minuti in cui non successe assolutamente nulla, arrivò Fury O'Shea, che si poggiò con le spalle al muro. A quel punto Miss Casey andò al leggio e diede il benvenuto a tutti. Conor aveva sperato in fondo al cuore che Miss Casey avesse deciso di parlare al posto suo, ma poi lei lo presentò e se ne tornò a sedere. E così lui si avvicinò al leggio e cominciò a parlare, sentendosi particolarmente impacciato, con la cravatta che gli stringeva il collo.

A ripensarci in seguito, gli era sembrato una specie di sogno. Aveva fatto esattamente come gli aveva consigliato

Miss Casey: aveva mostrato la locandina alla gente dicendo che lo scopo di quella assemblea era informarli che il consiglio regionale aveva organizzato un incontro coi cittadini. Poi aveva proseguito dando alcune informazioni generiche, mentre Aideen lo incoraggiava seduta in prima fila, Bríd guardava di nascosto le foto sul cellulare di Dan e uno spilungone con la giacca di pelle non faceva altro che interrompere per lamentarsi del fatto che quelli che governavano erano tutti ladri. «Lo sanno pure i bambini che qui si va avanti a bustarelle! Pensano solo a rubare! E non gli sentiremmo dire mai una sola cosa che non sia una bugia, neanche se parlassero da oggi fino all'anno prossimo!»

Conor lanciò alcune occhiate supplichevoli a Miss Casey, ma da come lei lo guardava capì che avrebbe dovuto sbrogliarsela da solo. E allora, con le mani aggrappate al leggio, disse che quello non era né il momento né il luogo adatto per avanzare certe accuse, peraltro non comprovate. Ciò che serviva in quel momento era la partecipazione dei cittadini a un incontro democratico che era stato organizzato apposta per ascoltare la loro voce e sentire la loro opinione. Quanto a lui, era contento di dare il proprio contributo alla collettività invece di stare a lamentarsi che i governanti scialacquavano i soldi pubblici versati dai cittadini attraverso le tasse. Aideen applaudì, ma il tizio con la giacca di pelle gli tirò una pallina di carta, continuando a borbottare di ladri e bustarelle. Per fortuna, Conor non dovette lanciarsi in chissà quali altri discorsi incomprensibili, perché la ragazza del chewing gum diede una botta al fidanzato intimandogli di smettere di rompere le scatole. A quel punto la porta si spalancò e schizzò dentro Demonio, inseguito da Liam Ryan. Fury lo prese immediatamente in braccio e gli mise una mano sul muso per farlo smettere di abbaiare. Conor colse l'occasione al volo e ringraziò tutti i presenti per essere venuti, Miss Casey per avergli permesso di usare la biblioteca e il consiglio regionale per le sedie, che adesso Liam si sarebbe ripreso. Poi, fingendo di non sentire Liam che diceva di non essere venuto per quello, cominciò ad accatastare le sedie. La gente si mise ad alzarsi e andarsene, il ragazzo con la giacca di pelle continuò a lamentarsi di ladri e bustarelle, ma se non altro l'assemblea era finita e nessuno aveva fatto scoppiare una rivolta.

35

Dopo l'assemblea, Fury O'Shea se ne tornò a casa con Demonio accanto, seduto sul sedile passeggero. L'antica foresta che stava al centro della penisola era stata di proprietà della famiglia di Fury per tantissimo tempo. La casa dove lui era cresciuto era ormai in stato di totale abbandono. Quella dove viveva adesso, invece, era stata la prima che aveva costruito quando era tornato in Irlanda vent'anni prima, dopo aver passato altri vent'anni a Londra a lavorare nei cantieri e a far di tutto per non tornare a casa.

Fury aveva sempre saputo che Paudie, suo fratello maggiore, era un perdigiorno. Aveva sempre saputo anche che sarebbe stato Paudie a ereditare la terra e la casa dei suoi genitori, e che sarebbe stato un disastro. Anche il padre, un uomo taciturno che nutriva un amore profondo per quella foresta, era ben consapevole di quanto sarebbe successo una volta che il figlio avesse ereditato tutto e, se la moglie fosse stata ancora viva, forse sarebbe riuscita a farlo ragionare, ma purtroppo la povera donna era morta quando Fury aveva sei anni. Alcuni vecchi amici dell'uomo avevano provato a fargli cambiare idea, ma lui era stato irremovibile. Il primogenito era Paudie e sarebbe stato lui a ereditare casa e foresta. Per la figlia femmina aveva messo da parte dei soldi e per Fury c'erano alcune terre, ma tutto il resto sarebbe toccato a Paudie, anche se sapeva perfettamente che si sarebbe bevuto tutto nel giro di pochi mesi.

E così era stato, infatti. A sedici anni Fury aveva lasciato la scuola e si era messo a lavorare col padre, mentre Paudie passava già sei giorni su sette al pub o a dormire. Un anno dopo, il padre era morto e Fury aveva deciso di emigrare. La sorella, infatti, se n'era andata in America e lui non aveva nessuna intenzione di stare a guardare il fratello mentre gettava alle ortiche la terra che i genitori avevano tanto amato. Gli ci erano voluti tre mesi per racimolare i soldi necessari a comprare il biglietto per Londra e mantenersi i primi tempi. Non aveva mai fatto il muratore, ma il legno lo conosceva bene e – come tutti gli uomini del Finfarran della sua generazione –, sapeva fare un muretto a secco e non aveva paura se c'era da sporcarsi le mani. La maggior parte dei soldi che gli erano serviti per il biglietto li aveva fatti lavorando per Maggie Casey. Lei era stato un vero colpo di fortuna. Gli O'Shea erano una famiglia rispettata e la gente provava una certa compassione per quel ragazzetto che aveva perso i genitori. I primi anni Settanta, però, erano stati duri nel Finfarran: i più deboli venivano schiacciati dai più forti. Maggie Casey invece lo aveva pagato senza inventare scuse per non farlo, a differenza delle imprese edili per cui Fury aveva lavorato prima di decidere di emigrare.

A Londra si era mantenuto facendo il muratore e passando da un cantiere all'altro, consapevole che sarebbe tornato a casa solo quando Paudie fosse morto. In quegli anni gli era capitato di dormire per strada o di dover andare in biblioteca per scaldarsi un po', ma ogni lavoro fatto gli aveva insegnato molto, e infatti era diventato parecchio richiesto. Notizie di casa gli arrivavano tramite altri emigrati, che incontrava nei pub di Hammersmith o Cricklewood e che gli raccontavano del fratello: stava dando via la foresta un metro dopo l'altro per pochi soldi, che poi spendeva per ubriacarsi. Un giorno, mentre sfogliava il *Finfarran Inquirer* all'Empire Café di Kilburn, Fury aveva letto che tutta la foresta era stata messa all'asta. Sapendo benissimo di cosa fosse capace suo fratello, aveva chiamato il banditore a Ballyfin per dirgli che la sua parte di terra non doveva essere toccata e, a giudicare dall'impressione che gli aveva fatto quel tipo, era stato un bene chiamarlo. Qualche settimana dopo, mentre montava le impalcature in una fattoria a Croydon, un giovanotto di Knockmore gli aveva detto che la foresta era stata venduta a un tizio di Dublino che poi se n'era andato in Australia.

Quando Fury era tornato in Irlanda, il fratello era già morto. Si era bevuto tutto il ricavato della vendita della foresta, ormai in stato di abbandono. Il fazzoletto di terra che il padre aveva lasciato a lui aveva, oltre agli alberi, anche un lotto edificabile e si trovava vicino all'incrocio dove Susan e Gunther avevano messo su la loro *guesthouse* a conduzione famigliare nella vecchia fucina. Susan e Gunther erano brave persone. Se qualcuno gli chiedeva un favore, non si tiravano mai indietro, come quando Fury aveva chiesto in prestito due capre per portarle da Hanna Casey. Gli piaceva il loro albergo, ma gli faceva ricordare con nostalgia i tempi in cui la vecchia fucina era ancora in funzione e il fuoco acceso nella forgia illuminava la notte con le sue scintille. Fury ricordava con nostalgia anche i tempi passati nella foresta, a studiarne i sentieri, gli alberi e il legno di cui erano fatti. Duro o morbido, liscio o nodoso. Adatto a farci assi per pavimenti oppure travi, mobili o intarsi. Quando era tornato in Irlanda, nella primavera del 1993, aveva creduto che non sarebbe riuscito a vivere su quel pezzetto di terra che aveva ereditato, perché gli sarebbero mancati troppo la foresta e il mondo in cui era cresciuto. Alla fine, però, era tutto quello che aveva e ci si era costruito una casa.

Sempre nel 1993 il fabbro era morto e la fucina aveva chiuso, mentre la gente del Finfarran continuava a emigrare. Dopodiché, Fury aveva assistito alla grande bolla della Tigre Celtica che era scoppiata, lasciando pieni di debiti fino al collo tutti quelli che avevano voluto strafare. In quegli anni di boom economico, i costruttori avevano venduto a due soldi case fatte coi piedi e la gente aveva abboccato. A Ballyfin persone che lui conosceva, e che fino al giorno prima erano andate in giro con le pezze al sedere, avevano investito i pochi soldi a disposizione per comprare case a bassissimo prezzo, rivendute poi a prezzi esorbitanti. Alcuni speculatori tornati apposta dall'Inghilterra erano rimasti a guardare aspettando che i prezzi delle loro case salissero ancora di più, ma poi avevano finito per rimetterci. Altri, come il vecchio Ger Fitz, che se n'era rimasto buono a studiare la situazione, ci aveva visto giusto e aveva guadagnato un sacco di soldi. Fury stesso aveva investito qualcosina ed era riuscito a metter da parte un gruzzoletto.

Mentre ripensava a tutto questo, Fury lasciò la strada principale e svoltò nel vialetto di casa sua. L'edificio era proprio di fronte alla strada, circondato da alberi su tre lati. Sul retro c'erano alcuni capanni e la cuccia del cane. A guardarla da fuori, la casa non era una bellezza, però era grande, dentro era arredata col necessario e Fury ci stava benissimo.

Entrando in casa, seguito da Demonio, Fury si diresse subito al tavolo accanto alla libreria, su cui c'era il leggio dei de Lancy che stava aggiustando per Charles Aukin. Una serie di attrezzi erano sparpagliati sul tavolo. Fury aveva rimosso la bacchetta spaccata e aveva già trovato con cosa sostituirla. Aveva smontato anche le foglioline d'ottone e le aveva poggiate su un pezzo di stoffa. Lì vicino, dentro il coperchio rovesciato di un vecchio barattolo del caffè, c'erano le viti nuove. Col trapano aveva già fatto i buchi in cui sarebbero andate. Per colpa del lavoro maldestro di Charles, Fury avrebbe dovuto spostare le foglioline d'ottone un po' più verso l'esterno rispetto al punto in cui erano prima. Avrebbero ugualmente svolto la loro funzione, però, e secondo Fury alla fine sarebbe venuto fuori un bel lavoro.

Quando aveva smontato la bacchetta spaccata, aveva capito subito che non era nata insieme al leggio. Qualcuno l'aveva aggiunta, forse trecento anni prima, e quelle foglioline dovevano essere un accessorio moderno. Il leggio, infatti, era in legno di frassino, mentre la bacchetta era fatta di un legno molto più giovane. Secoli di luce e cera avevano scurito e invecchiato entrambi, e la bacchetta nuova sembrava chiarissima al confronto, ma col tempo sarebbe invecchiata anche questa e avrebbe raccontato la sua storia a chi avesse avuto occhi per leggerla.

Fury, avvicinata una panca al tavolo, si accomodò e prese la nuova bacchetta di frassino. Aveva fatto i due fori in punti in cui le viti, in mezzo alle foglie intagliate, scurendosi col tempo sarebbero sembrate delle bacche. Probabilmente, però, ci sarebbero voluti anni e lui non ne avrebbe mai visto l'effetto. La cosa non lo disturbava: era comunque soddisfatto. Scelse allora lo scalpello più adatto, inforcò gli occhiali e si mise al lavoro.

A Fury piaceva essere informato. Non aveva nessun motivo particolare per partecipare all'assemblea organizzata dal giovane Conor nella biblioteca di Lissbeg, ma aveva preferito andarci, giusto per non perdersi qualcosa. Era lo stesso motivo per cui la domenica entrava in chiesa o negli uffici comunali a Carrick se gli capitava di passarci davanti. Quarant'anni prima, e se lo ricordava ancora, Maggie Casey lo aveva accusato di essere un impiccione. Gliel'aveva detto una volta mentre stavano prendendo il tè seduti davanti al caminetto e Fury non staccava gli occhi dalla credenza. Al tempo la credenza non aveva sportelli, e la parte inferiore finiva per diventare rifugio per le galline. Visto che Maggie odiava quelle bestie e le scacciava ogni volta che entravano in cucina, Fury si era offerto di costruirle sportelli di legno per la parte inferiore e ante in vetro per quella superiore, così tazze e bicchieri non si sarebbero impolverati. Per farli aveva usato legno di frassino, e la bacchetta che adesso avrebbe applicato al leggio era un pezzo avanzatogli proprio da quel lavoro, che aveva conservato dentro una scatola di latta in uno dei suoi capanni, insieme a tutti gli altri rimasugli di legno.

L'anno in cui era tornato nel Finfarran, aveva forzato con un piede di porco tutti i lucchetti dei capanni dietro la sua vecchia casa e aveva portato via tutto quello che c'era dentro: attrezzi, legname e altre cose accumulate dal padre e dal nonno prima di lui. In teoria, appartenevano ormai alla persona cui Paudie aveva venduto la terra, ma Fury se n'era infischiato e si era preso tutto. Sapeva che la gente del posto pensava che lui facesse sempre come gli pareva, e in effetti non si sbagliava. Il suo codice di condotta, però, era sempre il buonsenso, ma soprattutto Fury odiava gli sprechi.

Mentre era al tavolo a lavorare al leggio, gli tornò in mente che qualche tempo prima aveva visto Joe Furlong, il proprietario dell'albergo più grande di Ballyfin, che usciva di soppiatto dagli uffici del catasto e s'infilava in ascensore sperando che nessuno si fosse accorto di lui. Sapeva che Joe aveva le mani in pasta nel mercato immobiliare e, avendo sentito dei piani del consiglio regionale, Fury aveva intuito cosa bolliva in pentola. Qualche giorno dopo, aveva beccato Joe Furlong e Ger Fitzgerald che parlottavano in un pub di Ballyfin. E quella sera, durante l'assemblea in biblioteca, aveva sentito un ragazzo con la giacca di pelle che lanciava accuse di corruzione e parlava di bustarelle. Fury non credeva che fosse quello il caso, più che altro perché non c'era bisogno di pagare tangenti, visto che nel piano del consiglio regionale si parlava di un nuovo edificio supermoderno in cui ci sarebbero stati tutti i comfort del mondo per i suoi dipendenti (tra cui, sicuramente, c'erano anche persone convinte che il nuovo progetto avrebbe garantito un servizio migliore ai cittadini). Per far approvare quel progetto anche dal governo di Dublino, però, era necessario che qualcuno mettesse una buona parola con un po' di persone, e per questo Joe Furlong era l'uomo giusto.

Fury osservò il lavoro che aveva fatto e soffiò via i riccioli di legno dalla bacchetta. Tanti anni prima, Ger Fitzgerald aveva comprato un terreno nella periferia di Ballyfin che sarebbe stato adattissimo per costruirci un albergo gigante. Questo terreno si trovava proprio a ridosso del punto in cui sarebbe stato edificato il nuovo porto per le navi da crociera. Se Ger e Joe stavano pensando di diventare soci ed erigere proprio lì un nuovo albergo, avrebbero fatto un colpaccio. Ecco, era sicuramente questo che stava succedendo. Niente di losco, niente d'illegale: solo un bel progettino che avrebbe riempito le tasche di chi le aveva già piene e avrebbe svuotato quelle dei poveracci.

36

Mary Casey mise la padella sul fornello, tirò fuori dal frigo un involucro di cartapaglia e prese le forbici. Hanna non finiva mai di stupirsi del fatto che la madre, nemica giurata delle sottilette e dei dolci industriali, fosse una purista di bacon. Voleva solo fette con la cotica e pretendeva che gliele tagliassero davanti ai suoi occhi, con lo spessore giusto e un bel bordo di grasso che poi lei tagliuzzava prima di metterle in padella. Faceva quei taglietti perché così le fette non si arricciavano durante la cottura e poi toglieva la parte di cotica prima di servirle nei piatti. L'unico macellaio da cui Mary comprasse il bacon era Ger Fitzgerald, che secondo lei vendeva la carne buona, mica quella robaccia industriale che vendevano a Carrick e in cui c'erano solo acqua e aria. Da quando Hanna era bambina, il bacon in casa loro era sempre stato avvolto prima in un foglio di carta oleata e poi in uno di cartapaglia. La carta oleata era così spessa che la cartapaglia rimaneva immacolata, tanto che poi Mary la piegava e la conservava nei cassetti della cucina per riutilizzarla.

Alzando gli occhi al cielo davanti alla figlia che faceva colazione con yogurt e muesli, Mary mise tre fette di bacon in padella e cominciò a friggerle. Dopo averle girate, prese un coltello col manico nero e tagliò alcune fette di pane.

«Non c'è proprio modo di convincerti a mangiare qualcosa di sostanzioso invece di quel cibo per galline, eh?»

Hanna fece finta di non sentire e prese il cellulare. Sua madre mise il bacon in un piatto e lo infilò nel forno per mantenerlo caldo, poi prese un uovo e lo ruppe direttamente nella padella. Non appena fu pronto, lo spostò di lato e poi col pane raccolse il grasso del bacon che era rimasto in padella. L'ultima operazione fu lasciare le fette di pane sul fuoco finché non si abbrustolirono, diventando croccanti fuori e morbide dentro.

«Notizie di Jazz?»

Jazz aveva scritto ad Hanna per dirle che aveva comprato il biglietto per Londra e si era messa d'accordo col padre per cenare insieme.

Mentre la figlia le riferiva il messaggio, Mary Casey scuoteva la testa. «Meglio se cambiamo discorso. Se solo sapesse che razza di uomo è suo padre, gliene direbbe quattro, altro che andarci a cena insieme!»

Hanna si morse la lingua. In fondo, non ci sarebbe voluto molto prima poter fare finalmente colazione in santa pace in una casa tutta sua. Davanti al camino, o seduta sulla soglia con gli uccellini che le svolazzavano sopra la testa, oppure sul muretto a secco davanti all'oceano col rumore delle onde a fare da sottofondo. Nelle ultime settimane aveva evitato di sognare a occhi aperti, ma dopo l'assemblea in biblioteca pareva che Fury si fosse ammorbidito, tanto che le aveva proposto un incontro per fare il punto sui lavori di ristrutturazione. E sembrava addirittura che fosse in grado di calcolare quanto tempo ci sarebbe voluto per completarli. Hanna era contenta perché forse, la prossima volta che Jazz sarebbe tornata a Crossarra, la casa sarebbe stata a buon punto. Magari avrebbero potuto cercare insieme su Internet i mobili della cucina, andare in giro per negozi o decidere di che colore dipingere le pareti. Con quella prospettiva davanti, poteva anche sforzarsi di sorridere e comportarsi da persona civile con la madre. E così, passandole il barattolo dello zucchero, le chiese che piani avesse per la giornata.

Mary Casey fece spallucce. «Ah, niente di particolare. Pulirò casa.»

«Vuoi che ti porti da da Pat?»

Pat sarebbe andata a Carrick a comprare i regali per i nipoti.

«Vuoi andare con lei? Così fai un giro per negozi anche tu. Posso darti un passaggio andando al lavoro e poi stasera ti ripasso a prendere quando ho finito.»

Mary però era testarda come un mulo. Se Pat avesse gradito la sua presenza, gliel'avrebbe chiesto. E poi quella donna impazziva per i nipoti e, quando andava in giro a comprare regali per loro, non era affatto di compagnia. Hanna a quel punto perse la pazienza. Che senso aveva sforzarsi di aiutare qualcuno se quel qualcuno non voleva essere aiutato? Finito il caffè, si alzò e disse che doveva andare, ma Mary Casey non la degnò nemmeno di uno sguardo. Con la faccia offesa, prese una fetta di bacon, la sistemò sul pane tostato e s'infilò tutto in bocca. Le avrebbe tenuto il muso per giorni, Hanna ne era certa.

Più tardi, mentre guidava diretta al lavoro, Hanna si chiese se avesse potuto gestire diversamente la situazione, ma non capiva proprio come. Sembrava che la madre, non sapendo come altro passare il tempo, mettesse il muso quasi per hobby. Hanna, tra l'altro, non era brava come il padre a farle tornare il sorriso e, a dirla tutta, non aveva neanche voglia di perdere tempo a sforzarsi di farlo. Il suo unico desiderio al momento era andarsene via da lì e godersi un po' di pace in casa sua.

Era quasi ora di chiusura quando Hanna distolse lo sguardo dal computer e vide Tim Slattery sulla porta. L'ondata di genitori e ragazzini che si riversavano in biblioteca dopo la scuola era ormai defluita. Erano rimasti solo Conor che rimetteva in ordine la sezione «Libri per bambini» e Oliver che cercava il suo libro col cane nero in copertina nella sezione «Cucina». Hanna l'aveva avvertito che gli editori di solito mettevano immagini di piatti e cibi sulle copertine dei libri di cucina, ma non c'era stato niente da fare. Oliver seguiva un metodo preciso. «Comincio dal principio e continuo sino alla fine, poi mi fermo. È così che mi approccio a qualsiasi tipo di compito mi venga assegnato, Miss Casey.»

Era evidentemente un fan di Lewis Carroll, perciò Hanna era stata tentata di suggerirgli *La caccia allo Snark* per prendersi una pausa dalla sua strenua ricerca, però si era trattenuta e aveva lasciato stare. Oliver era un omino di mezza età, basso e ipovedente. Conor gli aveva procurato uno sgabello per aiutarlo ad arrivare agli scaffali più in alto. Aveva provato a dargli una mano anche cercando sui siti dei vari editori e, all'inizio di quella settimana, per un brevissimo momento aveva creduto di aver trovato il libro in questione. Ma il labrador nero sulla copertina dei *Cani della peste* di Richard Adams aveva le orecchie diverse, e così la ricerca era continuata.

Hanna si alzò per salutare Tim. Sempre elegantissimo, indossava un abito a tre pezzi con una catenella da orologio da taschino che però era puramente decorativa. Al polso portava un orologio superminimalista che consisteva in una fettuccia elastica come cinturino e un quadrante in plexiglas. Il cinturino era verde acido e ricordava gli elastici per capelli che lei comprava alla figlia quand'era piccola per farle i codini. Tim si avvicinò a stringerle la mano. Passava di lì, disse, e si era fermato per parlarle di una cosa. Hanna prese una sedia per farlo accomodare ma lui, guardando Conor, le chiese se per caso non potessero parlare in privato. Hanna sorrise. Era tipico di Tim trasformare quattro chiacchiere su quali libri comprare in una discussione top secret.

«Certamente. Vieni, ti preparo un caffè», disse e gli fece strada nel cucinino.

Mentre metteva il bollitore sul fuoco, pensò che doveva molto a Tim. Certo, quella sua eccentrica pomposità a volte era irritante, ma da quando era tornata nel Finfarran lui era stato una delle poche persone che si sentiva di poter definire amico. Qualche minuto dopo, però, mentre il bollitore fischiava senza che nessuno se ne curasse, si ritrovò a chiedersi come diavolo avesse fatto a prendere una cantonata come quella.

37

«Aspetta un attimo, mi stai forse minacciando?» Hanna si girò a controllare che la porta fosse chiusa. Qualunque risposta avesse dato Tim, non voleva che altre persone sentissero quella conversazione.

Lui si poggiò al ripiano della cucina e si passò una mano perfettamente curata tra i capelli impomatati. «Hanna, ti prego. È ridicolo.»

«Lo è, infatti, è assolutamente ridicolo. Come pure le allusioni che hai appena fatto.»

«Ti ho soltanto consigliato di stare attenta a quello che fai.»

Hanna respirò a fondo e raddrizzò la schiena. «Chiariamo una cosa: mi stai forse dicendo che non ho potere di decidere quali eventi ospitare nella mia biblioteca?»

«Sì, ma non stiamo parlando di una conferenza o di un club del libro, Hanna. Qui stiamo parlando di un'assemblea di protesta.»

«Stronzate! Chi lo dice?»

«Capisci da sola che non possiamo permettere che i dipendenti di una biblioteca pubblica accusino gli assessori di prendere tangenti.»

«Ascoltami bene. L'assemblea l'ho organizzata io, ero presente quando si è svolta e l'ha presieduta Conor, che lavora sotto la mia responsabilità. Gli argomenti della discussione li avevamo accordati preventivamente e non è stato detto nulla di poco appropriato. Solo una persona ha un po' esagerato, ma Conor gli ha risposto in modo pronto ed educato come avrebbe dovuto. Se avesse detto o fatto qualcosa di sbagliato, sarei intervenuta io. Però non è andata così.»

Tim fece spallucce. «Comunque sia...»

Hanna lo guardò con sospetto. «Il punto non è questo, vero? Il punto è che ti sei presentato nella mia biblioteca per dirmi di stare attenta a quello che faccio.»

«Neanche per sogno.»

«E invece sì, hai detto proprio questo. E io adesso pretendo una spiegazione.»

Non ne aveva bisogno, in realtà, perché era chiaro che Liam Ryan era andato a spifferare di quel tizio con la giacca di pelle, e a Carrick era arrivata voce che lei aveva organizzato una specie di protesta, il che era anche abbastanza ironico, visto che era nato tutto dalla sbronza del povero Conor, un ragazzo che di solito era molto responsabile ma che per una volta aveva alzato un po' il gomito.

Quelle accuse erano assurde e, suo malgrado, gli occhi le si riempirono di lacrime. Com'era possibile che Tim credesse a una sciocchezza del genere? E anche ammesso che ci credesse, perché non l'aveva difesa, in qualità di amico e di collega? Lei aveva aiutato Conor, anche se era convinta che organizzare quell'assemblea fosse una sciocchezza, e avrebbe continuato a schierarsi al suo fianco.

Mentre Hanna cercava le parole, Tim sollevò le sopracciglia: non c'era bisogno che le spiegasse come stavano le cose, no? Il nuovo piano d'investimenti prevedeva una riorganizzazione delle biblioteche della regione. In futuro, tutti i libri sarebbero confluiti in un unico complesso a Carrick e inevitabilmente, con una sola struttura e i nuovi mezzi a disposizione, ci sarebbero stati degli esuberi. Fece spallucce come uno dei tanti delinquenti dei romanzi di

Dashiell Hammett. Il suo consiglio, le spiegò, era di evitare che girassero strane voci e sostenere il piano del consiglio regionale.

Hanna lo guardava incredula. Solo poche settimane prima, le aveva assicurato che la biblioteca di Lissbeg non sarebbe stata chiusa. Doveva ricordarselo per forza anche lui, aveva addirittura detto che sarebbero dovuti passare sul suo cadavere. E lei, come una cretina, si era perfino scusata per aver temuto il contrario.

Mille domande e recriminazioni le affollavano la testa, ma per tutelarsi non le esternò. Doveva pensare, non saltargli al collo. Se davvero il piano del consiglio regionale prevedeva lo stravolgimento del sistema bibliotecario, Tim ovviamente doveva essere coinvolto. E i vari cambiamenti comportavano anche la chiusura della biblioteca di Lissbeg, quindi lui aveva mentito per paura che Hanna si opponesse. Adesso invece, credendo che lei l'avesse scoperto da sola, pensava che avesse avviato una specie di protesta, quando in realtà era stata tanto cretina da fidarsi delle sue parole.

Cercando di scacciare il senso di umiliazione che provava in quel momento, non si accorse che Tim si era versato il caffè e le aveva fatto una domanda. Come se la cavava adesso col computer? Aveva ancora difficoltà a usare il software? Le sue intenzioni erano talmente evidenti che Hanna fece fatica a controllarsi. I colloqui per il nuovo complesso di Carrick li avrebbe gestiti lui, naturalmente, e certo non avrebbe chiamato qualcuno con la reputazione di luddista. Pertanto nessuno si sarebbe stupito se lei fosse rimasta a casa. Per un momento, Hanna pensò addirittura di rovesciargli addosso la sua tazza di caffè, ma poi il buonsenso le suggerì che perdere la calma avrebbe fatto il suo gioco: la povera Miss Casey è una brava lavoratrice, ma sta attraversando un'età difficile per una donna, in cui si diventa irascibili, agitati. Con tutti quegli ormoni che fanno perdere la lucidità. Ovviamente lei non avrebbe avuto modo di dimostrare che si trattava di discriminazione, perché nessuno avrebbe detto niente alla luce del sole, ma la voce avrebbe cominciato a girare e tutti ci avrebbero creduto.

Sforzandosi di mantenere la calma, Hanna lo fulminò con lo sguardo, ma non bastò a sfogare la rabbia. Doveva rispondergli. «Ma falla finita, non c'è niente di complicato in quel software. L'unica cosa difficile è trovare un tecnico informatico che sappia fare il suo lavoro. Certo, non dev'essere un compito facile con le poche conoscenze che hai, ma so che ce la metti tutta.»

Era riuscita a restare calmissima e il premio per i suoi sforzi fu vedere un lampo di paura negli occhi di Tim. Tuttavia, la soddisfazione durò pochissimo, perché il succo del discorso era che la biblioteca rischiava di chiudere e lei di perdere il lavoro. Una volta approvato il piano del consiglio regionale, lei si sarebbe ritrovata in mezzo a una strada, senza stipendio, senza futuro, con una casa inagibile e un prestito sul groppone. Forse però il piano sarebbe stato bocciato, oppure no. Perché dava per scontato che i consiglieri del Finfarran fossero più onesti del direttore della Biblioteca centrale?

Quando Tim se ne andò, mancava ancora un'ora alla chiusura. Hanna ritornò alla sua postazione. In fondo alla sala, Oliver stava ancora cercando tra gli scaffali. Conor invece aveva finito di riordinare la sezione «Libri per bambini» e andò da Hanna a chiederle cosa voleva che facesse. Temendo che guardandola in faccia avrebbe capito cosa le passava per la testa, Hanna tenne lo sguardo basso e gli disse di andare a sistemare il cucinino.

«Okay», rispose Conor, ma poi si girò e le chiese: «Cosa doveva dirle Tim Slattery?»

«Niente che ti riguardi. Adesso vai a fare quello che ti ho detto.»

Lo guardò allontanarsi obbediente e poi tornò a lambiccarsi il cervello con tutte le domande che la tormentavano da quando Tim se n'era andato. Com'era possibile che si fosse rivelato un tale voltafaccia? E come aveva fatto lei a cascarci? Come si era permesso di entrare nella sua biblioteca e minacciarla come un bulletto? E poi la domanda peggiore di tutte: in quanti sapevano che rischiava di perdere il lavoro, mentre lei invece ne era assolutamente all'oscuro? Strinse i pugni e sgranò gli occhi. *Ma certo!* Per questo Joe Furlong aveva finto di non vederla quel giorno a Carrick. Doveva esserne al corrente anche lui e, consapevole del fatto che lei non ne sapeva nulla, non ce l'aveva fatta a guardarla in faccia.

Quando Conor finì di sistemare la cucina, Hanna gli disse che poteva andare. «Non c'è nessuno. E poi ultimamente sei venuto anche quando non eri di turno.»

«Ce ne sono di cose da fare, in realtà. Non è che vuole ridurmi le ore, Miss Casey?»

Quello era un aspetto della faccenda che non aveva ancora considerato. Non era solo il suo lavoro a essere in pericolo: anche i McCarthy contavano sulla biblioteca di Lissbeg.

Sebbene Conor non l'avesse mai dichiarato apertamente, Hanna sapeva che quel lavoretto part-time era importante per le finanze famigliari e perderlo non avrebbe fatto altro che aggravare una situazione che era già difficile di suo.

Si sforzò di sorridergli e decise che non gli avrebbe detto nulla, almeno finché non si fosse ripresa dallo shock. «Ma che dici? Ti sto solo dando il permesso di andartene prima, così eviti il traffico dell'ora di punta. Perciò smamma, prima che cambi idea.»

«Grazie, Miss Casey.» Conor indugiò un momento, indeciso se aggiungere altro oppure no. Poi, tutto rosso in viso, decise di continuare. «Non è solo per lo stipendio. Lavorare a contatto coi libri per me è stupendo. Adoro questa biblioteca, Miss Casey, e poter imparare da lei è fantastico.»

Più tardi, mentre tornava a casa in sella alla sua Vespa, Conor si chiese se quella frase che aveva pronunciato non fosse stata un po' troppo melensa, però era la verità ed era un sacco di tempo che voleva dirla.

38

Hanna aveva un disperato bisogno di pensare. Ovviamente, però, a dieci minuti dalla chiusura si erano presentate in biblioteca due signore che avevano iniziato a girovagare tra i libri. Hanna spense i computer, tirò giù la veneziana della porta e annunciò che la biblioteca stava chiudendo. Le donne finsero di non averla sentita. Alla fine, fu costretta a invitarle a uscire, ricevendo in tutta risposta gli stessi sguardi e gli stessi versi indispettiti delle galline che zia Maggie scacciava dalla sua cucina. Appena le due se ne furono andate, Hanna inserì l'allarme, chiuse a chiave la porta e uscì in cortile, cercando di pensare a un posto in cui poter trovare un po' di pace e tranquillità.

Era stata una bellissima giornata estiva e, mentre attraversava il cortile, vide che il giardino del convento era inondato dal sole. Il parcheggio e il giardino del convento erano separati da un muretto basso. Il giardino ormai era tutt'altra cosa rispetto a quando c'erano le suore: nessuno potava più le siepi e gli alberi, e la statua della Vergine al centro del vecchio cimitero delle suore era ormai tutta coperta da piante rampicanti.

Con le chiavi in mano, Hanna esitò un momento e rimase ad ascoltare gli uccelli che cantavano nel giardino accanto. Non voleva tornare a casa della madre, ma dove altro poteva andare? Certo non a casa di zia Maggie, visto che forse ci avrebbe trovato Fury. E anche se non l'avesse trovato, con quale coraggio avrebbe guardato la casa di cui si era innamorata sapendo che ormai era tutto perduto? Quella casa avrebbe dovuto diventare il suo santuario, il luogo in cui avrebbe affrontato il futuro con rinnovata sicurezza. No, non ce l'avrebbe fatta a starsene seduta lì con la consapevolezza che il futuro le riservava disoccupazione e debiti.

A un tratto sentì dei passi alle sue spalle. Stava arrivando qualcuno. Lei non aveva nessuna voglia di mettersi a chiacchierare con chicchessia, allora senza neanche rendersene conto scavalcò il muretto e s'infilò nel giardino delle suore.

A differenza dell'erba seccata dal vento davanti a casa sua, lì la vegetazione era verde e rigogliosa all'ombra di sambuchi e ontani, e sui tronchi delle querce spuntavano i funghi. Le tombe del cimitero erano rivolte verso le finestre dell'ex refettorio. Il resto del giardino era percorso da vialetti di ghiaia e siepi, ma le erbacce che crescevano indisturbate da decenni avevano avuto la meglio su tutto. All'incrocio di quattro vialetti, al centro di una grande vasca, c'era una statua di san Francesco con le braccia allargate. Un tempo nella fontana sgorgava l'acqua dai tubi di piombo, ma ormai era completamente prosciugata.

Camminando tra le erbacce e stando attenta a dove metteva i piedi, Hanna si addentrò nel giardino. Oltre la statua di san Francesco, c'era una panchina mezza invasa dai gerani. Ci si avvicinò, imboccando un vialetto di ghiaia. Era una panchina di legno, sbiadito dal tempo e dalla incuria. Hanna si sedette, poggiandosi allo schienale, e chiuse gli occhi. Da bambina era andata a scuola lì, ma non aveva mai visto quel giardino: per i bimbi era una specie di luogo sacro avvolto da un'aura di santità e infatti vi si accedeva solo da quella parte del convento in cui vivevano le suore. Cercò di rilassarsi focalizzando l'attenzione un po' sui rumori del traffico e un po' sul canto del pettirosso dietro di lei. Con quella ginnastica mentale i problemi, per un momento, parvero farsi meno assillanti, poi però il pettirosso smise di cantare e Hanna aprì gli occhi, scoprendo così di non essere sola.

Fece un balzo, spaventata. Davanti a lei c'era una donna robusta coi capelli bianchi, che indossava una gonna blu, una camicetta bianca, un cardigan e un paio di scarpe nere coi lacci. Teneva le mani giunte, deformate dai reumatismi, e pur sembrando in salute doveva avere almeno ottant'anni. Hanna assunse subito il tono che usava con le vecchiette che frequentavano la biblioteca. «Cara, si è persa? Posso aiutarla in qualche modo?»

La donna le si sedette accanto, le mani giunte sul grembo. «No, non mi sono persa. Io vivo qui.»

«Qui?» Hanna guardò il giardino abbandonato. Era chiaro che la vecchietta non ci stava tanto con la testa e aveva bisogno di cure. Allora prese il telefono per chiamare la polizia, ma poi guardando il viso rugoso della donna, colse nei suoi occhi azzurri un po' annebbiati un'espressione di divertita intelligenza, seguita da un lampo d'ironia.

La vecchietta le porse la mano. «Tecnicamente, l'intrusa qui sei tu, ma non ti preoccupare. Io sono suor Michael.»

Hanna impiegò un po' a ricordare che, a quanto si diceva, nel convento vivevano ancora due vecchie suore. Evidentemente suor Michael era una di loro.

La donna la guardò. «Venivi a scuola qui?»

«Sì, ma temo di non ricordarmi di lei.»

«Be', no, non potresti. Io non ero un'insegnante. Lavoravo in cucina.»

Allora era una delle suore laiche che i bambini incrociavano di tanto in tanto nei corridoi. In genere, venivano da famiglie numerose e si erano fatte suore perché non avevano una dote per sposarsi. In realtà anche per diventare suora bisognava portare una dote e chi non l'aveva si rendeva utile coi lavori domestici. Quando era piccola, Hanna le aveva sempre immaginate timide e remissive, invece la donna che le sedeva accanto emanava una sicurezza incredibilmente rasserenante.

I suoi pensieri furono interrotti da una risatina. «Non sono proprio come la Miss Havisham di Dickens, eh?»

Le aveva letto nel pensiero. Perché lei si era figurata quelle due suorine che vivevano ancora lì come figure spettrali che si aggiravano in stanze illuminate solo da candele. Suor Michael, invece, con le sue scarpe comode, la gonna blu e il cardigan di poliestere, era lontanissima da quell'immagine.

La suora le mise una mano sul braccio. «Ti dispiace se ti faccio una domanda?»

Hanna, colta alla sprovvista, scosse la testa. D'altronde, era lei l'intrusa lì dentro.

«Perché sei così arrabbiata?»

Per qualche motivo, quella domanda diretta fece scattare qualcosa in Hanna, che un secondo dopo si ritrovò in lacrime. Perché si faceva fregare sempre dagli uomini? Prima Malcolm e adesso Tim. Lei si era fidata di loro. Certo, in modi diversi, perché Malcolm era stato suo marito e Tim un suo amico, ma alla fine il risultato era stato lo stesso. Entrambi le avevano mentito, perché sapevano che tanto lei era abbastanza stupida da credere alle loro parole. Imbeccata dalle domande di suor Michael, Hanna le raccontò del tradimento di Malcolm, della slealtà di Tim, dei progetti che aveva per la casa di zia Maggie e del rischio di perdere il lavoro e trovarsi sommersa dai debiti. Certo che era arrabbiata: si sentiva un'idiota a non essersi resa conto di quello che stava succedendo, e la colpa era soltanto sua. Poi rimase per qualche secondo in silenzio e sentì di nuovo i rumori della strada e il canto del pettirosso. L'anziana suora le stava seduta accanto senza dire una parola. Alla fine Hanna prese un fazzoletto e si soffiò il naso. Si sentiva terribilmente stanca e, non cedendo al desiderio di poggiare la testa sulle ginocchia, si voltò a guardare suor Michael, che coi suoi occhi di un azzurro torbido incrociò il suo sguardo.

«Lo sai qual è il punto, ragazza mia? È che hai perso un sacco di tempo.»

Hanna si aspettava tutto, tranne una risposta del genere.

Suor Michael si alzò in piedi. «Tuo marito era un traditore e questo Slattery è un bugiardo. Tu non hai colpe, ma un peccato mortale lo compi se resti qui a piagnucolare invece di reagire.» Hanna stava per rispondere, ma la suora le fece l'occhiolino e la lasciò senza parole. «Quello che devi fare adesso è smetterla di pensare ai tuoi sentimenti feriti e cominciare a organizzarti.»

«Ma come?»

«Per prima cosa andremo a questa consultazione pubblica a Carrick. Ce ne stiamo in disparte, ma intanto tastiamo il terreno. E poi voglio proprio vedere che faccia ha questo Tim Slattery.»

39

La mattina della consultazione pubblica, Conor aveva ricevuto una telefonata da Aideen. Diceva che avrebbe mandato un po' di messaggi per ricordare alla gente dell'incontro di quella sera e che magari avrebbe potuto farlo anche lui. Così, appena sceso dalla Vespa nel parcheggio della biblioteca, Conor inviò qualche messaggio ai suoi amici, compreso Dan Cafferky, poi spense il cellulare ed entrò. Non poteva star lì ad aspettare che arrivassero le risposte, perché Miss Casey doveva andare a Carrick a prendere il furgoncino.

Da quando Oliver aveva iniziato la sua ricerca del libro col cane nero, Conor aveva preso l'abitudine di guardare ogni singola copertina dei libri che gli capitavano sottomano. In quel momento, mentre stava sistemando i libri che erano rientrati dal prestito, ne prese uno della sezione «Gialli e polizieschi» e lo portò tutto trionfante da Oliver, impegnato nella sua quotidiana indagine tra gli scaffali. Purtroppo però il cane sulla copertina del *Mastino dei Baskerville* non aveva i denti giusti. Oliver cominciò allora a lamentarsi di quell'interruzione, ma per fortuna, prima che potesse riattaccare la filippica sul metodo che intendeva seguire, Miss Casey chiamò Conor al bancone per chiedergli se poteva dare un passaggio a una suora. «Vorrebbe venire alla consultazione pubblica stasera. Ti dispiacerebbe passare a prenderla?»

Conor non ne sapeva molto di suore, anche perché ormai in giro non se ne vedevano più. Sua madre diceva che una volta invece erano ovunque, non si poteva fare un passo senza trovarsene una tra i piedi. Era anche vero, però, che adesso non portavano più il velo e il rosario, quindi forse era solo che non si riconoscevano più. In ogni caso, non era un problema per lui darle un passaggio, solo che sarebbe dovuto andare a prendere la macchina, perché molto probabilmente alla suora non sarebbe piaciuto viaggiare in Vespa.

Arrivata la sera, attraversò Broad Street e si fermò al convento, scese dall'auto e andò a suonare il campanello. La suora aprì subito la porta. Indossava una giacca a vento grigia con sotto un cardigan e una gonna. Conor la fece accomodare sul sedile del passeggero e la aiutò a mettersi la cintura, perché lei aveva i reumatismi e le facevano male le mani. La donna gli spiegò che l'altra suora che viveva nel convento era costretta a letto, ma Pat Fitz le avrebbe fatto compagnia. Conor non aveva idea del motivo per cui la suora volesse partecipare alla consultazione, ma non erano affari suoi e quindi preferì non chiedere.

Guidò fino a Carrick a velocità moderata, perché non voleva che la donna s'impaurisse. Nonostante tutto, arrivarono con parecchio anticipo. Secondo quanto c'era scritto sul manifesto all'entrata, la consultazione si sarebbe tenuta al terzo piano, nella sala in cui Teresa O'Donnell aveva presentato quella stupida app. Sapendo già dove dirigersi, Conor accompagnò suor Michael all'ascensore.

Quando giunsero al piano, trovarono la sala mezza vuota. C'erano un paio di consiglieri e poi tutti impiegati della regione. Sul momento, Conor riconobbe solo Tim Slattery, che stava seduto in prima fila accanto a un tizio calvo con una cartellina portablocco in mano, poi però vide le signore che lavoravano nell'ufficio turistico di Ballyfin e vide anche Aideen, seduta accanto a Miss Casey. Lui e suor Michael si misero vicino a loro, in una fila di sedie quasi completamente vuota.

Appena presero posto, Conor si chinò verso Aideen. «Dove sono tutti gli altri?» chiese sottovoce.

Aideen fece spallucce. Niente da fare, aveva ragione Miss Casey: quando c'era un evento, metà delle persone che promettevano di partecipare alla fine non si sarebbero presentate.

Un consigliere andò al leggio e diede il benvenuto a tutti. Lo scopo di quell'incontro, disse, era illustrare ai cittadini il piano di finanziamenti pubblici per l'anno successivo. Si trattava di un piano coraggioso e concepito con la massima cura, grazie al quale il consiglio regionale era convinto che si sarebbero ottenuti grandi risultati risparmiando denaro, perché, come sapevano benissimo tutti, in tempi di crisi come quelli, ogni centesimo doveva essere speso bene.

Sbirciando gli appunti, premette un bottone e sullo schermo apparve la prima slide della sua presentazione. Era un dipinto che ritraeva il futuro porto di Ballyfin.

Più quel tizio parlava e più Conor s'innervosiva. La sua presentazione consisteva in una serie di acquerelli del nuovo porto di Ballyfin e del nuovo complesso di Carrick. Tra un acquerello e l'altro, venivano presentati numeri, statistiche ed estratti d'interviste a persone fermate per strada. Peccato però che Conor non ne conoscesse neanche una. Erano tutte favorevoli al nuovo piano e i loro commenti venivano riportati sullo schermo a caratteri cubitali.

MI PIACE.
CHE MERAVIGLIA.
OTTIMA NOTIZIA!

Il consigliere si soffermò poi sulle statistiche, che riguardavano principalmente il numero di turisti attesi a Ballyfin grazie alle navi da crociera.

Non appena ebbe finito, Teresa O'Donnell si alzò e fece partire un applauso. «In qualità di assessore al Turismo della regione vi faccio i miei complimenti per il piano proposto. Ha il più totale appoggio, mio e dei miei collaboratori.»

Il consigliere sorrise e annunciò che i cittadini avrebbero potuto fare i loro interventi. Dopo qualche secondo di silenzio, Gráinne dell'ufficio turistico di Ballyfin domandò se l'approvazione di quel piano comportasse anche l'approvazione della nuova app. «Perché in questo caso ci sarebbero molti esuberi.»

La risposta fu che era meglio affrontare una cosa alla volta.

Fu quindi il turno di Joe Furlong, proprietario del maggiore albergo di Ballyfin, che si alzò e disse di voler esprimere la gratitudine della gente del Finfarran per tutto il lavoro che c'era stato dietro la messa a punto di quel piano. Era bello vedere che, oltre a voler investire in quella piccola perla che era Ballyfin, si intendeva migliorare i servizi anche a Carrick. Detto ciò, si rimise seduto, mentre Teresa O'Donnell faceva partire un altro applauso.

Aideen lanciò un'occhiata mesta a Conor, che non riuscendo più a trattenersi si alzò e prese la parola. Chi era questo Joe Furlong per parlare a nome della gente del Finfarran? Gli unici che lui poteva rappresentare erano i ricconi di Ballyfin. E al resto della penisola chi ci pensava? Non era forse il caso di discutere, ad esempio, degli effetti negativi che quella stupida superstrada aveva avuto sulle altre cittadine? Oppure della banda larga che non funzionava?

Hanna si accorse che Tim Slattery si era girato a guardare chi stesse parlando e, adombrandosi nel riconoscere Conor, si era voltato di nuovo, evidentemente irrigidito. Suor Michael le mise una mano sul braccio e le ricordò sottovoce che era meglio non farsi notare. Hanna avrebbe voluto dare un calcio negli stinchi a Conor quando il consigliere al leggio rispose che le domande dovevano essere concrete, perché interventi *ad hominem* come quello avevano poco senso. Dalla faccia di Conor, fu palese che non aveva capito e infatti rimase in piedi aspettando una risposta. Tra il pubblico qualcuno ridacchiò. Hanna guardò Aideen e vide che era paonazza. Dopo qualche secondo, Conor si rimise a sedere, imbarazzato.

Hanna era furiosa. Non poteva accettare che venisse trattato in quel modo. Con la coda dell'occhio, notò che Aideen aveva preso la mano a Conor, ma lui tutto rosso in faccia l'aveva scansata.

Così Hanna si ritrovò in piedi, senza neanche aver avuto il tempo di deciderlo. «Mi è permesso fare due domande? Credo siano concrete a sufficienza», disse, stringendo la spalliera della sedia davanti a lei. «È vero che, se il piano verrà approvato, la biblioteca di Lissbeg chiuderà? Mi pare di aver capito che investirete soldi nei servizi, certo, ma li sposterete tutti a Carrick, o mi sbaglio? Quindi gli stanziamenti destinati ai servizi finiranno tutti a Carrick e quelli destinati al turismo interamente a Ballyfin, giusto?»

Un gruppo di consiglieri si girò a guardarla. Tim no, perché tanto aveva riconosciuto la voce.

Il giovane consigliere che aveva parlato fino a quel momento pareva abbastanza confuso e, mentre lui scartabellava tra i suoi appunti, Hanna riprese la parola. «Le piccole attività commerciali sparse sulla penisola hanno bisogno di infrastrutture che le aiutino a crescere. Gli anziani hanno bisogno che i servizi aumentino, non che diminuiscano. Stasera non mi pare di aver sentito qualcosa che faccia pensare che tutti gli abitanti del Finfarran trarranno giovamento da questo nuovo piano d'investimenti. Per questo mi permetto di suggerire ai nostri consiglieri di ascoltare le opinioni e le preoccupazioni della gente, prima di procedere con l'approvazione.»

Seguirono alcuni secondi di silenzio assordante. Alla fine, l'uomo calvo con la cartellina portablocco si alzò e prese la parola. Il suggerimento di ascoltare opinioni e preoccupazioni degli abitanti del Finfarran era giusto, e non farlo sarebbe stata una grave mancanza da parte dei consiglieri. Tuttavia, non era quello il caso, perché ascoltare l'opinione dei cittadini era esattamente il motivo per cui era stata convocata quell'assemblea.

L'uomo sul palco colse subito la palla al balzo, dicendo che se il pubblico aveva domande o preoccupazioni lui sarebbe stato felice di rispondere.

Hanna non se lo fece ripetere due volte. «Vorrei che rispondesse alle mie, allora. E, sempre parlando degli anziani che sono costretti a percorrere chilometri per raggiungere i vari servizi, crede che potrebbero mai partecipare a un'assemblea convocata alle nove di sera?»

Gráinne si alzò per dire che no, non potevano proprio, perché col buio avrebbero rischiato d'inciampare in qualche buca. E poi per loro era un problema dover arrivare fino a Carrick per qualsiasi cosa, tanto più che le corse degli autobus erano state dimezzate e andarci in macchina significava spendere una fortuna in benzina o rischiare un incidente per via delle condizioni in cui versavano le strade.

Tutti gli occhi, però, erano ancora puntati su Hanna. L'uomo con la cartellina in mano prese di nuovo la parola e, con tono pacato e ragionevole, disse che la legge stabiliva che, prima di approvare un piano come quello, era necessario che trascorresse un intervallo di tempo adeguato in cui i cittadini potessero fare le loro osservazioni. Perciò anche chi non aveva potuto partecipare quella sera avrebbe avuto la possibilità d'inviare domande online o tramite posta. Non c'era nessuna fretta, anche perché i consiglieri stessi per buttare giù quella proposta avevano impiegato mesi. L'uomo chiosò il proprio intervento con un sorrisetto ironico, come per sottintendere che la maggior parte degli abitanti della penisola ci avrebbe messo una vita a scrivere due righe. Il pubblico accennò un applauso e lui ringraziò.

Avendo capito che c'era poco da fare, Hanna si rimise seduta e si beccò un'occhiataccia di Aideen, poi guardò Conor e vide che era offeso. Allora gli si avvicinò, ma lui si scansò. Hanna si lasciò andare contro lo schienale della sedia e, mentre l'assemblea veniva dichiarata conclusa, pensò che per l'ennesima volta aveva agito senza pensare.

40

«Come suora saresti un disastro!» le disse suor Michael guardandola attraverso il riflesso dello specchio nel bagno delle donne. Hanna fece una smorfia. L'ultima cosa di cui aveva bisogno in quel momento era una ramanzina sulle virtù della disciplina. Avendo passato gli ultimi dieci minuti a cercare di far calmare un Conor sempre più agitato, era ben consapevole di esserne scarsamente dotata.

Appena finita la consultazione, aveva preso Conor da parte e lui le si era subito rivoltato contro. «Hanno davvero intenzione di chiudere la biblioteca di Lissbeg?»

«Be', sì. Cioè, è abbastanza evidente che il loro piano lo prevede, ma non sappiamo se succederà davvero.»

«Lei lo sapeva e non mi ha detto nulla.»

Maledicendosi per aver parlato senza pensare, Hanna gli aveva spiegato di non averlo fatto perché non ne aveva la sicurezza. «L'avevo sentito dire, ma non ero sicura che fosse vero. E poi non volevo farti preoccupare. Certo, sarebbe stato meglio che non l'avessi saputo in questo modo, ma quando ho visto come ti aveva trattato quel tizio, non ci ho visto più.» Hanna aveva visto gli occhi di Conor riempirsi di gratitudine e, per quanto ce l'avesse con se stessa per quello che aveva fatto, ci era mancato poco che scoppiasse a ridere. Conor era davvero un bonaccione, non ci riusciva proprio a prendersela con lei. Comunque, si era sforzata di rimanere seria e gli aveva ripetuto che le dispiaceva tanto. «Stai tranquillo, però. Non è ancora stabilito.»

«Sì, ma intanto sappiamo che la loro intenzione è quella, no?»

«È vero, ma ne parliamo domani, ok? Non possiamo far aspettare gli altri tutta la notte. Tu riaccompagna Aideen, e a suor Michael ci penso io.»

In quel momento, però, sotto l'esame attento degli occhi azzurri della suora, Hanna si era pentita di essere intervenuta durante la consultazione.

«Avremmo dovuto starcene in disparte e tastare il terreno», ribadì suor Michael.

«Lo so, mi dispiace.» Hanna imprecò mentalmente.

Suor Michael fece spallucce. «Be', ormai è inutile piangere sul latte versato. Se non altro, ho potuto farmi un'idea su quel Tim Slattery.»

In effetti, uscendo dalla sala in cui si era tenuta la consultazione, avevano incrociato Tim. Indossava un abito a tre pezzi con la catenella d'oro di un orologio da taschino sul panciotto. I polsini della camicia girati all'indietro lo facevano sembrare Oscar Wilde. Ignorando gli altri, Tim si era fermato, aveva fissato Hanna dritto in faccia e poi, quasi urtandola, se n'era andato. Lei in realtà non ci aveva fatto molto caso, perché era troppo impegnata a calmare Conor. La suora, però, l'aveva visto eccome.

«Sai chi mi ricorda? Padre McGlynn di Knockmore. Cervello minuscolo ed ego spropositato!» disse Suor Michael scuotendo la testa, poi le lanciò uno sguardo astuto. «Però ti devi dare una calmata, signorina. Le battaglie non si vincono caricando l'avversario come un toro imbufalito.»

Hanna annuì obbediente, e per un momento restarono lì in piedi l'una accanto all'altra a sistemarsi i capelli.

Poi il viso rugoso di suor Michael assunse un'espressione decisa. «Stammi a sentire, Hanna. Le cose cominciano a essere un po' troppo sbilanciate su quest'isola. Non va bene, non è giusto. È arrivato il momento che noi due mettiamo fine a questa storia.»

«Noi due?»

«Dobbiamo far in modo che i cittadini dicano la loro. Solo che sarà una bella gatta da pelare.» Perché la gente era stufa, era quello il punto. Aveva troppi problemi per perdere tempo in assemblee e consultazioni, era concentrata sulle questioni personali e, così facendo, stava perdendo il senso della comunità. «E tu sei la prima, eh. Pensi alla tua casa e al tuo lavoro, ma qui non c'è in gioco solo la biblioteca di Lissbeg. L'hai detto tu stessa.»

«Sì, lei ha ragione, ma non c'è nessuno che muoia dalla voglia di fare la rivoluzione. Sono tutti impegnati a cercare di arrivare a fine mese.»

«È per questo che dobbiamo cominciare pian pianino e poi lasciare che le cose facciano il loro corso.» Suor Michael tirò su la zip della giacca a vento. «Ho passato settant'anni chiusa in quel convento, ma ho imparato molto di più quando lavoravo nella fattoria di mio padre. Ho imparato che nella vita c'è un tempo per tutto: per la semina, per la crescita e per il raccolto. E, se non si ha fretta, i frutti arriveranno.»

41

La mattina dopo, Hanna andò alla vecchia casa di zia Maggie. Suor Michael aveva ragione su tutto, però se lei stava davvero per perdere il lavoro, spendere un sacco di soldi per le tegole da mettere sul tetto sarebbe stata una follia. Ma come avrebbe reagito Fury? Alla fine decise che gliel'avrebbe detto e basta, senza stare a preoccuparsi troppo della sua reazione. Tuttavia, una vocina nella testa le diceva che il problema non si sarebbe posto se non fosse stata troppo arrogante.

Quando arrivò davanti alla casa, trovò Dan Cafferky in cima al tetto, Demonio che dormiva sulla soglia e Fury che le andò incontro per salutarla. Era contento perché procedeva tutto benissimo, le disse, e adesso che aveva Dan a dargli una mano sarebbero andati ancora più veloci.

Quando Hanna gli riferì la sua decisione, lui si mise a ridere. «È troppo tardi. Le tegole nuove sono sul retro.»

«Ma io ti avevo detto...»

«Lo so cosa mi avevi detto, ma non ti sei accorta che io non avevo risposto niente?»

Mordendosi la lingua, Hanna preferì lasciar cadere il discorso e comunicargli invece che con ogni probabilità avrebbero dovuto ridiscutere del budget. Fury si limitò ad alzare le spalle. Non era un problema per lui, in qualche modo avrebbero fatto. E poi gliel'aveva detto che era una perdita di tempo mettere tutto nero su bianco, perché tanto alla fine i piani cambiano sempre.

Più tardi, mentre era sul furgoncino della biblioteca ambulante diretta a Knockmore, Hanna ripensò a suor Michael. Il percorso da Carrick al convento, la sera prima, si era trasformato in una specie di riunione strategica. Quello di cui avevano bisogno, aveva detto la suora, era un quartier generale. E considerata la sua posizione, la funzione pubblica e il fatto che rischiava di chiudere, la biblioteca di Lissbeg era il posto più indicato. Inoltre, la reputazione da misantropa di Hanna avrebbe giocato a loro favore.

Hanna all'inizio era rimasta un po' spiazzata, ma poi aveva capito che la suora aveva ragione. L'anziana, seduta accanto a lei sul sedile del passeggero, le aveva dato una pacca sul ginocchio. «Sei l'ultima persona al mondo di cui sospetterebbero, di conseguenza sembrerà che la cosa sia nata spontaneamente.»

«Quale cosa?»

«La nascita di canali di comunicazione efficaci.»

Quella sarebbe stata la prima fase. Bisognava far sì che le persone stessero insieme e si scambiassero idee, perché solo in quel modo avrebbero capito la loro forza. Poi, con le pedine tutte al loro posto, loro due sarebbero uscite allo scoperto e avrebbero convocato un'assemblea per proporre un'alternativa al megapiano del consiglio regionale e convincere la gente a far sentire la propria voce.

«Ma quanto ci vorrà? E come facciamo a riuscirci?» aveva chiesto Hanna.

«Ci vorrà il tempo che ci vorrà, signorina. Tutto quello che possiamo fare noi è preparare il terreno.»

Era stata una lunga giornata e Hanna era un po' stufa di tutte quelle metafore legate all'agricoltura.

Suor Michael le aveva lanciato un'occhiata e si era poggiata le mani in grembo. «Dobbiamo trovare un motivo per far venire la gente in biblioteca.»

«Tipo un club del libro?»

«No, un club del libro non va bene. Se voliamo così basso, non arriviamo da nessuna parte. Dobbiamo inventarci qualcosa di grosso che possa stimolare la loro immaginazione.»

Hanna non credeva alle sue orecchie. Per mesi aveva negato a Conor la possibilità di tenere un club del libro in biblioteca e adesso rischiava di dover accettare qualcosa di molto peggio. Accostando l'auto davanti al cancello del convento, aveva lanciato un'occhiata sospettosa a suor Michael. «Qualcosa di grosso, dice. Tipo?»

Suor Michael le aveva risposto che non ne aveva la minima idea. «Ma chissà. Prima o poi qualcosa ti capiterà.»

«In che senso *mi* capiterà?»

«Be', sei tu quella che gira la penisola in lungo e in largo. Io vivo reclusa in un convento.» Dopo essere scesa dall'auto, suor Michael aveva fatto di nuovo capolino dal finestrino. «In questa fase saremo coinvolti solo tu, io e il giovane Conor. Se lo lasciamo fuori, solleverà un vespaio. Però digli che deve tenere la bocca chiusa. E tu, invece, tieni gli occhi aperti.»

42

Quando Miss Casey era in giro col furgoncino, spesso la biblioteca aveva più visitatori. Conor si diceva sempre che era soltanto una coincidenza, ma in fondo sapeva che si trattava di una questione di causa ed effetto. Per lui, la cosa bella delle biblioteche era la possibilità d'incappare in un tesoro assolutamente per caso, mentre Miss Casey non la vedeva affatto in quel modo. Quelli che lui chiamava curiosi, per lei erano perditempo. E poi, secondo lei, le biblioteche non erano pensate per essere luoghi in cui divertirsi.

Adesso, però, in maniera del tutto inaspettata, pareva che le cose dovessero cambiare. La sera prima, tornando a casa dopo la consultazione pubblica a Carrick, Conor era furioso: un po' con Miss Casey, che avrebbe dovuto dirgli certe cose, ma soprattutto con quei burocrati da strapazzo che lo avevano fatto sentire uno stupido. Al termine dell'incontro, dopo che si era calmato un po', aveva capito perché Miss Casey non gli avesse detto niente, e comunque gli era sembrata molto dispiaciuta e gli aveva chiesto perfino scusa. Quella mattina, quando era arrivata in biblioteca, lo aveva preso da parte per fargli delle confidenze, il che a ripensarci era piuttosto sorprendente. A quanto pareva, lei e suor Michael avevano escogitato un piano per confondere i burocrati. Per il momento, bisognava mantenere il massimo riserbo al riguardo, però Miss Casey voleva coinvolgere anche lui. Poi se n'era andata, ma un secondo dopo aveva fatto capolino dalla porta dicendogli che, se voleva, senza esagerare, poteva rendere la biblioteca un po' più accogliente. Le era sembrata un po' imbarazzata, perciò Conor non aveva fatto domande, ma moriva dalla voglia di scoprire che cos'altro sarebbe successo.

Appena uscita Miss Casey, erano arrivate alcune mamme coi passeggini. Una aveva riconsegnato un thriller e preso in prestito anche il sequel, mentre tutte le altre si erano messe al tavolo a chiacchierare e guardare il cellulare. Conor non aveva mai capito perché Miss Casey non le sopportasse. Che male c'era, se non davano fastidio a nessuno? Quel giorno, tra l'altro, non c'era un'anima viva in biblioteca, a parte Oliver. A differenza delle altre volte, però, Conor poteva chiudere un occhio con quelle giovani mamme senza sentirsi in colpa nei confronti di Miss Casey. E la cosa gli piaceva un sacco.

Verso l'ora di pranzo, arrivò Pat Fitz per riconsegnare l'ennesimo romanzo di Maeve Binchy, che Conor controllò scrupolosamente per verificare che non ci fossero altre fette di bacon. Qualche minuto più tardi, entrò una donna tutta agitata in cerca di un libro che spiegasse come cambiare le lampadine. Conor l'accompagnò alla sezione «Fai da te» e le consigliò di prendere un manuale dei lavori di casa. Tornato alla sua postazione, gli venne un colpo: in fondo alla sala, vide Oliver che apriva le ante di vetro in cui erano contenuti i libri antichi. Avrebbe dovuto capirlo da solo che lì dentro non avrebbe potuto trovare un libro con un cane nero in copertina, ma Oliver si era messo lo stesso a cercare anche lì.

Conor lo raggiunse in un baleno. «Oliver, scusami, ma questa non si può aprire.»

Oliver lo guardò attraverso gli occhiali spessi e disse che lui seguiva un metodo ben preciso.

«Sì, lo so, ma Miss Casey non sarebbe affatto contenta se ti vedesse toccare questi libri.»

Oliver aggrottò la fronte. «Sai che c'è? È inutile che ci scrivete biblioteca pubblica lì fuori, se poi comandate voi.»

Conor avrebbe voluto dirgli che in realtà quel cartello non ce l'aveva messo lui, ma tanto sarebbe stato inutile. Allora si limitò a mettersi tra Oliver e la libreria. «Sono d'accordo, Oliver, ma vuoi forse farmi perdere il lavoro? Mi dispiace, questi libri non si possono toccare.» Sentendosi parlare in quel modo, pensò che sembrava sua madre quando cercava di far ragionare suo padre. Nel caso del padre, però, se si era troppo gentili si rischiava solo di peggiorare le cose. Allora cambiò tattica. «Le regole sono regole», gli disse. «Bisogna rispettare quelle degli altri, come gli altri rispettano le tue.» Poi, togliendogli il libro di mano, chiuse le ante della libreria e tornò alla sua postazione.

Oliver se ne andò dalla biblioteca molto dispiaciuto. Conor, invece, seduto alla scrivania, aprì il libro che gli aveva sequestrato. E mezz'ora dopo, completamente sordo agli schiamazzi che venivano dal tavolo delle mamme, era ancora lì che lo sfogliava.

43

Arrivata all'uscita per Knockmore, Hanna rallentò per imboccare la stradina piena di curve che si snodava in mezzo a campi e boschi. Ci passava tutte le settimane, ma il paesaggio le regalava ogni volta uno spettacolo diverso. Adesso che l'estate avanzava, ad esempio, le foglie erano dorate. La giornata era bella, ma di tanto in tanto veniva giù un po' di pioggia e, nell'intervallo tra un acquazzone e l'altro, gli uccellini cantavano e cinguettavano in mezzo agli alberi.

Mentre guidava cercando di evitare le buche, Hanna pensò a suor Michael e a quanto avesse ragione. La minacciata chiusura della biblioteca di Lissbeg simboleggiava un malessere molto più profondo, perché non riguardava solo il suo posto di lavoro o quello di Conor, che adesso era finito ufficialmente sulla lista nera di Tim Slattery, ma un'intera comunità che nel tempo si era indebolita. Nonostante quello che aveva detto riguardo la gente che non si presentava agli eventi, lei stessa si era stupita nel vedere tutte quelle sedie vuote alla consultazione pubblica. Suor Michael, poi, le aveva fatto capire il motivo. La gente del Finfarran non parlava più. Un tempo s'incontrava nei negozi e negli uffici postali, chiacchierava vicino alla fontana in piazza, alle fermate delle corriere e in latteria. In quei luoghi si scambiavano storie, favori e risorse e si sinceravano del benessere dell'altro. I supermercati e gli uffici di

Carrick non potevano sostituire quei luoghi di ritrovo, come pure i pub dove si andava la domenica dopo la messa o nei giorni di festa. Ormai chiese e pub erano mezzi vuoti perché i credenti erano diminuiti e la gente comprava da bere nei supermercati, visto che lì costavano meno, oppure non beveva affatto perché doveva guidare.

Hanna sorrise pensando a sua madre e a zia Maggie. In quei luoghi giravano anche un sacco di pettegolezzi, ma quelli non contavano, perché la cosa più importante era quella rete di mutuo soccorso che faceva sentire tranquille le persone. E secondo suor Michael la crisi di quella rete aveva causato squilibrio. Non era giusto, aveva detto la suora. E, peggio ancora, non era nemmeno sano.

Hanna non poteva darle torto, ma temeva che, facendo diventare la biblioteca di Lissbeg il quartier generale di quella campagna, la sua privacy ci avrebbe rimesso. Suor Michael aveva giustamente anche detto che al momento quello che voleva lei non contava. Controllando l'ora sul cruscotto, si accorse che era in anticipo, allora decise di fermarsi in una piazzola per starsene dieci minuti al sole per fatti suoi, il che era sempre meglio che stare a sentire le chiacchiere di padre McGlynn. Si fermò davanti a un campo coltivato a patate, e vedere quei solchi dritti la fece sorridere. Si ricordò degli amici del padre che, scambiando due chiacchiere in negozio giù a Crossarra, si mettevano a criticare i vicini: c'era Tizio che era bravissimo a fare i solchi, mentre Caio pareva che li avesse tracciati con un cavatappi. Quelli del campo di fronte erano perfettamente dritti e i fiori bianchi sugli steli verdi delle patate sventolavano al vento. Nel campo accanto a quello c'erano un paio di mucche che si erano andate a riparare all'ombra di una quercia. Ammirando i rami intricati dell'albero, Hanna ripensò all'ultima conversazione avuta con Fury. Lui l'aveva presa da parte per non farsi sentire da Dan e le aveva dato un colpetto di gomito sulle costole. «Chi credi di far fesso, signorina? Non è stata una più attenta riflessione a farti cambiare idea sulle tegole, ma quel Tim Slattery coi suoi compari giù a Carrick.» Vedendo però che lei aveva un'espressione mortificata, era diventato inaspettatamente gentile. Non è che in giro si parlasse di lei, si giustificò, ma essendo lui un muratore, andava spesso al catasto e aveva sentito alcune cose. E comunque gli Slattery li conosceva da una vita e sapeva bene che razza di gente fosse. «Tim è un debole. Per avere un ufficio più bello sarebbe capace di passare sul cadavere della nonna e di ballare sulla sua tomba.»

Hanna lì per lì, distratta e imbarazzata da quelle confidenze, non si era resa conto della lezione che Fury le aveva dato. Adesso però, guardando quei rami che s'intrecciavano, aveva capito che se non avesse avuto tutta quell'avversione per le chiacchiere e i pettegolezzi, magari quell'informazione sarebbe arrivata anche a lei e non avrebbe riposto così tanta fiducia in uno come Tim Slattery.

Quel giorno, al centro anziani, c'era anche Nell Reily. Chiacchierava e rideva insieme alla madre anziana mentre erano in fila al bar. Non appena vide entrare Hanna, andò subito da lei. La madre stava molto meglio, le disse, anche se alla fine il raffreddore si era rivelato influenza. «Oggi è il primo giorno che è tornata, così ho deciso di restare fino a pranzo, nel caso in cui volesse rincasare prima. Il dottore ha detto che non deve stancarsi.» Poi, sorridendole, tirò fuori un fagotto: dentro c'era un fazzoletto di lino col bordo di merletto. «È stata la prima cosa che ha fatto la mamma dopo l'influenza, Miss Casey. Le hanno tenuto tanto compagnia i libri che ci ha dato quando era costretta a letto.» Su un angolino del fazzoletto erano ricamate le iniziali di Hanna. «Probabilmente non usa i fazzoletti di stoffa, ma può sempre utilizzarlo come centrino sotto un vaso. Comunque, è solo un pensierino per ringraziarla.»

Altri vecchietti si avvicinarono ad ammirare il regalo e fare i complimenti ad Hanna, che era sempre pronta a dare una mano. Lei li ascoltò con malinconia. Chissà se, quando erano giovani, avevano mai pensato che sarebbero diventati così dipendenti dagli altri o che avrebbero trovato straordinario anche un gesto di normale gentilezza. Ben consapevole di avere una reputazione di persona poco socievole, arrossì nel pensare che forse Nell aveva dovuto chiamare a raccolta tutto il proprio coraggio per fermarla per strada quel giorno e chiederle i libri per la madre.

Seduta accanto a lei, Nell le chiese come stava Mary Casey. «È un peccato che non venga mai qui al centro.»

Maurice, il fornaio in pensione, si unì al loro tavolo portando un piatto di ciambelle. «Non direi mai niente contro padre McGlynn, sia chiaro, ma è uno strazio per gente della nostra età dover arrivare fin quaggiù per stare in compagnia. Non sarebbe fantastico poter avere un centro anziani a Lissbeg?» disse a bassa voce.

Tutti risposero in coro che erano d'accordo, ma specificando prima che nemmeno loro si sognavano di dire qualcosa contro padre McGlynn. Se non fosse stato per lui, avrebbero dovuto recarsi fino a Carrick anche per la minima stupidaggine. In ogni caso sì, sarebbe stato bello se ogni paesino del Finfarran avesse avuto un posto come quello. Non che lo volessero per forza sotto casa, ma almeno in un posto che fosse più facile da raggiungere chiedendo un passaggio, visto che le corriere non passavano mai. Sarebbe stato bello avere un centro anziani a Lissbeg e un altro a Ballyfin, con attività ed eventi diversi ogni giorno. In quel modo, più persone avrebbero avuto la possibilità di uscire di casa e stare in compagnia. Comunque erano fortunati ad avere il centro anziani di Knockmore e di certo non si lamentavano.

Hanna ebbe l'impressione che tutti quegli elogi di padre McGlynn nascondessero in realtà la paura che, se non si fossero dimostrati abbastanza riconoscenti, tutto quello che avevano gli sarebbe stato portato via. Era davvero ingiusto che dovessero vivere con quella paura e ad Hanna dispiaceva anche della gratitudine che dimostravano a lei, che era sempre così fredda. Il pensiero che le cose sarebbero potute perfino peggiorare era snervante. Secondo Brian Morton, il megapiano del consiglio regionale prevedeva di far confluire tutti i servizi in un unico centro a Carrick.

Fino ad allora Hanna non aveva pensato che, quando si è vecchi, è importante avere un luogo in cui incontrare le persone. Sì, certo, Carrick non era poi così distante, ma con le strade mal ridotte, i mezzi pubblici che non funzionavano e i problemi di mobilità degli anziani stessi, doveva sembrare un posto lontanissimo.

Dando un morso a una ciambella, si disse che avere problemi di mobilità non voleva certo dire mancanza d'energia. Questo bisognava tenerlo bene a mente, come pure il fatto che, a differenza dei ragazzi come Conor e i suoi amici, le persone anziane avevano un mucchio di tempo libero a disposizione.

44

Il volume che Oliver aveva preso dalla libreria s'intitolava *Il giardino di Dio*. All'inizio Conor non ne era rimasto particolarmente colpito. Era una specie di erbario, un catalogo d'informazioni su piante e fiori, su come coltivarli e su quali malanni curavano. La veste grafica, però, risultava noiosissima, con le immagini in bianco e nero. Conor non era riuscito a trovare il nome né dell'autore né di chi aveva scattato le foto. Non essendoci nemmeno il nome della casa editrice, concluse che si trattasse di una pubblicazione privata fatta stampare dalle suore. Era chiaro, in ogni caso, che parlava del convento. C'erano piantine e fotografie, una delle quali raffigurava l'edificio scolastico, cui si accedeva dal cortile, e il convento, cui si accedeva da un ingresso separato sul retro. Il parcheggio che dava sul cortile e su Broad Street non c'era ancora, ma a circondare l'intero perimetro c'erano invece alte mura che racchiudevano un giardino all'interno. Sfogliando le pagine del libro, Conor pensò che guardare quelle piantine era come guardare un film in cui la telecamera faceva piani sempre più ravvicinati rivelando un dettaglio dopo l'altro. Dopo un po', quel libro lo assorbì completamente.

Due ragazzine che erano state a chiacchierare in biblioteca tutto il tempo si avvicinarono per salutarlo, prima di andarsene, e una di loro gli chiese del libro. Conor in quel momento stava leggendo un passo in cui si spiegava che le piante avevano spesso due nomi in inglese e uno in latino. Molte erano piante medicinali e ciò significava che potevano essere pericolose. Per questo i nomi erano scritti in grassetto e accompagnati da una foto e dalla descrizione delle caratteristiche, presumibilmente per evitare che qualcuno finisse avvelenato.

«Che forza», esclamò la ragazzina, che intanto si era messa accanto a Conor a guardare il libro. Poi li raggiunse anche una signora che girovagava tra gli scaffali in cerca di un testo. Non immaginava minimamente che il giardino delle suore fosse tanto grande, disse. Quando andava a scuola lì, ai bambini non era permesso entrarci. La ragazzina fece una battuta, dicendo che forse era perché le suore stavano lì a fabbricare veleni. «Sembra un libro di Agatha Christie.»

La donna, che aveva più o meno l'età di Miss Casey, si mise a ridere. «Questo non lo so, ma ricordo che mia madre diceva sempre che facevano una medicina che curava la tosse. Con la rosa canina, mi pare, o qualcosa del genere. E ricordo anche che avevano fiori diversi per ogni festa. Con la lavanda e il rosmarino tenevano lontane le tarme dalla tovaglia dell'altare. In chiesa mi annoiavo da morire, però c'era sempre un profumo meraviglioso.»

Conor girò le pagine fino ad arrivare a quelle in cui c'erano immagini dei santi. Non ne conosceva nemmeno uno, ma avevano tutti un loro fiore. Sfogliò ancora e fu la volta della piantina del giardino, coi suoi vialetti, le siepi e i nomi delle piante scritti a mano.

Quando arrivò l'ora di chiusura, Conor rimise a posto il volume nella libreria a vetri. A differenza del bellissimo libro coi dipinti di paesaggi italiani, quello non sembrava molto antico e le foto non erano un granché, ma era interessante e per un momento pensò perfino di portarselo a casa per finire di guardarlo. Subito però decise di lasciarlo lì, perché altrimenti Miss Casey si sarebbe arrabbiata.

Il giorno dopo, senza sapere dove fossero diretti, seguì Miss Casey fuori della biblioteca. Con sua grande sorpresa, quella mattina in biblioteca c'era stato un gran via vai di gente che voleva vedere il libro. La prima era stata la signora del giorno precedente, che desiderava prenderlo in prestito per mostrarlo alla madre. Conor le stava spiegando che non era possibile perché il volume non faceva parte del catalogo della biblioteca, quando era arrivata un'altra signora. La ragazzina del giorno prima, che era sua figlia, le aveva mandato un messaggio dicendole che doveva assolutamente andare a dargli un'occhiata. A quel punto, Miss Casey si era avvicinata per capire cosa stesse succedendo. Conor le aveva raccontato del libro trovato da Oliver e le aveva spiegato che c'era gente che voleva prenderlo in prestito ma che non era possibile. Lei aveva detto che era vero, non potevano prenderlo in prestito perché non era catalogato. Le signore si erano risentite, ma Miss Casey aveva risposto che magari Conor avrebbe potuto sistemarlo su un tavolo e lasciare che gli dessero un'occhiata. Tuttavia, poiché il volume non era di proprietà della biblioteca, Conor era l'unico che poteva toccarlo e, prima di maneggiarlo, doveva lavarsi le mani. Lui era andato a lavarsele, ubbidiente, e poi era tornato a mostrare il libro alle signore, le quali avevano cominciato a fare domande attirando l'attenzione di altri due signori che si erano avvicinati. Così la voce si era sparsa e sempre più gente era arrivata in biblioteca per vedere quel libro. Conor, in realtà, si era sentito un po' un imbecille a star lì a girare le pagine con la massima delicatezza, neanche fosse stato *Il libro di Kells*. E poi non era che ci fosse chissà cosa da vedere, ma la gente era curiosa di sentire com'era stato trovato. L'ultima signora ad andarsene, prima di uscire, si era girata e aveva sorriso. «Questa sì che è la perla del Finfarran! E parla proprio dei nostri luoghi. Fa pensare a com'erano le cose una volta.»

Conor non si era fermato un attimo per tutta la giornata.

E, giunta l'ora di chiusura, dopo aver chiuso tutto e inserito l'allarme, Miss Casey aveva preso il libro e aveva detto a Conor di andare con lei a trovare suor Michael. Arrivati davanti alla porta del convento, Hanna non aveva usato il batacchio, preferendo suonare il campanello, accanto al quale c'era anche il citofono. Un minuto dopo, suor Michael aveva aperto la porta e li aveva fatti entrare.

Adesso che erano lì dentro, non era affatto come Conor se l'era immaginato. Al posto di candele e ragnatele, c'erano un divano, due poltrone, una credenza e un vecchio televisore, oltre un sacco di statuette, quadri di santi e un mucchio di CD di Daniel O'Donnell. Sembrava la tipica casa di una nonna. Suor Michael indossava un maglioncino a V, una gonna e un grembiule a righe e disse loro che stava passando l'aspirapolvere nella stanza di suor Consuelo e che dovevano scusarla per l'abbigliamento. Suor Consuelo era l'altra suorina che viveva ancora nel convento e, a quanto pareva, suor Michael le faceva da badante. Miss Casey si stupì della cosa, ma suor Michael disse che ringraziava il cielo di essere ancora in salute, perché era brutto vedere suor Consuelo ridotta in quello stato. Non sapeva neanche più come si chiamava, la poveretta. Suor Michael puliva e cucinava e, per il resto, c'era un'infermiera che veniva tutti i giorni, perciò lei non si lamentava. Era contenta che fossero andati a trovarla, perché non le capitava molto spesso di ricevere visite. Ma come mai erano lì?

Hanna tirò fuori il libro. «Lo abbiamo trovato ieri in biblioteca. Parla del giardino del convento e mi chiedevo se lei ne sapesse qualcosa.»

Suor Michael prese il libro e lo aprì. «Incredibile! L'ultima volta che l'ho visto passavo metà giornata a lavare pavimenti, l'altra metà a curare il giardino e la sera a lavare le padelle. Bisognava essere in forma per stare qui dentro, ve l'assicuro.» Spiegò che conosceva bene quel libro, perché lo utilizzava quando lavorava nel giardino del convento.

Conor osservò che dovevano essere lavori pesanti, ma Suor Michael rispose che lei veniva da una famiglia di contadini ed era abituata a lavorare la terra. Guardando quelle mani storpiate dai reumatismi, Hanna la immaginò che strofinava pavimenti e zappava in giardino tutto il giorno e si chiese se le rimanesse poi il tempo per pregare, ma non disse nulla. Suor Michael, però, la guardò e le sorrise, poi disse che c'erano dei versi in fondo al libro: dicevano che si è più vicini a Dio in un giardino che in qualunque altro luogo.

Hanna aveva presente quei versi, che si leggevano ancora spesso nei vivai. «Crede che sia vero?»

Suor Michael si poggiò le mani in grembo e alzò le spalle. Dio era ovunque, secondo lei. «Non saprei, cara, ma non perdo tempo a domandarmelo. Morirò presto e allora lo scoprirò.» Poggiando il libro sul tavolino, guardò Hanna negli occhi. «Adesso lasciamo stare la teologia e parliamo del motivo per cui siete qui.»

«Be' mi è venuta un'idea e vorrei sapere cosa ne pensa lei. Credo di aver trovato quel qualcosa di grosso di cui parlavamo l'altro giorno», disse Hanna e indicò il libro, cercando di dissimulare l'entusiasmo.

Suor Michael si alzò per andare alla credenza. Le avrebbero raccontato tutto davanti a un bicchierino di sherry.

Conor pensò che quello sherry sapeva di sciroppo per la tosse, ma la conversazione cui assistette lo lasciò senza parole. Miss Casey e Suor Michael volevano trovare qualcosa di grosso con cui stimolare l'immaginazione della gente, qualcosa che avrebbe dato loro la forza di battersi. E il punto non era solo salvare la biblioteca: l'idea di fondo era molto più ampia e la biblioteca avrebbe dato soltanto l'avvio. Tuttavia, non potevano parlarne agli altri, non ancora almeno. Prima avrebbero dovuto mettere tutte le pedine al loro posto e, fino ad allora, non doveva saperlo nessuno. Secondo Conor, la cosa aveva perfettamente senso e, a sentire Miss Casey, era stato proprio lui a trovare quel qualcosa di grosso che stavano cercando. Miss Casey l'aveva capito quando aveva notato la reazione suscitata nella gente da quel libro.

«La gente ne è affascinata. Ci si identifica, perché è un ricordo del passato.» Miss Casey poggiò il bicchierino sul tavolo e guardò Suor Michael. «Stavo pensando che potremmo organizzare una conferenza in biblioteca.» Era evidente che non stava più nella pelle, anche se cercava di contenersi. «E stavolta nessuno potrà dire che la biblioteca non è il luogo adatto, perché lei terrà una conferenza su un libro.»

Suor Michael rimasse di sasso. «*Io?*»

«Certo! Conor lo ha trovato, la gente ha cominciato a fare domande, lui è venuto a parlarne con lei e a proporle di tenere una conferenza.»

Questa volta fu Conor a restare di sasso. «*Io?*»

Miss Casey guardò suor Michael. «Mi sbaglio, o è proprio quello che cercavamo? Aveva detto che me ne sarei accorta quando l'avessi trovato.»

Suor Michael annuì. «È proprio così.»

All'improvviso, però, Miss Casey parve scoraggiata. «L'unico problema è che non riesco a capire dove ci porterà.»

Nemmeno Conor lo capiva, ma Suor Michael non era preoccupata per questo. Era un buon inizio, disse, ed era quello l'importante. E poi non aveva alcun senso interrogarsi sul futuro. «Perché oggi siamo vivi, ma domani chissà.»

45

Su un aereo che stava atterrando a Stansted, Jazz spense il suo Kindle e prese la borsa. I voli per Londra erano sempre molto richiesti dagli impiegati della compagnia aerea e lei era stata fortunata a trovare due posti che coincidessero coi suoi due giorni di riposo.

Le sembrava ancora strano uscire dalla metro e camminare fino a casa, sapendo che sua madre non sarebbe stata lì ad aspettarla. Aveva il sospetto che lei morisse dalla voglia di sapere se la casa era cambiata, ma quello era chiaramente un argomento off limits, pertanto non ne parlavano mai. Anche il divorzio più sereno del mondo si lasciava dietro strascichi di gelosia che poi esplodevano quando meno uno se lo aspettava.

In passato, tornare a casa significava essere accolta dal profumo del pane o della cena in forno. Adesso invece in frigo c'erano solo pasti precotti e confezioni di salmone affumicato. La cucina era immacolata e il tavolino dove la madre amava tenere pile di libri serviva soltanto come appoggio a suo padre per mettere l'iPhone sotto carica. Da piccola, Jazz voleva sempre mettere i suoi libri accanto a quelli della madre. Tutti i venerdì dopo la scuola, andavano insieme in biblioteca a scegliere i volumi che si sarebbero portati nel Norfolk e, sulla strada del ritorno, cariche di libri, si fermavano al parco a dar da mangiare agli uccellini.

A ripensarci adesso, Jazz si rese conto che probabilmente le storie per bambini che leggevano insieme piacevano alla madre almeno quanto piacevano a lei. Hanna, quand'era bambina, non aveva letto molti libri. Jazz non se ne stupiva, visto che la nonna alzava ancora gli occhi al cielo ogni volta che si parlava di lettura. Doveva essere stato strano crescere senza aver letto nemmeno un libro di Edith Nesbit o di Frances Hodgson Burnett, anche se forse le loro storie ambientate nell'Ottocento avevano poco a che fare coi ragazzini irlandesi che vivevano un secolo dopo. In fondo, però, nemmeno l'infanzia di Jazz aveva granché in comune coi protagonisti di *Piccole donne* o *Pollyanna*, ma leggere gli stessi libri che leggevano i tuoi amici ti dava un senso di appartenenza, ed era stato proprio per timore di perdere i compagni che all'inizio Jazz aveva preso così male il trasferimento in Irlanda. Col tempo, però, si era sistemato tutto e lei, oltre a mantenere i suoi vecchi amici, se n'era fatta di nuovi.

In cucina trovò un bigliettino del padre in cui c'era scritto che aveva prenotato un tavolo al ristorante e che l'avrebbe aspettata lì. Dopo essersi fatta la doccia e aver asciugato i capelli, arrivò il momento di decidere cosa mettersi. Secondo le regole della sua compagnia aerea, anche i dipendenti non in servizio, a bordo di un loro volo, dovevano indossare comunque la divisa. Per un attimo accarezzò l'idea di fare uno scherzo al padre e presentarsi al ristorante con l'uniforme da hostess e il cappellino un po' rovinato da tutte le ore passate schiacciato dentro un armadietto, poi però si rese conto che non sarebbe stato carino, visto che il padre le aveva fatto una bella sorpresa prenotando nel suo ristorante preferito. Alla fine, optò per un vestito grigio attillato con una cintura in vita color verde scuro, cui abbinò un paio di scarpe col tacco a spillo e uno scialle di cashmere. Non c'erano dubbi che la donna elegante che camminava per le strade di Londra fosse molto diversa dall'efficiente hostess in uniforme che lavorava sui voli di linea o dalla ragazza che girava per il Finfarran in jeans e stivali. All'inizio la cosa l'aveva un po' confusa, ma ormai aveva superato quelle apparenti contraddizioni e, comunque si vestisse, si sentiva perfettamente se stessa e a suo agio.

Arrivata al ristorante, trovò il padre già seduto al tavolo ad aspettarla. Indossava un bell'abito sartoriale ed era elegante come tutti gli altri uomini presenti nel locale. Quando la vide, si alzò subito e l'abbracciò stretta, per poi scostarle la sedia e farla accomodare. Una bottiglia di champagne era pronta accanto al tavolo e, non appena lei si fu seduta, arrivò subito il cameriere a versarlo. Era bello sentirsi coccolata dopo una settimana di lavoro. Il padre ordinò anche per lei: foie gras e insalatina, poi l'agnello che, oltre a essere la specialità del giorno, era anche il piatto preferito di Jazz, condito con una salsa fatta dallo chef in persona. Sorridendole, Malcolm la guardò e le propose di prendere anche un piatto di patatine fritte.

«Ma dai, papà!»

«Perché no? Ne andavi matta.»

«Sì, certo, quando avevo dodici anni!»

«Le patatine fritte non passano mai di moda.» Poi guardò il cameriere, che rispose immediatamente.

«Lo chef sarà felice di prepararvene un piatto, signori.»

«Perfetto, grazie.»

Certo, in quel ristorante il servizio era tutta un'altra cosa rispetto a quello che succedeva a bordo, ma Jazz era certa che lo chef, impegnato a preparare piatti da guida Michelin, non si sarebbe sporcato le mani con delle patatine fritte e avrebbe costretto un suo sottoposto di cucinarle. Il cameriere aveva solo fatto una battuta. Il padre sganciava bei soldi per mangiare lì, e i camerieri lo ricambiavano accontentando ogni suo capriccio. Così erano tutti felici, o almeno questo pensava lui.

Quella sera Malcolm voleva viziare un po' la figlia. Infatti, come dessert ordinò un dolce di meringa, miele, cioccolato fondente e lime, tutti ingredienti per cui lei andava matta. A fine pasto, poi, mentre prendevano il caffè, le parlò della nonna: sarebbe arrivata a Londra la settimana dopo e voleva fare un po' di acquisti e andare alla mostra floreale che si svolgeva tutti gli anni all'Hampton Court Palace. Sarebbe stato bellissimo se Jazz avesse potuto passare del tempo con lei.

Jazz, un po' infastidita, prese uno dei cioccolatini che il cameriere aveva portato su un piattino insieme al caffè. Le dispiaceva non vedere nonna Lou, ma davvero il padre pensava che lei potesse prendersi giorni di ferie a piacimento? Lui allora le si avvicinò, guardandola con bonaria aria di rimprovero: la nonna ormai era vecchia e la sua nipotina le mancava tanto. Non poteva proprio passare una settimana con lei in giro per negozi?

«Una settimana!? Mi licenzierebbero subito, se solo mi azzardassi a chiederlo!»

Malcolm si mise a girare lo zucchero nel caffè. «E sarebbe poi questa grande perdita? So che fare la hostess ti piace perché puoi viaggiare, ma non è un lavoro serio. Non credi sia ora di pensare un po' al tuo futuro?» Un suo amico aveva un'agenzia di viaggi, avrebbe potuto farle fare uno stage ai piani alti, se lei avesse voluto.

«Ma io non voglio. Mi piace il lavoro che faccio.»

«Sì, lo so, ma lì avresti buone possibilità di fare carriera. Certo, avrei preferito che andassi all'università...»

Jazz raddrizzò la schiena di scatto, facendo tremare la tazzina sul piattino. «Lo so benissimo, anche perché non perdi occasione di farmelo pesare. Sono davvero stufa di ripeterlo, papà: ho fatto una scelta diversa.» Lui pareva afflitto, ma Jazz non gli lasciò il tempo di rispondere. «E non ho nessuna intenzione di fare uno stage, perché io un lavoro ce l'ho già. Un lavoro che mi piace e in cui sono brava. E guarda un po', pure se a te non interessa, sto anche per ricevere una promozione. Ma tanto tu penserai sempre che non è un lavoro alla mia altezza. Anzi, alla *tua* altezza, perché scommetto che ti vergogni perfino di parlarne coi tuoi amici!» Aveva sempre saputo che al padre non piaceva il suo lavoro, ma credeva che col tempo lo avrebbe accettato. «Ho un appartamento, papà, che condivido coi miei amici. Ho la mia indipendenza e, per quanto tu possa trovarlo assurdo, ho anche dei progetti per il futuro, che non prevedono affatto farmi raccomandare dagli amici di mio padre.» Mentre sbraitava, Jazz pensò che parevano due gocce d'acqua in quel momento. La madre le diceva sempre che, quando erano arrabbiati, si assomigliavano molto, solo che il padre non perdeva mai la calma, mentre lei avrebbe tanto voluto mettersi a piangere. «E risparmiati anche tutte queste storie su nonna Lou che sente la mia mancanza, perché tanto lo so che cerchi solo di prendere due piccioni con una fava. Vorresti che lasciassi il mio lavoretto da due soldi così tu avresti trovato la schiavetta che si occupa delle tue pubbliche relazioni. Be', scordatelo. Anzi, dimmi un po', perché non lo fai fare a Tessa? Forse perché anche lei ha una carriera alla quale pensare e la sua vita non gira intorno a te?»

Un'espressione che non aveva mai visto adombrò il viso del padre.

Ma Jazz ormai era troppo arrabbiata per fermarsi. «Io non sono la mamma! E lo scopo della mia vita non è farti contento. Vedrò nonna Lou quando vorrò e potrò, non quando fa più comodo a te!»

Seguì un lungo silenzio, durante il quale Jazz fu costretta a mettesi lo scialle sulle spalle perché aveva freddo, poi si rese conto che stava evitando d'incrociare lo sguardo del padre, allora decise di fissarlo dritto in faccia.

Era pallido e teso e, quando finalmente le rispose, la voce era bassa e gli occhi gelidi. «Non credo sia il caso di tirare in ballo Tessa, adesso. È del tuo futuro che stiamo parlando e a me sembra che tu voglia gettarlo nella spazzatura. Perché è questo che stai facendo, Jazz, e se sei troppo immatura per rendertene conto, allora non c'è niente che io possa fare per aiutarti.»

Si guardarono in cagnesco per un momento, poi il padre distolse lo sguardo e un istante dopo era del tutto trasformato, aveva un'espressione totalmente diversa e pure la voce era tornata calma e suadente. Le disse che si erano comportati come due sciocchi, e forse era colpa sua, oppure dello champagne! O delle patatine fritte! In ogni caso, non era successo niente di grave. Lo stage era solo un'idea. Se non le interessava, non aveva importanza. Quindi le sorrise, con la faccia dispiaciuta. E Jazz, senza neanche rendersene conto, rispose a quel sorriso. Il padre chiamò il cameriere, che arrivò subito con altre due tazzine di caffè e una bottiglia di brandy.

«Non hai appena detto che abbiamo bevuto troppo?»

«Posso anche sbagliarmi, a volte. Magari abbiamo bevuto troppo poco.» Sollevò il bicchiere e le fece l'occhiolino. «Pace?»

E quando lei alzò a sua volta il bicchiere, lui le baciò la mano.

Tornati a casa, Malcolm le disse di andare a letto perché si vedeva che non si reggeva in piedi. Non sapendo bene se fosse per il sonno o per il troppo alcol, Jazz salì le scale con le scarpe in mano e lo scialle che le faceva da strascico. Quella lunga giornata e la lite col padre l'avevano sfiancata. Tra l'altro, era stata tutta colpa sua, perché lui aveva voluto solo aiutarla. E l'ultima cosa che Jazz pensò, mentre poggiava la testa sul cuscino, fu che era stata una stupida a rovinare quella bella serata per una cretinata del genere.

Alle prime ore del giorno, si svegliò con una sete bestiale, allora si alzò e andò in bagno. E mentre stava lì in piedi scalza col bicchiere in mano le tornò in mente una scena della sua infanzia. Il padre era tornato a casa tutto felice dopo aver vinto una causa importante che gli avrebbe assicurato una bella promozione. Entrato in cucina, si era messo a ballare con sua madre e poi aveva detto una cosa che Jazz non aveva più dimenticato: l'unico modo per essere un vincente è far sentire stupido il tuo avversario.

46

Hanna incontrò di nuovo Brian Morton fuori della biblioteca di Lissbeg. Dopo averle stretto la mano, lui le spiegò che si trovava in città per una riunione e che stava pensando di mangiare un sandwich da qualche parte. Hanna invece, che si era portata il pranzo da casa, stava andando a prendere un caffè. Attraversarono quindi Broad Street ed entrarono da Aideen e Bríd, poi si fermarono a chiacchierare sul marciapiede e Brian le propose di cercare un posto in cui sedersi e mangiare.

«Mica facile, visto che neanche qui hanno i tavolini», commentò Hanna, poi si guardò intorno e fece una smorfia. «Io di solito torno dentro e mangio in biblioteca.»

Brian reagì a quell'affermazione scuotendo deciso la testa. Tutti hanno bisogno di staccare un po' durante la pausa pranzo, le disse, e soprattutto quando c'è il sole si deve mangiare all'aria aperta. Dribblando le macchine, la condusse allora fino alla panchina accanto al vecchio abbeveratoio. «Non è proprio come stare al parco, ma almeno possiamo sederci al sole.»

Hanna non era sicura di volersi mettere a mangiare insieme a Brian in pieno centro, dove la gente che passava poteva vederli, ma si sentì una stupida per averlo pensato e allora poggiò il caffè sul bordo dell'abbeveratoio e tirò fuori il suo panino. Non fece neanche in tempo a scartarlo, che le arrivò un messaggio sul cellulare.

PUOI DIRE A QUEGLI IMBECILLI GIÙ A LISSBEG CHE NE HO ABBASTANZA DELLE LORO ERBACCE

Hanna brontolò. «Mi deve scusare. Se non rispondo subito, ne manderà altri a raffica.» *Ti chiamo dopo*, scrisse senza tanti giri di parole e, per giustificarsi, spiegò a Brian che il messaggio che le era arrivato era di sua madre. «La gente continua a portarle a casa piantine di tutti i tipi e lei pensa che siano erbacce.»

«Perché le portano piantine?»

C'era una risposta a quella domanda, una risposta studiata a tavolino da suor Michael. Nelle ultime due settimane, Hanna l'aveva usata così spesso che ormai le veniva in automatico. Oliver, spiegò, aveva trovato un libro che si chiamava *Il giardino di Dio*. A Conor era piaciuto talmente tanto che aveva cominciato a parlarne a tutti e così la gente si era appassionata. «In questo modo mi sono ritrovata con suor Michael che teneva una conferenza in biblioteca al riguardo e mezza penisola che mi riempiva di piante e piantine.»

«Ma perché?»

«Eh, non lo so. Quella donna è una forza della natura. Ha detto di voler tenere la conferenza e io le ho dovuto dire di sì.»

«No, intendevo: come mai la gente vi porta tutte queste piantine?»

«Perché chi era presente alla conferenza ha deciso che sarebbe stato bello poter riportare il giardino del convento al suo vecchio splendore. La maggior parte delle piante, infatti, col tempo sono morte.»

«Fantastico.» Brian bevve un sorso di caffè e la guardò da sopra il bordo del bicchiere. «Lei però non ne è tanto convinta, vero?»

C'era una risposta studiata e precisa anche per quella domanda, perché – esattamente come aveva previsto suor Michael – la fama di persona acida che Hanna si portava dietro avrebbe giocato a loro favore. Seguendo pedissequamente le indicazioni della suora, Hanna per tutta la conferenza si era dimostrata contraria all'idea. Quando poi la gente aveva cominciato a organizzarsi e a discutere di quel progetto per il giardino, lei era rimasta indifferente, il che non aveva fatto altro che entusiasmare gli altri ancora di più. In quel momento, davanti a Brian, si limitò a fare spallucce e a fingersi infastidita. Il progetto in sé non aveva niente di male: il problema era che la biblioteca era diventata il loro quartier generale.

«E perché questo la disturba? In fondo, è un progetto nato grazie a una conferenza su un libro.»

«Sì, ma la biblioteca di Lissbeg non organizza conferenze, né tantomeno progetti.»

Brian sorrise. Certo, un via vai di gente che si presentava in biblioteca e a casa sua con piante e piantine varie doveva essere fastidioso, almeno quanto avere una mamma anziana che se ne lamentava in continuazione mandando messaggi a raffica.

Brian era stato così simpatico che Hanna si sentì in colpa per avergli mentito, e solo in quel momento capì le remore di Conor, che a sua volta si sentiva in colpa di non poter dire la verità ad Aideen. Proprio quella mattina, però, Hanna lo aveva liquidato senza troppi complimenti sentenziando che, se si cominciava a fare eccezioni, poi non ci si fermava più. E quindi, seduta sulla panchina accanto a Brian, abbassò lo sguardo e si concentrò sul suo panino, finché poi lui non cambiò discorso. Per caso sapeva dove si trovava quella certa spiaggia di cui aveva tanto sentito parlare? Gli avevano detto che era dalle parti di Crossarra, piccolina e un po' fuori mano, ma perfetta per guardare le foche.

Quella spiaggia Hanna la conosceva eccome e, ben contenta di avere qualcos'altro di cui parlare, cercò di spiegargli come arrivarci. Bisognava prendere la strada da Carrick verso Ballyfin e poi imboccare una stradina sulla sinistra, che però era facile non vedere.

«Non sarà forse vicino a quella casa orrenda coi vetri colorati sulla porta e il vialetto di ghiaia? Nessuno potrebbe non vederla, quella.»

«Soprattutto io, visto che ci vivo.»

Brian diventò paonazzo, poi cercò di farfugliare qualcosa ma alla fine scoppiò a ridere.

«Non c'è problema, davvero», disse Hanna. «Orrenda è una definizione perfetta. E comunque non è casa mia, ma di mia madre.» La bruttezza, gli spiegò, era uno dei motivi per cui se ne voleva andare, insieme al fatto che lei e sua madre – a parte piante, piantine, messaggi e il sanguinaccio a colazione – non erano proprio compatibili. Per questo era nato il progetto di restauro che vedeva coinvolto Fury. Accorgendosi, però, che Brian pareva non capire e sentendosi ancora un po' in colpa, Hanna si ritrovò a spiegargli il motivo per il quale era tornata nel Finfarran. «Quando il mio matrimonio è finito, me ne sono voluta andare. Sono tornata a casa, insomma, e adesso muoio dalla voglia di avere un posto tutto per me.» E lo voleva anche perché sperava di ritrovare un po' di privacy. Ma allora come mai stava confidando tutti i fatti suoi a un perfetto sconosciuto?

Dopo pranzo, arrivò in biblioteca un gruppetto di mamme che si andò a sistemare a uno dei tavoli. Tra le altre, c'era anche Susan della *guesthouse* alla vecchia fucina, che si era unita al gruppo di volontari che intendeva riportare il giardino del convento all'antico splendore. Pure Gunther, il marito, dava una mano, e adesso era lì a ripulire le aiuole sotto l'attenta guida di suor Michael. La figlioletta Holly, invece, giocava al sole in giardino insieme agli altri bambini. Dentro, Susan e le altre mamme stavano prendendo appunti. Avevano fotocopiato le pagine del libro che raffiguravano il modo in cui erano state le aiuole in passato. Facendo confronti incrociati tra le fotocopie e un altro libro del catalogo della biblioteca, Susan stava stilando una lista di piante e erbe aromatiche da piantare, mentre Darina Kelly, con addosso un caffettano sudicio, cercava di classificare i vari fiori che la gente aveva portato. Quando era rientrata dal pranzo, Hanna aveva visto il figlio di Darina, trasandato come al solito, che correva come un matto in giardino. Darina in quel momento stava togliendo alcune piantine dai vasi e, senza accorgersene, fece cadere tutta la terra sul tavolo. Hanna stava per aprire la bocca, ma prima che potesse fiatare Susan aveva preso un foglio di giornale e aveva riparato il danno, raccogliendo la terra caduta e poggiando sul foglio i vari fiori ed erbette. Un'altra donna andò a sedersi vicino a Darina e l'aiutò a confrontare i fiori con le foto contenute in un erbario moderno.

Hanna si tranquillizzò. Al tavolo chiacchieravano, ma visto che a parte loro in biblioteca c'era solo Oliver – che in quel momento stava cercando il suo libro in mezzo a quelli d'ingegneria elettronica –, decise che in realtà non c'era bisogno di zittirle. Accendendo il computer, si chiese come mai avesse accettato di pranzare con Brian Morton senza batter ciglio. Forse perché era bello poter parlare a qualcuno della casa di zia Maggie, dove i lavori stavano facendo passi da gigante.

47

Quella sera, dopo aver chiuso la biblioteca, Hanna fece un salto a casa di zia Maggie e ci trovò Dan e Fury che lavoravano all'impianto elettrico. Il nuovo tetto era splendido, le pareti interne erano intonacate di fresco e c'erano porta e finestre nuove, tutte di legno, che Fury aveva montato senza neanche chiederle il permesso. L'odore di muffa non si sentiva più: la casa ormai odorava di vernice fresca e segatura. Perfino la stanzetta aggiuntiva era quasi terminata. Appena Hanna mise piede in casa, Demonio si fiondò fuori della camera da letto, ricoperto di trucioli di legno.

Fury, che era accovacciato a sistemare una presa di corrente, la guardò dal basso. «Le finestre non ti piacciono.»

«Sì, invece. E mi piace molto anche la porta.»

Lui allora si tirò su, attraversò la stanza e sollevò un telo. «E di questi che mi dici?»

Erano quattro bellissimi mobili da cucina con tanto di forno e fornelli che aspettavano solo di essere montati. Fury spiegò che li aveva presi da un amico, il quale a sua volta li aveva recuperati da una casa al mare di non so quale banchiere di Dublino. Erano stati usati un paio di volte in dieci anni e poi il banchiere li aveva venduti a una tizia cretina che non gradiva le cose di seconda mano. Hanna esitò un momento, perché non aveva capito se si riferisse a lei. Fury, vedendo la sua espressione, alzò subito le braccia al cielo.

«Cos'è questa faccia? Che cos'hanno che non va? Valgono una fortuna, sono stati usati pochissimo e sono riuscito a prenderli a un prezzo ragionevole. Mettici sopra un bel piano di lavoro in ardesia e vedrai che figurone faranno!»

«Sì, ma...»

«Ma cosa? Ti sei dimenticata che quando stavi a Londra giravi per robivecchi a cercare cose vintage da riciclare? E questo non è sempre riciclo? Sarebbe stato da stupidi lasciarli dov'erano e farseli sfuggire.»

Guardandoli un po' meglio, Hanna capì che in realtà il forno non era stato addirittura mai usato. Così alla fine capitolò, merito anche del bel grigio tortora degli armadietti. «Sei sicuro di averli pagati?»

«Senti, ragazza. I miei amici non sono scemi, non me li avrebbero certo regalati.»

«Sì, però duecento euro...»

«Che dici? Non lo sai che a caval donato non si guarda in bocca?» Qualche secondo dopo, Fury la prese per un braccio e la portò fuori. Il lavello mancava, spiegò, perché un cretino l'aveva spaccato con una martellata quando avevano portato via tutto. Perciò quello avrebbero dovuto rimediarlo altrove, insieme al piano da lavoro.

Dopodiché, senza neanche rendersene conto, Hanna si ritrovò seduta nel furgoncino di Fury, col cane confinato dietro offesissimo per non essersi potuto mettere accanto al padrone. Quando Fury si era messo al volante, le aveva consegnato un grosso pacchetto avvolto in un foglio di giornale. Non avendo la minima idea di dove sarebbero andati, lei si era poggiata il pacchetto sulle ginocchia e con una mano si era tenuta alla maniglia, cercando di non farsi sballottare di qua e di là. Quando finalmente Fury parcheggiò sotto il porticato del castello dei de Lancy, Hanna tremava tutta, dalla testa ai piedi. Si guardò intorno, sorpresa. «Che diavolo ci facciamo qui?»

Sentendo che il gatto era nelle vicinanze, Demonio si

fiondò contro la portiera. Fury scese, andò ad aprirgli e il cane schizzò via in cerca del gatto. Hanna scese dall'auto col pacchetto ancora in mano. Senza dire una parola, Fury la prese di nuovo per un braccio e la portò sul retro, dove un gatto nero sulla tettoia di un lavatoio stava soffiando contro il povero Demonio. Fury allora lo cacciò via e il cane tornò in macchina. Poi, guardando Hanna con aria trionfante, aprì la porta del lavatoio e lei vide un vecchio catino in rame che rifletteva la luce del sole, un mangano ammuffito appoggiato al muro e infine, incassato in uno spesso ripiano in ardesia, un grosso lavandino di ceramica.

48

Dieci minuti più tardi, dopo un'animata discussione nel lavatoio, Fury l'accompagnò nell'atrio del castello. Arrivati lì, fece un urlo e subito rispose con un altro urlo Charles Aukin, che apparve in cima alle scale. «Salite, sono in biblioteca!» E, dopo averli incoraggiati a salire con ampi gesti delle mani, sparì di nuovo.

Fury allora afferrò un'altra volta il braccio di Hanna con quelle sue dita ossute e la portò di sopra. Charles, elegantissimo come al solito nel suo bell'abito sartoriale e le pantofole di pelle ai piedi, fece loro strada e aprì la porta di una stanza che ad Hanna pareva uscita dal romanzo *Cranford* di Elizabeth Gaskell.

Nel Settecento i de Lancy avevano deciso che la casa di un gentiluomo dovesse avere un posto in cui poter entrare in contatto coi classici. La stanza in questione era completamente rivestita in legno di mogano, con ripiani smaltati su cui spiccavano busti di Platone e Aristotele, e con un enorme scrittoio dotato di calamai in ottone e di lampada con paralume. C'erano sedie dall'alto schienale e un camino con cariatidi ispirate all'Acropoli. La collezione di libri era stata acquistata in un unico blocco dalla famiglia de Lancy.

Hanna si figurò il carico completo che arrivava al castello con tanto di stemma famigliare su ogni volume. Dovevano aver speso un bel po' di soldi per una cosa del genere, ma certo non una follia. Questo non la stupiva. Guardando gli scaffali pieni di volumi rilegati in nappa di vitello, coi caratteri cesellati e il dorso color vinaccia, Hanna pensò che la maggior parte non doveva essere mai stata aperta. Sui ripiani più bassi o impilati disordinatamente sui tavoli c'erano volumi rilegati che raccoglievano i numeri di riviste storiche come *Punch*, *The Illustrated London News* e *Horse & Hound*. Questi ultimi si vedeva che erano stati sfogliati e che non erano antichi come gli altri, mentre le opere di Shakespeare, i sermoni e i vari trattati di filosofia e religione facevano solo da arredamento.

Per un momento Hanna pensò che l'avessero portata lì per chiederle un'opinione professionale su quella collezione, ma poi si rese conto che era una sciocchezza. Fury l'aveva presentata semplicemente come una persona per cui lui lavorava e Charles Aukin non aveva nessun motivo per ritenerla una bibliotecaria. Quando un attimo dopo Fury la richiamò schioccando le dita neanche fosse stata il suo cane, Hanna si rese conto di aver ancora in mano il pacco che le aveva dato. Glielo restituì subito, e lui si rivolse a Charles. «Sai che c'è un bel lavandino antico giù nel lavatoio?»

Charles rispose che in realtà lui non sapeva neanche di avere un lavatoio.

«Smettila, Charles Aukin, sai esattamente tutto quello che possiedi. Non c'è un sassolino o una pagliuzza qui dentro su cui tu non abbia messo le mani.» E dopo averlo guardato storto, Fury andò allo scrittoio e scartò il pacco.

Hanna rimase senza fiato nel vedere che cosa conteneva. Era un leggio di legno con due foglioline d'ottone attaccate a una bacchetta su cui si poggiavano i libri. Sulla bacchetta erano intagliate bacche e foglie che richiamavano le venature dell'ottone.

Fury lo poggiò sullo scrittoio e lanciò un'occhiata a Charles Aukin. «Scommetto che lo rovinerai di nuovo non appena sarò uscito da qui.»

Charles si fece da parte, lasciando che Hanna toccasse gli intagli. Fury, nel frattempo, con le mani infilate nelle tasche bucate della cerata, si mise a osservare le cariatidi del camino. Hanna non riusciva proprio a capire come gli fosse saltato in mente di trasportare un capolavoro del genere avvolto in un fogliaccio di giornale.

«Le interessa vedere il libro per cui è stato originariamente costruito?» le chiese Charles con un'espressione sorniona. Attraversò la stanza e aprì uno dei cassetti della libreria. Un secondo dopo, tornò da lei con una scatola di cartone in mano. Ne sollevò il coperchio e tirò fuori un salterio medievale, lasciando Hanna a bocca aperta.

Mentre lei lo guardava con gli occhi sgranati, Charles prese il libro e lo adagiò sul leggio. Era una raccolta di salmi in latino con tanto di capolettera miniati e illustrazioni a margine delle pagine. I colori erano brillanti come se fossero stati appena dipinti. Hanna aveva visto foto di manoscritti simili nelle grandi biblioteche d'Europa. Aveva quasi paura a toccarlo.

Fury, invece, arrivò e lo prese senza farsi problemi. «Signore benedetto, Charles, perché non me l'hai mai mostrato?»

Charles fece un sorrisetto. «Perché non me l'hai mai chiesto.»

«Da quant'è che ce l'hai?»

«È qui da sempre.»

Hanna guardò il libro che Fury teneva in mano. Doveva risalire al VII secolo, e cioè a un'epoca in cui il castello non esisteva ancora.

Charles annuì. «Lo abbiamo avuto dopo la caduta dei monasteri.»

«Sì, ma la sua esistenza doveva essere già nota.»

«Certo, era famoso. Si tratta del *Salterio di Carrick*.»

Hanna dovette sedersi. Aveva letto del *Salterio di Carrick*, capolavoro di un antico monastero irlandese del Finfarran.

Si pensava che fosse andato distrutto quando i vichinghi avevano saccheggiato il convento.

«A quanto pare è sopravvissuto ed è finito nelle mani di un'altra comunità religiosa, che – a differenza della prima – lo ha tenuto ben nascosto. Poi però quando Enrico VIII ha avuto quello screzio col papa per via di Anna Bolena, un abate ha capito l'aria che tirava e se l'è portato via. Stando a quanto mi hanno raccontato, i de Lancy hanno pagato una bella somma per averlo, tanto che quell'abate è campato di rendita per tutta la vita.»

«E ha le prove di questa cosa?» chiese Hanna.

«Certo. Ho tutte le carte che ne attestano la compravendita.»

Fury si era messo a guardare l'illustrazione di un cervo che correva in mezzo a una foresta. Hanna si unì a lui, ammirando il corpo agile dell'animale che si muoveva tra le querce. Le corna e gli zoccoli erano dorati e le foglie verdi degli alberi erano agitate dal suo passaggio. In fondo alla pagina, in un'altra illustrazione, il cervo stava in cima a una montagna da cui sgorgava acqua come una fontana. Dalle corna dell'animale, intrecciate ai rami degli alberi, pendevano ghiande. Hanna non conosceva il latino, ma guardando l'illustrazione capì lo stesso cosa c'era scritto. «"Come la cerva desidera i corsi d'acqua, così l'anima mia anela a te, o Dio."» Guardò Fury. «È il salmo 42.»

«Altro che salmo e salmo, questa è la mia foresta! E non solo! Il libro è stato fatto coi miei alberi!»

Hanna scosse la testa. La carta che si usava nel Medioevo era fatta di stracci, non di pasta di legno, spiegò. «E comunque non è nemmeno carta, è pergamena.»

«E allora questo libro è stato fatto con le capre di Gunther!» Fury pigiò il dito sul foglio e aggiunse: «Tra l'altro, questa montagna è Lackatobbar. Ho passato l'infanzia ad arrampicarmi in mezzo a quei massi». Girò pagina e continuò: «E questa è Finfarran Head!»

Nell'illustrazione, incorniciata tra zampilli d'acqua e trombe, era raffigurato un monaco su un promontorio con un'onda gigantesca che s'innalzava verso il cielo, piena di grotteschi mostri marini.

Hanna recitò a memoria quel verso. «"Un abisso chiama un altro abisso al fragore delle tue cascate; tutte le tue onde e i tuoi flutti sono passati su di me."»

«Guarda! È Knockinver!» Fury aveva girato di nuovo pagina.

Hanna rimase senza fiato. Passava sotto quel promontorio ogni volta che andava a Ballyfin. Il monte svettava dentro il capolettera contornato dai raggi d'oro e d'argento del sole e della luna.

«"... Di giorno il sole non ti colpirà, né la luna di notte"», recitò Charles a bassa voce. «Come ho fatto a non accorgermi prima che le immagini raffigurano i nostri paesaggi?»

«Perché sei cieco, oltre che scemo!» Fury scosse la testa, sconfortato. «Spero che quell'abate se lo sia fatto pagare bene, almeno. Si vede che era sceso molto in basso se ha dovuto venderlo a un branco di selvaggi come voi.»

Hanna rimase allibita nell'assistere alla reazione dell'americano, che si limitò a prendere il libro, riporlo nella sua scatola e tornare a guardare il leggio. «Immagino che d'ora in poi non ci potrò più fare le parole crociate», disse sorridendo ad Hanna, tutto contento che il leggio fosse tornato come nuovo. «Certo non si può negare che questo qui sappia il fatto suo quando c'è da lavorare il legno.»

Solo allora Hanna capì che il restauro del leggio era stata opera di Fury. Aveva fatto un lavoro splendido, tanto da lasciarla senza parole.

Charles ripose il leggio sullo scrittoio. «Insomma, quanto ti devo?»

Fury lo guardò con aria di scherno. «Te l'avevo detto che un lavoro del genere ti sarebbe costato un occhio della testa, no?»

«Sì, perciò sii delicato nel comunicarmi il prezzo. Dovrò forse ipotecare il castello?»

«Te lo dico io cosa facciamo», disse Fury riprendendo il foglio di giornale e ripiegandolo per infilarselo in tasca. «Mi porto via il lavandino che sta giù nel lavatoio e anche un pezzo di quel ripiano d'ardesia.»

Hanna riuscì a trattenersi solo finché non tornarono al furgoncino rosso e, mentre si rimettevano in viaggio con Demonio dietro che abbaiava come un ossesso, disse che era vergognoso. Non poteva accettare di prendere il lavandino e il ripiano d'ardesia a quelle condizioni. Il lavoro che Fury aveva fatto per restaurare il leggio valeva molto di più e doveva essere pagato.

Fury si girò di scatto a guardarla. «Pensi che non lo sappia quanto vale il mio lavoro? L'avevo avvertito che non poteva permettersi la cifra che avrei dovuto chiedergli. E poi non ti ho ancora detto quanto mi devi per il lavello.»

Hanna rimase esterrefatta, e lui scoppiò a ridere. Il lavello e l'ardesia sarebbero finiti sul conto insieme ai mobili della cucina. Glieli avrebbe fatti pagare come se li avesse comprati da un comune rivenditore. Lei poteva dire quello che voleva, ma lui aveva deciso così.

«Se credi che ti abbia fregata, chiama pure le guardie. E se pensi che ti stia regalando qualcosa, fatti gli affari tuoi.» Tra l'altro, il restauro del leggio non la riguardava. Era solo affar suo e di Charles Aukin, punto e basta.

49

Seduta al tavolo della cucina, Mary Casey versò un Martini a Pat Fitz e una lattina di Guinness a Ger. Lei e Pat si erano incontrate sulla corriera mentre andavano a fare la spesa a Carrick come ogni settimana e avevano mandato un messaggio a Ger per dirgli di andare a prendere Pat alle sei a casa di Mary. Tanto non gli sarebbe costato niente, visto che a quell'ora sarebbe comunque passato da quelle parti di ritorno da una riunione. Mary non aveva messo in tavola noccioline o patatine perché tanto Ger non le mangiava e Pat preferiva i dolci. Avevano comprato una torta Madeira semplicissima, così avrebbe potuto mangiarla anche Ger, che aveva problemi coi denti, ma era più probabile che non l'avrebbe nemmeno assaggiata, visto che storceva il naso davanti a qualunque cosa Pat mettesse nel carrello quando facevano la spesa. Secondo Mary, la colpa delle sue cattive maniere era solo di Pat.

A ogni modo, tagliò una fetta di torta e gliela piazzò davanti. Tom Casey non si era mai sognato di rifiutare niente di quello che la moglie metteva in tavola, e di certo Mary non avrebbe permesso che Ger la trattasse come trattava quella poveretta di Pat. Quando Ger diede un bel morso alla torta, Mary guardò Pat tutta trionfante. *Se non gli fai capire subito chi comanda, gli uomini se ne approfittano*, diceva il suo sguardo. Qualche minuto dopo, però, prendendo un bel sorso di Guinness, Ger Fitz annunciò che lui e Pat sarebbero andati in Canada. Aveva lavorato come un cane per troppo tempo, disse, e adesso sembrava che finalmente tutte le sue fatiche sarebbero state ripagate. Così, per festeggiare, avrebbe portato la moglie a far visita ai figli e ai nipoti.

Mary rimase malissimo. Erano settimane che ripeteva all'amica che Ger non era come il suo Tom, che non gliene fregava un fico secco di fare contenta la moglie. E così alla fine Pat aveva smesso di farle vedere i libri con le foto del Finfarran che voleva portare ai figli, e i giocattoli e i vestiti che stava comprando per i nipoti. Visto che le settimane passavano e Ger non aveva più parlato di quel viaggio in Canada, i rimproveri di Mary erano diventati sempre più insistenti, perché Pat si era fatta illudere, era stata una stupida. E invece adesso, davanti a quel Martini, veniva fuori che aveva avuto ragione lei.

Ger finì la sua fetta di torta, dandosi arie da grande magnate. Non aveva ancora comprato i biglietti, disse, perché il viaggio dipendeva da come si sarebbe concluso un affare che stava portando avanti a Ballyfin. Mary non si lasciò sfuggire l'occasione per partire subito all'attacco: quindi, se l'affare a Ballyfin fosse andato male, sarebbe saltato anche il viaggio in Canada? Pat guardò il marito con occhi supplichevoli, terrorizzata al pensiero di veder svanire il suo sogno, ma Ger scosse il capo. No, no, l'affare sarebbe andato in porto, non c'erano dubbi. Era praticamente certo.

Quando Hanna tornò a casa dal lavoro, Pat e Ger erano già partiti, la cena era in forno e Mary Casey era seduta al tavolo con un muso lungo fino a terra. Hanna la guardò e fece un sospiro. Mary l'aggredì subito: che piacere essere salutata in quel modo, eh, neanche un sorriso o una parola di cortesia, solo facce storte e mugugni. Sapendo di non avere via di scampo, Hanna si trattenne e si sedette al tavolo con lei chiedendole cosa fosse successo. I dieci minuti successivi li passò ad ascoltare le sue lamentele e a cercare di farla calmare e ragionare, ma alla fine perse la pazienza. «Scusa, mamma, ma perché non sei contenta per Pat? È da tantissimo tempo che non vede i figli e i nipoti.»

Mary si offese. Pat era la sua migliore amica, certo che era contenta per lei. Felicissima.

«Be', se sei contenta, allora qual è il problema? Tra l'altro, mentre lei è in Canada tu potresti cominciare a uscire e andartene un po' in giro per conto tuo. Sei troppo dipendente da Pat, mamma.»

Con grandissima dignità, Mary si alzò dalla poltrona. «Non ho nessuna voglia di andarmene in giro, né tantomeno di farmi dare lezioni da te. Se la buon'anima di tuo padre fosse ancora vivo, non permetterebbe che mi si parlasse in questo modo.» Andò verso la porta e, con fare teatrale, si voltò proprio sulla soglia e pronunciò la sua battuta finale. «E stai sicura che non dipendo proprio da nessuno. Sto benissimo da sola!»

Mentre la porta sbatteva violentemente, Hanna si alzò e andò a versarsi qualcosa da bere. Il problema era che, essendo stata trattata per anni come una principessa dal marito, ormai Mary non riusciva più a mescolarsi con gli altri. Non si sarebbe mai abbassata a stare coi vecchietti del centro anziani di Knockmore perché, tra le altre cose, non avrebbe mai accettato di essere trattata come una vecchietta. Hanna sospirò di nuovo. Molti anziani che frequentavano il centro di Knockmore avevano mandato un sacco di piante a suor Michael e, visto che il progetto andava avanti, avevano perfino deciso di organizzare un'uscita tutti insieme a Lissbeg. Maurice, il fornaio in pensione, si ricordava di Tom Casey perché erano stati compagni di scuola e aveva suggerito alla moglie di chiamare Mary per proporle di unirsi a loro. Avrebbero trovato qualcuno che le desse un passaggio da Crossarra a Lissbeg, che tanto erano vicinissime. Così anche lei avrebbe potuto godersi quella giornata in compagnia. Mary, al contrario, si era molto infastidita per quell'invito. «Mi hanno chiamata ben due volte per invitarmi a questa uscita», si era lamentata.

«E quindi? Non ci vai?» le aveva chiesto Hanna.

«Non sono mica una vecchia rimbambita come loro. E comunque mi annoierei a morte a passare una giornata con quelli lì.»

Il gruppetto di Knockmore, invece, aveva trascorso una bellissima giornata a Lissbeg. Si erano fatti dare un passaggio dai vicini di casa ed erano arrivati con altre piantine per il convento, e poi stuoie e sedie pieghevoli per fare un picnic. C'era stato anche il sole, perciò alcuni di loro si erano messi a dare una mano coi lavori in giardino mentre altri erano rimasti a chiacchierare e a bere il caffè preso da Aideen e Bríd. Hanna era alla sua postazione in biblioteca quando Jean, la moglie di Maurice, era passata a chiederle se anche Mary li avrebbe raggiunti. «Sarebbe la benvenuta, Miss Casey. È per questo che ho pensato d'invitarla.»

Hanna si era inventata che la madre aveva molto da fare, ma Jean quel giorno era troppo contenta per prendersela a male. Prima di andarsene, si era guardata intorno per assicurarsi che nessuno la stesse ascoltando e aveva raccontato ad Hanna che Bríd aveva chiesto a Maurice di preparare alcune torte per il negozio. Torte per occasioni speciali, come compleanni o perfino matrimoni. Alcune persone gliele avevano chieste, ma Bríd aveva dovuto dire di no perché non sapeva farle. «Intanto proviamo e vediamo come va, ma non trova che sia un'idea fantastica, Miss Casey? Maurice finalmente si tirerà un po' su.»

Il fornaio, tra l'altro, non era l'unico che stava prendendo contatti in giro. Anche Susan e Gunther si erano offerti di fornire il loro formaggio di capra al negozio di Aideen e Bríd. Sarebbe costato la metà di quello d'importazione e, soprattutto, le ragazze avrebbero venduto un prodotto locale. Le forme sarebbero arrivate avvolte in carta oleata con tanto di logo della *guesthouse*. Susan avrebbe portato alle ragazze anche qualche volantino del loro albergo per fare pubblicità in negozio.

Guardando Jean che se ne tornava tutta contenta in giardino, Hanna aveva scosso la testa meravigliata. Si stavano creando un sacco di sinergie, esattamente secondo i piani di suor Michael.

Il picnic dei vecchietti, grazie anche agli altri tè e caffè presi da Aideen e Bríd, era proseguito fino al pomeriggio, e tutti erano stati talmente entusiasti che già si parlava di organizzarne un altro. Avrebbero potuto anche organizzare un corso d'informatica in biblioteca, al termine del quale era possibile restare un po' insieme, no?

Adesso, mentre beveva un bicchiere di vino seduta al tavolo della cucina, Hanna pensò che un corso d'informatica per principianti era proprio quello che ci voleva per la madre, se non fosse che era anche esattamente il tipo di cose che Mary Casey avrebbe snobbato. Infastidita, Hanna diede un calcio al tavolo. Pur avendo motivazioni diverse, lei e la madre erano uguali in questo: rifuggivano in ogni modo il contatto col resto della comunità.

Mary non tornò più in cucina. E quando Hanna andò a bussare alla sua porta, si era già messa a letto. La stanza era buia e la voce della madre pareva roca, come se avesse pianto. Allora Hanna, dopo un attimo d'indecisione, decise di lasciar stare: era stata una lunga giornata e né lei né Mary avevano la forza per rimettersi a discutere.

50

Un gruppo di volontari di suor Michael aveva preso l'abitudine di andare a lavorare in biblioteca. Ormai Hanna ci aveva fatto il callo. Quel giorno, verso l'ora di chiusura, Gunther – il marito di Susan –, arrivò con la figlioletta per farle scegliere un libro da portare a casa. Coi lavori del giardino si facevano passi da gigante, disse ad Hanna, e Aideen e Bríd erano perfino andate a portare caffè ai volontari. Suor Michael aveva detto a Gunther che nella cucina del vecchio convento c'erano tavolini e sedie pieghevoli che avrebbero potuto utilizzare e così lui li aveva sistemati in giardino per far sedere tutti e concedersi una pausa.

«È un vero *meitheal*, Miss Casey. È così che dite voi, no?»

Evidentemente Susan gli aveva insegnato la parola irlandese che si usava per indicare un gruppo di vicini che si uniscono per svolgere un lavoro. Hanna ricordava ancora quando il padre gli parlava di venti o trenta uomini delle fattorie della penisola che si mettevano insieme e si rimboccavano le maniche per salvare il raccolto di tutti. Holly, la figlioletta di Gunther e Susan, disse tutta seria che voleva un libro sul giardinaggio: uno grande grande, perché così avrebbe potuto aiutare il padre con le piante. Mentre Gunther accompagnava la figlia a scegliere il libro, e Susan e gli altri cominciavano a metter via le loro cose, Hanna spense i computer e riordinò la scrivania. Brian Morton si era sentito così in colpa per la figuraccia che aveva fatto parlando male della casa di Mary Casey, che Hanna per dimostrargli di non essersi offesa si era offerta di fargli vedere la strada che portava alla spiaggia delle foche.

Hanna non si era ancora tolta dalla testa il *Salterio di Carrick*. Qualche giorno prima, stava pranzando di nuovo con Brian quando si era resa conto che moriva dalla voglia di parlargliene, ma quella era una delle tante cose che non poteva dirgli. Quando lei e Fury se n'erano andati dal castello, Charles Aukin le aveva stretto la mano. «Le sarei grato se non riferisse a nessuno quello che le ho fatto vedere di sopra», si era raccomandato.

«Ci mancherebbe», aveva risposto lei.

«Non che stia insinuando che ne sarebbe capace.»

«Certo che no, non me lo sognerei neppure.»

«Se vuole, però, può parlare di tutti gli altri libri che ha visto. Così sono sicuro che i ladri non verranno.»

Hanna era arrossita e lui le aveva fatto l'occhiolino e li aveva congedati.

Una volta fuori, Hanna aveva detto a Fury che quell'uomo doveva essere fuori di testa. «Quel salterio vale una fortuna. E non mi conosce nemmeno. Avrei potuto essere chiunque. Come gli è saltato in mente di fidarsi di me?»

«Signore benedetto, ragazza, ma che vai dicendo? Si è fidato perché sapeva che eri una mia amica, no?»

L'uscita per la spiaggia era a meno di un chilometro dalla casa di Mary Casey e la strada era talmente stretta che pareva un sentiero. Hanna con la sua macchina guidò Brian, che era a bordo della propria, fino al punto in cui l'asfalto lasciava il posto alla sabbia. Allora scese dall'auto e si affacciò al finestrino di lui. «Bisogna proseguire ancora un po' e poi scendere per la scogliera.»

«Mannaggia, mi dispiace. Di sicuro non avevi voglia di farti questa sfacchinata dopo una giornata di lavoro.»

«No, non ti preoccupare. Mi piace questo posto. Da bambina ci venivo sempre anch'io per guardare le foche.»

Attraversarono le dune e arrivarono sul bordo della scogliera. Hanna andò verso sinistra, dove c'era un punto in cui le rocce formavano quasi dei gradini. Era una bella scarpinata, ma se si faceva attenzione non era pericoloso. Arrivarono giù senza problemi e Brian sfoderò subito la macchina fotografica. Davanti a loro, una famiglia di foche grigie si godeva il sole del tardo pomeriggio.

Nascondendosi dietro un masso ai piedi della scogliera, Brian riuscì a scattare diverse foto, ma poi una foca si accorse della loro presenza e diede avvio all'esodo verso l'oceano. Essendo ormai inutile continuare a nascondersi, Brian uscì allo scoperto sulla spiaggia e scattò foto alle testoline che fluttuavano nell'acqua e alle ultime foche che si tuffavano in mare.

Hanna lo raggiunse. «Sei riuscito a fare belle foto?»

«Credo di sì, ma prima dovrei vederle sul pc.»

Guardarono insieme le foche che si allontanavano nell'oceano.

«Non è stato molto carino infastidirle», disse Brian.

«Ma no, torneranno. Se non altro, tu ti sei limitato a scattare fotografie. Quand'ero ragazzina, le facevamo scappare mettendoci a ballare sulle rocce.» Un po' da incoscienti, forse, visto che una foca può anche diventare pericolosa. «Eravamo bambini, non ci si rende conto del pericolo a quell'età.»

Brian rise. «Io ho passato l'infanzia ad arrampicarmi sulle montagne di Wicklow in cerca di aquile. Non lo so nemmeno io come ho fatto a non ammazzarmi.»

Andarono a sedersi sullo scoglio abbandonato dalle foche.

Non era mai riuscito a vedere un'aquila da vicino, le disse, molto probabilmente perché non ce n'erano. «Credo di essere stato ispirato dal Jack delle storie di Enid Blyton. Stava sempre a scalare rocce e castelli coi suoi pantaloncini corti e le scarpe di gomma.»

«E una polo sopra.»

«Mi sa che tu avevi la prima edizione, quella con le illustrazioni fatte per bene.»

Hanna scosse la testa. «Io non avevo quei libri da bambina, ma li ho fatti leggere a mia figlia Jazz. L'edizione era quella con la copertina rigida di Macmillan. Mi ero innamorata di quelle illustrazioni in bianco e nero, e le ho comprato tutta la collana.»

Brian si sdraiò poggiandosi sui gomiti. Le immagini in bianco e nero avevano lo stesso effetto su di lui, disse, tanto che passava la vita a virare in bianco e nero anche le foto a colori, perché le trovava più belle. Perfino quelle che ritraevano tramonti. Le vecchie foto avevano qualcosa in più che la fotografia moderna non riusciva a catturare.

Senza riflettere, Hanna gli chiese se avesse visto la collezione di vecchie foto dei de Lancy custodita nella biblioteca di Carrick.

«No, non sapevo nemmeno della sua esistenza.»

Hanna si pentì subito di aver tirato fuori l'argomento biblioteca. Era un terreno pericoloso, e più tempo passava in compagnia di Brian Morton, più faticava a ricordare che doveva stare in guardia. Suor Michael insisteva nel ribadire la necessità di aspettare il momento giusto per uscire allo scoperto, ma ad Hanna non era tanto chiaro cosa intendesse per momento giusto e come avrebbero fatto a riconoscerlo. Tuttavia, la prima fase del loro piano procedeva bene e lei non aveva intenzione di rovinare tutto. Qualche giorno prima aveva fatto notare a suor Michael che c'era una scadenza per presentare un progetto alternativo al consiglio regionale, ma l'altra si era limitata ad annuire e le aveva risposto che lo sapeva bene, che era come quando si aspetta di iniziare il raccolto: non bisogna attendere troppo perché si rischia di perdere tutto, ma non si deve neanche cominciare troppo presto. Nel frattempo era di fondamentale importanza che nessuno sapesse del loro piano. «Silenzio e segretezza sono le parole chiave», le aveva detto con un'espressione un po' divertita. E quella sua pacata sicumera aveva convinto Hanna a seguire le sue indicazioni.

Brian le diede un colpetto di gomito. «Posso farti una domanda?»

«Probabilmente no.»

«Be', te la faccio lo stesso. Al massimo, mi uccidi e butti il cadavere nell'oceano.»

Hanna si mise a ridere. «D'accordo, allora dimmi.»

«Ti piace il tuo lavoro?»

Si era aspettata tutt'altra domanda, perciò fu presa alla sprovvista. Cercando di guadagnare un po' di tempo, lo guardò di traverso. «Potrei domandarti la stessa cosa.»

«Sì, ma te l'ho chiesto prima io.»

«Va be', se vogliamo fare i ragazzini...»

«Proprio così. Obbligo o verità.»

Hanna si morse la lingua. Se non avesse tirato fuori la storia delle foto dei de Lancy, probabilmente avrebbero continuato a parlare di foche. Con sua stessa sorpresa, però, si rese conto di avere una gran voglia di confidarsi con Brian e stava considerando la possibilità di farlo quando si accorse che dirgli la verità a quel punto avrebbe solo reso ancora più credibili le bugie che gli aveva raccontato fino a quel momento. Per un attimo esitò, combattuta, e poi cedette. No, non le piaceva molto il suo lavoro. Ed era abbastanza ironico, perché aveva sempre sognato di lavorare in una biblioteca, ma certo non in una biblioteca di provincia piena d'impiccioni. «Sono partita per Londra con grandi aspettative di carriera e alla fine me ne sono tornata a casa con in tasca solo un matrimonio finito. E adesso sono lo zimbello di Lissbeg.»

«Perché lo zimbello? Un mucchio di gente divorzia.»

«Sì, ma non tutti sono stati traditi dal proprio partner già il primo giorno di matrimonio e con un'amica di famiglia. Ho scoperto che se la spassavano tutta l'estate in casa mia, mentre io e Jazz eravamo qui in vacanza. Sai le risate che si fa la gente?» Infastidita solo a pensarci, premette i talloni nella sabbia. «Perciò, se avessi potuto scegliere, non sarei finita a lavorare in un posto in cui tutti sanno tutto di tutti. Fosse stato per me, mi sarei infilata sotto il piumone e sarei rimasta nascosta per sempre. E ti prego, adesso non dirmi che sto esagerando. Secondo suor Michael, il fatto che gli uomini riescano sempre a fregarmi è un problema loro, non mio, però non è così che mi sento io.»

Brian fissava il mare dritto davanti a sé, senza guardarla. Dal primo riferimento al marito avvocato a quando gli aveva raccontato del rapporto difficile con la madre, aveva capito che parlare della sua vita personale era doloroso per lei; e quell'ammissione rabbiosa che gli aveva fatto la rendeva vulnerabile come una bambina. Però si era fidata di lui e non dimostrarle la stessa fiducia sarebbe stato poco carino, così, sempre senza distogliere lo sguardo dall'oceano, le raccontò la sua storia.

Dopo l'infanzia trascorsa a Wicklow, Brian era stato mandato in collegio in Inghilterra perché il padre lavorava nel Golfo. Passava le vacanze con le zie. «Una cosa che fa molto Kipling o Saki, con la differenza che io le mie zie le adoravo.» Si era laureato in architettura e aveva girato un po' il mondo per fare esperienza, ma poi era tornato a Wicklow e aveva aperto una società insieme a Shane, un amico che era andato a scuola con lui, era sposato e aveva due bambini. Anche Brian si era sposato, praticamente subito dopo che era tornato a casa.

Non era facile trovare clienti, ma lui e Shane si erano impegnati tantissimo e alla fine l'attività era partita. Dopo un paio d'anni passati a ristrutturare casette e ristoranti del posto, avevano ricevuto l'offerta di lavoro che aspettavano da tempo e che avrebbe permesso loro di fare un salto di qualità. La pressione si era quadruplicata, ma i soldi erano rimasti sempre gli stessi. Se non altro, però, erano sulla strada giusta.

Brian lanciò un'occhiata ad Hanna. Probabilmente si era sentita in quel modo anche lei, quando era andata in Inghilterra. Con tantissime possibilità davanti a sé e il mondo ai suoi piedi. Poi però la sua bellissima moglie, Sandra, se n'era andata e l'aveva lasciato.

«Nel senso che se n'è andata con un altro?» chiese Hanna.

«No, è morta», disse Brian e continuò a parlare, senza lasciarle il tempo di reagire. «Scusami, sono stato un po' melodrammatico. E anche esageratamente egocentrico, ma ti assicuro che l'ho vissuta così. E non avrei mai pensato che sarebbe potuto succedere.» Era morta di cancro. Tre mesi dopo la diagnosi. «Avevo detto a Shane che volevo continuare a lavorare, che quello era l'unico modo per non impazzire. Sandra è rimasta a casa fino all'ultimo e io lavoravo da lì e ho continuato a farlo anche dopo che lei se n'era andata. Non ce la facevo a vedere la gente e Shane mi aveva rassicurato che potevo tranquillamente lavorare nel mio appartamento.» Gli tremava un po' la voce. «A breve avremmo avuto una riunione importante con un cliente. Avevamo deciso di fare prima una specie di briefing per sistemare le ultime cose, ma quel giorno non sono stato nemmeno in grado di mettere piede fuori.» Si portò le ginocchia al petto e ci si appoggiò col mento. «Lo so che sembra patetico, ma non ce l'ho fatta neanche ad aprire la porta. Avrei dovuto consegnare alcuni documenti a Shane che servivano per quell'incontro, invece mi sono chiuso dentro e ho spento il cellulare.»

«E cos'è successo?»

«Non lo so. Mi sono messo a letto e ci sono rimasto per una settimana, credo. Forse Shane sarà venuto a casa a bussare alla porta come un ossesso, ma io non ho sentito niente.

Quando alla fine sono riuscito a rialzarmi, sapevo che l'affare era sfumato.»

«O forse no, perché in fondo la tua reazione era comprensibile.»

«Sì, magari hai ragione, però io non ho voluto scoprirlo.» Aveva messo in vendita la casa a un prezzo ridicolo. Non proprio stracciato, ma abbastanza folle da trovare un compratore in un baleno. «Nel giro di una settimana la vendita era conclusa e io mi ero già trasferito a Carrick. Poi, quando sono arrivati i soldi, li ho girati direttamente a Shane.» Rimettendosi giù sui gomiti, Brian guardò Hanna. «Perché io sono così. Fondamentalmente irresponsabile, tanto nella vita privata, quanto in quella professionale. Come te, però, avevo bisogno di un lavoro ed eccomi qui. Sovraqualificato, abbastanza annoiato, ma probabilmente nel posto giusto.»

«Ma perché Carrick?»

«Guarda, non lo so. Volevo che fosse il più lontano possibile da Wicklow. E poi ci sono un sacco di montagne da scalare nel Finfarran. Magari finalmente troverò la mia aquila.»

Dopo un paio di minuti di silenzio, Hanna disse che le dispiaceva per la moglie.

«Sì, era una brava persona. Credo che ti sarebbe piaciuta.» Rimasero zitti entrambi, finché Brian non riprese la parola. «Suona sempre un po' ridicolo quando lo racconti a voce alta, non trovi? Non parlo della morte, del divorzio o del tradimento, ma della reazione.»

«Be', sì. E tu vinci il premio per la reazione più esagerata.» Hanna si pentì subito di quello che aveva detto, temendo di apparire superficiale. Guardò Brian.

Lui sorrise. «Direi che adesso basta con le confessioni. Che ne dici se torniamo a parlare di libri?»

«Direi che è meglio.»

E invece rimasero in silenzio, perfettamente a proprio agio, lì seduti a guardare il mare e ad aspettare di avvistare altre foche.

51

Nelle settimane seguenti, mentre i lavori in giardino andavano avanti, un nuovo gruppo di volontari prese a incontrarsi in biblioteca. Ogni volta che infilavano la spina del portatile nella presa di corrente sotto il tavolo, Hanna s'innervosiva e Conor la tranquillizzava. Non sovraccaricavano la rete, era solo che quel portatile era più potente dei loro pc fissi e consumava parecchio traffico dati.

Il proprietario del portatile era un tizio un po' goffo di nome Ferdia. Con lui c'era un gruppetto di quattro o cinque persone, tra cui Fidelma Cafferky, la madre di Dan. Tra i volontari in giardino invece c'era Seán Cafferky, e solo in quel momento Hanna si ricordò che l'ultima volta che aveva parcheggiato il furgoncino davanti all'ufficio postale di Carrick aveva visto Ferdia seduto alle postazioni dell'internet café che parlava con Seán. Esattamente come aveva previsto suor Michael, la rete di contatti tra la gente si stava espandendo.

Conor portò Hanna al tavolo dove c'erano Ferdia e gli altri. «Deve vedere una cosa, Miss Casey. La lascerà a bocca aperta.» Era nata da una proposta di Aideen, le spiegò, e ovviamente era ancora in fase di sviluppo, ma una volta finita sarebbe stata grandiosa.

Conor però non ebbe modo di proseguire perché Ferdia lo interruppe dicendo che non aveva senso parlare di multimedialità. Il punto centrale era l'esperienza interattiva, e Miss Casey avrebbe visto coi suoi occhi a cosa si stavano riferendo. Allora cliccò col mouse e sullo schermo apparve una scritta.

BENVENUTI NEL FINFARRAN

Hanna la guardò affascinata mentre scompariva in dissolvenza per lasciare spazio a una bellissima immagine dall'alto della penisola.

BENVENUTI AI CONFINI DEL MONDO

Ferdia cliccò di nuovo e sullo schermo comparve la mappa della penisola con una serie di link interattivi in verde.

Conor non stava nella pelle. «Visto? Alcune persone hanno deciso di lavorare insieme al progetto e Ferdia si sta occupando del sito: ci saranno le attività commerciali e i posti da visitare della penisola, con tanto di link ai singoli luoghi o ai dépliant pubblicitari. Locandine, informazioni, servizi e via dicendo.»

Fidelma diede un colpetto di gomito a Ferdia. «Falle vedere la parte sulle escursioni.»

La sezione sulle escursioni si apriva con alcune fotografie di Dan delle piogge di meteoriti, poi un video di *whale watching* e la descrizione dei vari pacchetti disponibili, insieme ai link ai bed and breakfast che facevano sconti speciali ai clienti di Dan. Erano tutte piccole realtà specializzate in cibo biologico, le spiegò Fidelma, e c'era anche una fattoria che offriva lezioni su come si costruivano muretti a secco a chi volesse rimanere sulla terraferma mentre gli amici facevano l'escursione in mare.

Continuando a cliccare, Ferdia le mostrò tutte le sezioni del sito, partendo dai graphic designer che avevano curato i banner pubblicitari, fino al negozio di articoli per matrimoni, passando per negozietti locali, centri estetici, strutture coi gonfiabili per i bambini, noleggio bici, corsi per massaggiatori e ristoranti. C'era inoltre una galleria con alcuni bellissimi scatti di un fotografo che organizzava tour nei punti panoramici più belli e insegnava a fotografarli.

«L'idea di base è promuovere la penisola presso i turisti, ma anche formare una rete di relazioni e collaborazioni tra la gente che vive qui», disse Ferdia.

Le persone sedute al tavolo annuirono in simultanea. Sì, il motivo principale era quello, disse Conor ad Hanna. Il sito comprendeva anche un forum dove si potevano postare messaggi. E tutte le attività commerciali presenti sul sito potevano caricare contenuti nella sezione a loro dedicata e taggare gli altri.

«Quindi, ad esempio, se Aideen e Bríd sfornano dei nuovi biscotti al cioccolato, il negozio di articoli per matrimoni potrebbe essere interessato perché magari li propone ai suoi clienti per farci dei sacchettini da dare agli invitati. Oppure un negozio di parrucchiere fa sapere che offrirà tagli speciali alle ragazze che partecipano al ballo di fine anno. O ancora si potrebbe decidere di mettere on line le date in cui vengono quelli che si occupano della raccolta del fieno.»

«Oppure se ci sono gruppi di persone in bicicletta che passano da qui e che molto probabilmente avranno bisogno di fermarsi a mangiare da queste parti», intervenne Fidelma Cafferky, aggiungendo che in molti bar e ristoranti della zona si sprecava un sacco di cibo. Non appena lo disse, schioccò le dita e prese un bloc-notes. «Potremmo organizzare un sistema di raccolta degli avanzi alimentari da portare a chi ha galline e maiali.»

Ferdia cliccò di nuovo e Hanna vide un paio di schermate non ancora complete e poi una pagina su cui erano elencati tutti i fiori selvatici del Finfarran. Ovviamente c'era ancora molto lavoro da fare per finire il sito, spiegò Ferdia, in termini sia di contenuti che di funzionamento, ma ci si stava impegnando. Voleva aggiungere anche una sezione sulla storia del Finfarran. Qualcuno aveva suggerito di chiedere all'editore di *Los Angeles è lontana* se fosse interessato a ripubblicare il libro in formato elettronico. L'e-book sarebbe stato caricato sulla pagina dedicata a Ballyfin e la gente avrebbe potuto scaricarlo. Ferdia allora chiese ad Hanna delle foto della collezione dei de Lancy: sapeva per caso chi ne detenesse i diritti?

Prima che Hanna potesse rispondere, però, uno dei componenti più anziani del gruppo disse che pagare per i contenuti da pubblicare sul sito era fuori discussione. Dovevano trovare un modo perché il sito si autofinanziasse, anche se al momento Ferdia se ne stava occupando gratis. Altri volontari erano impegnati a raccogliere e collazionare i contenuti, e tutti davano il proprio contributo con le loro idee. Erano molto grati a Miss Casey e a Conor per aver permesso loro di usare la biblioteca come quartier generale. Sapendo che, se non fosse stato per suor Michael, lei non l'avrebbe mai permesso, Hanna arrossì. E, con sua grande sorpresa, tutti le fecero un applauso.

«E come già le ho detto, Miss Casey, è partito tutto da un'idea di Aideen.» Conor voleva sempre dare a Cesare quel che era di Cesare.

Ma forse stavolta c'è qualcosa di più sotto, pensò Hanna. Lui e Aideen, col loro entusiasmo mansueto e il loro modo di lavorare sodo, sembravano fatti l'uno per l'altra. Era bello pensare che magari quei due potessero avere l'opportunità di vivere insieme nel Finfarran senza che uno o entrambi dovessero emigrare per trovare lavoro.

Tornata alla scrivania, Hanna guardò la locandina nella bacheca e si rese conto che mancavano solo poche settimane prima del voto del consiglio regionale. La sera precedente, bevendo uno sherry insieme, aveva di nuovo ricordato a suor Michael che c'erano delle tempistiche da rispettare per presentare un progetto alternativo, e che bisognava organizzare incontri, riempire scartoffie... Ma la suora era rimasta della sua idea. Il nuovo porto a Ballyfin faceva gola a tanti e il consiglio regionale non vedeva l'ora di avere i nuovi uffici. «Bisogna aspettare», le aveva detto. Ci voleva pazienza. «I germogli dei semi che abbiamo piantato stanno già diventando più forti.»

52

Contattare Fury al telefono continuava a essere impossibile. Se voleva parlargli, Hanna doveva andare fino a casa di zia Maggie, dove lui e Dan lavoravano sei giorni a settimana, dalle sette del mattino. Quando era lui a voler parlare con lei, le faceva uno squillo e riattaccava prima che lei riuscisse a rispondere. Hanna si era lamentata di quella situazione, ma lui le aveva riso in faccia. A volte, quando ripensava alla prima conversazione che aveva avuto con Brian, si chiedeva se Fury fosse solo ignorante o semplicemente furbo. In entrambi i casi, la sua avversione per le cose scritte si estendeva anche agli SMS. Non era tramite messaggi che si facevano gli affari, le aveva detto, né tantomeno si poteva parlare. Del resto poi era lui a chiamarla, no? Quando lei vedeva il suo nome lampeggiare sullo schermo, doveva capire che lui aveva qualcosa da dirle e quindi doveva raggiungerlo.

Una mattina, Hanna prese la macchina e andò a casa di zia Maggie così presto che l'erba era ancora bagnata di rugiada. Dan era su un ponteggio a finire di tirar su le pareti della stanzetta aggiuntiva. Demonio, ormai abituato alla presenza di Hanna, era accucciato sul sedile del passeggero della Toyota rossa di Fury e, quando la vide avvicinarsi al cancello, non alzò nemmeno la testa. Entrata in casa, Hanna trovò Fury che rimirava la credenza, ancora posizionata nella nicchia accanto al camino. La guardò anche lei e rimase senza fiato: i vetri delle ante superiori erano stati tirati a lustro e i cassetti, che prima erano tutti storti, adesso si chiudevano perfettamente. Il contenuto degli scaffali era stato tirato giù e sistemato in alcune scatole addossate in un angolo. Sia l'interno che l'esterno della credenza era stato riverniciato.

«Allora? Qual è il verdetto?» le chiese Fury senza girarsi a guardarla, il che diede modo ad Hanna di controllare la propria reazione. Il lavoro era stato eseguito alla perfezione, ma quel colore lei non l'avrebbe mai nemmeno considerato. Fury si girò e, sebbene Hanna si finse impassibile, lui capì ugualmente cosa stava pensando. «Ecco, la signora non è contenta. Quale sarebbe il problema?»

«Nessun problema, è bellissima. Solo che...»

«Cosa?»

«Non so se avrei scelto quella tonalità terracotta.»

«Tu forse no, ma Maggie sì.» Fury aveva grattato via la vecchia vernice ed era uscito fuori il colore originale della credenza. «E, pensa un po', io ne avevo ancora una latta nella rimessa.»

Hanna se lo ricordava benissimo. Era un colore tra il vinaccia e il rosso mattone, che un tempo era molto utilizzato nelle cucine del Finfarran. Nel caso di zia Maggie, era stato usato solo per la credenza, mentre altre case della penisola avevano tutta la cucina di quella tonalità. Dall'ultima volta che Hanna era andata a controllare l'andamento dei lavori, Fury aveva svuotato il camino, levigato le assi del pavimento ed eliminato strati e strati di grasso e sporcizia dal focolare. Aveva installato anche gli elettrodomestici della cucina e montato il lavandino e il piano di lavoro in ardesia. La bocca del camino era stata ridipinta di un color crema che, in effetti, stava molto bene col terracotta della credenza. Anche se Hanna l'avrebbe voluta grigia e verde.

Fury le fece segno di seguirlo fuori. In fondo al campo,

ormai completamente sgombro, il muretto di recinzione era stato riparato. Hanna lo seguì fino alle tre pietre che formavano una specie di scaletta dalla quale si arrivava alla vasta distesa verde in cima alla scogliera. Con una tavola di legno Fury aveva creato una specie di panchina che si affacciava sull'oceano e l'aveva dipinta dello stesso colore della credenza. Tirandosi su la cerata, si accomodò e invitò Hanna a fare lo stesso. La posizione era perfetta e quel colore, lassù in cima alla scogliera e con una barca rossa che passava in quel momento, ci stava benissimo. Hanna si sedette e poggiò la schiena al muretto. Sebbene fosse mattina presto, la pietra era già calda. Ai suoi piedi c'erano i fiori di statice su cui aveva poggiato i piedi e le scarpe sporche di fango la prima volta che era tornata lassù dopo anni.

Guardò Fury. «Lo sai cosa mi hanno detto di te una volta?»

«No.»

«Che la casa sarebbe stata tua finché non avessi terminato i lavori.»

Fury si poggiò al muretto e guardò il cielo, coi piedi allungati che arrivavano quasi al bordo della scogliera. «Le ho montate io le ante della credenza di Maggie. Avevo diciassette anni. Lei aveva quel vecchio barattolo di vernice che ormai era diventata colla, ma visto che non aveva i soldi per comprarne altra, io l'ho allungata con la trementina e l'ho usata lo stesso. Oggi ci metterebbero l'acquaragia, ma non è la stessa cosa. Comunque sia, ho verniciato la credenza e a Maggie è piaciuta moltissimo, al punto che mi ha perfino dato uno *scone* all'uvetta.»

Hanna ricordava benissimo gli *scone* di zia Maggie: li addolciva con l'uvetta e li faceva lievitare col latticello. Già all'epoca il bicchiere che usava come misurino stava nella credenza. Forse anche il Fury diciassettenne lo aveva tolto e messo in una scatola per poter lavorare?

«E non mi ha dato solo lo *scone*, che Dio l'abbia in gloria.

Mi ha dato la possibilità di andarmene in Inghilterra in un periodo della mia vita in cui qui non ci potevo più stare.» Fury curvò le spalle e guardò Hanna. «Era bello lavorare per lei. E capiva bene la mia voglia di andarmene.»

«Anche lei se n'era andata in Inghilterra. Tu sai perché l'aveva fatto?»

Fury assunse un'espressione impassibile. «Non me l'ha mai detto, se è questo che intendi.»

Hanna non faticava a credergli. La Maggie che ricordava lei era parecchio riservata e non c'era motivo di pensare che fosse diversa quando Fury era adolescente. Essendo più grande di Hanna, però, lui doveva aver sentito un sacco di chiacchiere al riguardo.

«E scommetto che adesso vorresti che te le riferissi, non è vero?»

«No, in realtà.»

«In effetti in giro si dice che tu sei una cui le chiacchiere proprio non piacciono.»

«Ah sì?» Hanna lo guardò interrogativa. «E tu credi a queste voci?»

Fury rovesciò la testa indietro e scoppiò a ridere. «Forse sì, ma sentirle è un conto, diffonderle è un altro.» Comunque, le disse, il fatto di Maggie era storia antica. La gente ormai neanche se ne ricordava più, anzi molti non si ricordavano più dell'esistenza di Maggie già quando lei era ancora viva. Era lo scotto che quella donna aveva pagato per la sua scelta di vivere come un'eremita.

Hanna rammentò il funerale deserto, con la bara che pareva piccolissima sotto l'alto soffitto della cappella, e i pochi presenti non parlavano con Maggie ormai da anni. Da bambina, quando la zia la obbligava a portare la torba o le faceva mangiare le patate novelle col burro, Hanna non si era mai chiesta per quale motivo fosse tanto sola. Le cose stavano così e basta.

Fury si grattò il mento. A quanto aveva sentito in giro, le

disse, di mezzo c'era stata una storia d'amore con un uomo sposato di Crossarra. Maggie era molto giovane all'epoca, perciò quando lui le aveva detto che sarebbero fuggiti insieme, lei gli aveva creduto, ma poi il prete lo aveva convinto a tornare con la moglie e Maggie era rimasta disonorata.

«Dicevano che era partita per l'Inghilterra il giorno stesso in cui lui l'aveva lasciata, poi alla fine è ritornata a casa, ma non ha mai detto a nessuno perché. Erano gli anni Trenta e non aveva niente qui in Irlanda, di conseguenza le cose in Inghilterra dovevano esserle andate parecchio male per decidere di tornare. Quell'uomo, comunque, si era già trasferito altrove insieme alla moglie. Maggie aveva la casa che le aveva lasciato la nonna e così è venuta a vivere qui. Ed è rimasta quassù da sola per trent'anni, convinta che la gente sparlasse di lei. In realtà, io credo che alla gente di lei non sia mai importato niente.»

53

Prima di andarsene, Hanna provò a ritirar fuori la questione dei soldi. Interrompere i lavori di muratura per mettersi a riverniciare la credenza era una cosa, ma se poi Fury se ne fosse uscito con altre iniziative che le sarebbero costate una fortuna? Senza un contratto, un preventivo o una scadenza, non c'era niente di prevedibile in quel progetto. E infatti non era neanche il caso di chiamarlo progetto: erano lavori e basta.

«Devi darmi almeno un'idea di quanto pensi che mi costerà tutto.»

Fury la prese per un braccio. «Adesso non ci pensare. Vieni, ti faccio vedere una cosa.»

Poggiati su un bancale c'erano i sanitari che lui aveva comprato per il bagno. Hanna ormai si era abituata al fatto che Fury avesse la tendenza a riciclare roba vecchia, perciò rimase molto sorpresa quando scoprì che in realtà li aveva acquistati in un negozio. Un tempo il suo primo istinto sarebbe stato quello di rimproverarlo per aver deciso al posto suo cosa comprare, ma ormai guardando il box doccia, il water e il lavandino l'unica cosa che le premeva era capire quanto li avesse pagati.

Fury se ne accorse e scosse la testa. «So a cosa stai pensando, ma ti sbagli. Non bisogna mai puntare sulla roba vecchia quando si parla di sanitari. Alla lunga non conviene e crea solo rogne. Per il bagno bisogna prendere cose mediamente buone e coperte da garanzia.»

Hanna ispezionò gli scatoloni sul bancale. La lavasciuga non c'era.

«Ah, be', io non la prenderei proprio, ragazza mia. Non mi fiderei di una macchina che fa due cose insieme. Compra una buona lavatrice e poi un'asciugatrice.» Le diede quindi una bella pacca sulle spalle. «Non ti preoccupare del costo, te le trovo io quelle. Magari ci vorrà un po', però puoi sempre portare la cesta dei panni sporchi a casa di tua madre e approfittarne per farvi due chiacchiere.»

Era una bella giornata di sole, così i volontari in biblioteca la invitarono a pranzare con loro giù in giardino. Hanna rimase di sasso nel vedere com'erano stati capaci di trasformarlo nel giro di poche settimane. La prima volta che ci era andata in cerca di un po' di tranquillità, c'erano solo erbacce. Adesso invece era stato ripulito tutto, le aiuole erano in ordine e anche i vialetti di ghiaia. I volontari avevano raccolto l'immondizia e i pezzi di giornale portati dal vento e rimasti impigliati tra le siepi, avevano potato gli arbusti e sistemato le rose nel cimitero, poi avevano tagliato l'erba e, all'incrocio delle quattro stradine dove c'era la statua di san Francesco, avevano sistemato sedie e tavolini intorno alla vecchia fontana, da cui era tornata a sgorgare acqua.

Mentre Hanna e i volontari raggiungevano gli altri in giardino, arrivarono anche Aideen e Bríd coi caffè. Nell Reily, a uno dei tavolini, salutò Hanna con la mano, mentre la madre era seduta sul bordo della fontana intenta a chiacchierare con suor Michael. Hanna andò da Nell, che l'accolse con un gran sorriso.

«Non è bellissimo potersi riunire tutti in questo bel giardino, Miss Casey? E ha sentito quant'è buono il caffè che fanno le ragazze? Mia madre si è letteralmente innamorata del loro cappuccino!»

Le diedero ragione anche altri vecchietti di Knockmore che stavano seduti ai tavoli vicini. Il cappuccino aveva una bella schiuma e le ragazze ci facevano sempre una decorazione sopra. E poi era bello potersi guardare intorno e non vedere solo facce vecchie decrepite, no?

Hanna si accorse allora che la maggior parte degli altri tavoli erano occupati da impiegati degli uffici vicini che erano andati lì a consumare il pranzo comprato da Aideen e Bríd. Aideen prendeva le ordinazioni e poi andava a consegnarle in bicicletta. Era una novità, come pure il Seniors' Special che presto sarebbe stato disponibile nel loro negozio: un menu completo di una zuppa e un sandwich. Gustoso e genuino, e non sarebbe costato più di un pasto completo al centro anziani. Inoltre, avrebbero potuto mangiare e bere all'aria aperta insieme agli amici. Hanna aveva sentito delle pedicure? L'infermiera che andava a Knockmore due volte al mese aveva avuto da suor Michael il permesso di utilizzare una delle stanze del convento per fare la pedicure agli anziani. Tanto lei al convento ci doveva andare comunque, perché doveva tener d'occhio suor Consuelo.

Non appena Hanna ebbe finito il suo panino, Holly, la figlioletta di Susan e Gunther, si avvicinò e insisté per accompagnarla a vedere le piantine. Venivano tutte da un libro, le spiegò, ed era per questo che ognuna aveva un numero di pagina. Confusa, Hanna si abbassò a guardare da vicino l'aiuola che la bambina le stava mostrando e, in effetti, notò che ogni piantina aveva davanti un foglietto col nome e un numerino. Le raggiunse Susan, che dovette dissuadere la bimba dal raccogliere una piantina per mostrarla ad Hanna. «Non farlo, amore. Devono mettere le radici.»

Sorridendo, Susan chiese ad Hanna cosa ne pensasse dei numeri. Erano stati un'idea di Holly e si riferivano alle pagine del *Giardino di Dio*. In fondo l'idea di riportare il giardino ai vecchi fasti era nata proprio da quel libro. Uno dei volontari stava preparando un cartello in cui si spiegava tutta la storia di quel libro che era conservato in biblioteca.

«Così se la gente che viene qui s'incuriosisce può entrare in biblioteca a dare un'occhiata al libro e leggere delle proprietà di tutte queste piante.»

Hanna pensò che la gente sarebbe dovuta andare in biblioteca a leggere cose più interessanti del *Giardino di Dio*. Gli scaffali erano pieni di libri che avevano molto più valore di quello. Suor Michael, però, le aveva fatto notare che un maggiore afflusso dei visitatori avrebbe giocato a loro favore al momento di sostenere la loro causa contro la chiusura della biblioteca. Forse Hanna avrebbe potuto mettere in bella mostra su un tavolo tutti quei libri che non venivano mai presi in prestito? O magari avrebbe potuto fare un elenco di titoli da proporre ai gruppi di lettura?

Al solo pensiero storse la bocca, e Susan le sorrise. Non era strano, le disse, che quando la gente si metteva insieme e le forze si univano sembrava di poter conquistare il mondo? Vergognandosi un po' del proprio cinismo, Hanna rispose che sì, era strano, e che l'idea dei numeri di pagina era stata grandiosa. Poi, non appena riuscì a sottrarsi a quella discussione, tornò da Nell a finire il suo caffè. Riprendendo posto al tavolino vicino alla fontana, sentì un po' di agitazione tra i vecchietti. Stava arrivando padre McGlynn.

Appena il prete apparve su uno dei vialetti di ghiaia, gli anziani lo accolsero con un coro di saluti scambiandosi sguardi furtivi. E quando lui li raggiunse, ripresero tutti a chiacchierare. Nonostante le apparenze, però, si percepiva tensione: nessuno aveva chiesto l'opinione di padre McGlynn su quelle loro gite a Lissbeg.

Infastidita, Hanna guardò il prete accettare una sedia, rifiutare un caffè e infine punire il suo gregge. Non lo fece in modo esplicito: si limitò semplicemente a essere molto freddo. Dopo pochi minuti i vecchietti, in evidente imbarazzo, si zittirono, come bimbetti sgridati dal maestro. E più provavano a carpirgli un sorriso, più lui si irrigidiva. Raggiunto il proprio scopo, il prete si alzò e, con un sorriso gelido, disse che era venuto a trovare suor Consuelo e che quindi doveva andare via.

Lanciò un'occhiataccia a suor Michael, che si alzò subito per accompagnarlo. Hanna dovette sforzarsi per non intervenire. La sicurezza di quella donna tanto amorevole pareva eclissarsi davanti all'autorità del sacerdote, sebbene fosse stata lei e non lui a dare a quei vecchietti quello di cui avevano davvero bisogno. Hanna li guardò allontanarsi, con suor Michael che camminava davanti e poi apriva la porta del convento a padre McGlynn. Gli anziani seduti ai tavoli si guardarono l'uno con l'altro, di certo chiedendosi se la mancata richiesta di autorizzazione al prete significasse la perdita del suo appoggio e della sua protezione. Tuttavia, Aideen arrivò coi caffè e i pasticcini, e loro accantonarono almeno momentaneamente quel pensiero e accolsero la ragazza con sorrisi e risate. La signora Reily si alzò per avvicinarsi al tavolo dov'era seduta Hanna. «Il prete era seccato», le disse sottovoce. «Ma se avessimo dovuto aspettare che si decidesse lui a far qualcosa, saremmo stati tutti già morti e sepolti.»

54

Erano appena arrivati i pasticcini, quando qualcosa spinse Hanna ad alzarsi e a seguire suor Michael. Scusandosi con gli altri, attraversò il giardino ed entrò nel convento dall'ingresso secondario. Aveva già imparato qual era il modo più veloce per arrivare all'appartamento delle due suore. Sentiva che doveva sbrigarsi, anche se non capiva perché. Quando Suor Michael era andata via con padre McGlynn, le era parsa tutto sommato tranquilla, ma il prete aveva un'aria di superiorità più accentuata del solito.

La porta da cui si accedeva all'appartamento delle due suore si apriva su uno stretto corridoio con la moquette, sul quale si affacciavano tutte le stanze: la cucina, il bagno, le camere di suor Michael e suor Consuelo, e il salotto. In fondo al corridoio, un'altra porta dava sulla strada. Hanna attraversò il corridoio con passo felpato, anche grazie alla moquette. Arrivò davanti alla porta del salotto, che era socchiusa, e si fermò. Aveva sentito la voce di suor Michael che, con suo grande dispiacere, pareva preoccupata. Qualcosa le disse che non era quello il momento di farsi troppi problemi, pertanto si avvicinò e poggiò l'orecchio allo stipite.

Dentro la stanza, suor Michael stava guardando incredula padre McGlynn, che era seduto sul divano e allargava le braccia dispiaciuto. Disse che era rammaricato e che sapeva che le intenzioni di suor Michael erano state le migliori del mondo, ma restava il fatto che né il convento né il giardino erano coperti da un'assicurazione di responsabilità civile perciò era impensabile permettere a un'infermiera di fare la pedicure ai vecchietti nel convento, come anche invitare la gente a frequentare il giardino. Lui era ben consapevole che lei aveva agito in buona fede, ma con quelle sue iniziative il vescovo rischiava di passare guai con la legge. Senza contare il fatto che aveva addirittura permesso a un'attività commerciale di vendere i propri prodotti su una proprietà della Chiesa! Scuotendo il capo con mestizia, il prete si alzò. Sarebbe andato l'indomani a parlare col vescovo e gli avrebbe ricordato che suor Michael era una donna anziana. Senza dubbio avrebbe capito e ci avrebbe messo una pietra sopra, ma una cosa era certa: quell'uso sconsiderato del convento e del giardino doveva finire immediatamente.

Era talmente viscido che Hanna non si trattenne e irruppe nella stanza. Padre McGlynn, in piedi accanto al camino, quando la vide sgranò gli occhi: naturalmente il fatto che qualcuno potesse entrare nell'appartamento delle suore era un altro esempio d'inammissibile permissività. Hanna lo ignorò e guardò suor Michael, che era seduta sulla poltrona, desolata. I suoi occhi tristi incrociarono quelli di Hanna, poi il prete fece un passo verso di lei e le porse la mano: era venuto a sapere di quel loro progetto riguardante il giardino del convento, le disse, e aveva appena informato suor Michael che l'indomani ne avrebbe parlato al vescovo.

E proprio in quel momento Hanna ebbe una folgorazione. Piena di entusiasmo, gli prese la mano e gliela strinse così forte che quello fece una smorfia, provando a indietreggiare. Continuando a trattenere la mano del prete, Hanna si rivolse a suor Michael. «Sapevamo che ne sarebbe stato contento, padre. Non è vero, sorella?» Ignorando lo sguardo confuso della suora, proseguì. «È molto gentile da parte sua offrirsi di parlare col vescovo! E non è magnifico pensare che forse riusciremo a garantire un futuro a questo vecchio edificio?»

Sempre attaccato alla mano di padre McGlynn, Hanna si accorse con la coda dell'occhio che suor Michael cominciava a capire. Il prete, invece, era completamente perso. Lasciando finalmente la presa, Hanna si sedette e sorrise a entrambi. Di sicuro suor Michael gli aveva riferito del progetto che volevano presentare al consiglio regionale. Padre McGlynn non trovava che fosse una follia buttare tutti quei soldi per costruire un nuovo ed enorme edificio a Carrick quando la Chiesa ne possedeva già uno di cui probabilmente sarebbe stata ben contenta di liberarsi?

Nella mente del prete si accese una lucina, ma lei non gli lasciò il tempo di fiatare e continuò a sferrare il suo attacco. «Era nostra intenzione contattarla, padre, perché ovviamente spetterebbe a lei presentare l'idea al vescovo. Tra l'altro, non ci sarebbe mai venuta in mente se non ci avesse ispirato il lavoro che ha fatto lei a Knockmore.» Suor Michael abbassò lo sguardo e annuì. A volerla dire tutta, aggiunse, l'idea di fatto era stata di padre McGlynn. E che sollievo sarebbe stato per il vescovo se la loro proposta fosse passata! Guardando il prete negli occhi, Hanna vide una gioia innocente. «E non è bellissimo come il giardino abbia avvicinato le persone? Non ci mancherà il loro sostegno adesso che la macchina è partita.» Poi, colta da nuova ispirazione, disse che il loro progetto non era ancora stato presentato al pubblico perché, ovviamente, volevano prima parlarne col vescovo. «Capisce bene, padre, che se il vescovo dovesse approvare la sua idea, nessuno oserà opporsi.» Si domandò se non avesse esagerato adesso. Di certo padre McGlynn non sarebbe stato tanto superbo da arrogarsi la paternità di un'idea che in realtà non era sua.

E invece sì: questo le dissero il sorriso soave e lo sguardo che scorse negli occhi del prete. Qualunque cosa pensasse, l'esca che Hanna gli aveva lanciato era troppo succulenta per voltarsi dall'altra parte. Gli avrebbe dato la possibilità di guadagnare punti col vescovo, ed era evidente che non vedeva l'ora di prenderli.

Fu Hanna ad accompagnare padre McGlynn alla porta e, quando tornò in salotto, suor Michael era ancora seduta in poltrona con le mani in grembo. Le brillavano gli occhi. Hanna andò alla credenza e versò un bicchierino di sherry a entrambe.

«Brindo a te, Hanna Casey. Hai avuto un'idea geniale», disse suor Michael.

«È l'ultimo pezzo del puzzle, giusto? Invece di costruire un nuovo complesso a Carrick e un porto a Ballyfin, il consiglio regionale comprerà il convento e lo farà diventare un centro polifunzionale. In questo modo, potremo continuare a lavorare nella direzione che abbiamo già intrapreso, la biblioteca di Lissbeg resterà aperta e avanzeranno un po' di soldi da investire in cose utili a tutta la penisola: strade, banda larga e via dicendo.»

«E quando ti è venuta questa idea?»

Hanna sorrise. «Nel momento stesso in cui ho aperto la bocca. E non sarebbe mai successo, se quell'ometto non si fosse presentato qui a fare lo spavaldo.»

Suor Michael alzò di nuovo il bicchiere per un brindisi. «È proprio vero: si può preparare il terreno e gettare i semi, ma il raccolto si fa quando è ora.»

Entusiasta, Hanna alzò a sua volta il bicchiere. «Dunque, convochiamo un'assemblea e usciamo allo scoperto? È arrivato il momento, no?»

«Sì, è arrivato.»

E insieme brindarono all'arrivo del momento giusto.

55

L'assemblea si tenne in biblioteca e vi partecipò tantissima gente. Nel suo intervento Hanna iniziò descrivendo il progetto del consiglio regionale, in base al quale tutti i soldi sarebbero stati investiti su Carrick e Ballyfin. «Non ho sentito una sola persona che abbia avuto il coraggio di dire che quel progetto porterà giovamento a tutta la penisola. Suor Michael e Conor, che erano lì con me, hanno avuto la stessa impressione. Dal nostro punto di vista, le domande che abbiamo fatto durante la consultazione pubblica non hanno ricevuto una risposta adeguata, però ci è stato detto che tutti i cittadini possono porre domande e dare suggerimenti online prima della votazione finale.»

A quel punto, inevitabilmente, Dan si alzò e disse che quella cosa dei suggerimenti online era una cavolata. E parvero d'accordo anche molti altri presenti, che annuirono. «Cosa volete che gliene importi se un paio di persone hanno qualcosa da obiettare? A quelli non importa niente della minoranza.»

Hanna aspettò che si placassero un po' gli animi prima di riprendere a parlare. «È proprio questo il punto», disse. Il dissenso del singolo cittadino non avrebbe avuto molto effetto, e fare opposizione non sarebbe stata la strada giusta. Bisognava invece rispondere con un progetto alternativo, una soluzione migliore: pensata, ragionata e inequivocabilmente vantaggiosa per tutti. «La cosa più importante è che abbia l'appoggio di tutta la comunità.»

Da dietro il leggio, osservò le facce dei partecipanti. La gamma delle loro espressioni andava dallo scetticismo totale al grande entusiasmo. Poi qualcuno in fondo disse che non c'erano i soldi per fare quello che dicevano. I conti li avevano già fatti i tizi in giacca e cravatta, no? Perché un progetto alternativo avrebbe dovuto funzionare meglio di quello originario?

Conor alzò subito la mano: lui c'era andato alla cosiddetta consultazione pubblica, li aveva ascoltati i tizi in giacca e cravatta ed erano solo dei lavativi. A loro importava soltanto avere una bella sedia comoda e un ufficio più grande nel nuovo complesso di Carrick. «Perché il punto è proprio questo: col loro progetto, gli unici ad avere motivo di gioire saranno quelli di Carrick e Ballyfin.»

Nelle file centrali erano seduti diversi abitanti di quelle due cittadine, che parvero intenzionati a rispondere a tono. Si alzarono cori di approvazione e fischi di dissenso, e Hanna dovette battere la mano sul leggio per fermarli e invitare tutti a mantenere un comportamento civile. «Se abbiamo convocato quest'assemblea, è anche perché il progetto del consiglio regionale è troppo sbilanciato a favore di alcuni e a svantaggio di altri. Viviamo tutti nella stessa penisola e abbiamo bisogno di un progetto che unisca la gente e le varie realtà presenti nel Finfarran.» Fece una pausa e buttò un occhio a suor Michael. Erano d'accordo sul fatto che in quell'assemblea ciò che avevano bisogno di ottenere era il consenso.

Fidelma Cafferky si alzò. «Ma con le tempistiche come la mettiamo?» Ci sarebbero volute diverse assemblee prima di riuscire a buttar giù una proposta alternativa. «Ci vuole del tempo per mettere a confronto le idee, discuterne e dare una forma al progetto in modo da poterlo presentare… Onestamente mi sembra molto poco fattibile.» Fidelma era dispiaciuta, ma la pensava così.

«E poi alla fine che differenza volete che faccia se passa questo loro progetto?» Un uomo, proprietario di una fattoria a Crossarra, si era alzato in piedi. «Tanto ormai ci hanno già portato via tutto.»

«No, no. Possibile che non lo capiate?» Ad Hanna tremava la voce, perciò cercò di calmarsi e proseguì sicura. «Se si riuscissero a fare investimenti diversi, potrebbero trarne giovamento tutti, e non solo chi guadagnerebbe con la costruzione del porto a Ballyfin o degli uffici a Carrick.» Tuttavia, Fidelma aveva ragione: c'erano solo quattro settimane di tempo per presentare un progetto alternativo, ma a onor del vero metà del lavoro era stato già fatto. L'iniziativa di riqualificazione del giardino del convento aveva fatto nascere delle collaborazioni ed era stato creato un sito web, su cui c'erano già moltissimi contenuti. «Abbiamo elenchi di nomi, attività e servizi, che sono la dimostrazione concreta di come la collaborazione abbia creato sinergie lavorative importanti. E il potenziale di crescita è enorme. Stiamo creando una rete che potrebbe far aumentare in modo esponenziale i guadagni di tutta la penisola.» Di colpo si fermò e fece un sorrisetto. «E mi meraviglia rendermi conto che sto parlando proprio come uno di quelli che Conor chiama burocrati da strapazzo.»

Il pubblico rise e l'atmosfera si distese.

Raddrizzando la schiena, Hanna guardò suor Michael e, notando il suo cenno di assenso, partì con la volata finale. «E poi no, non ci hanno portato via tutto. Non ancora. Però, se passerà il loro progetto, la biblioteca di Lissbeg chiuderà i battenti e di sicuro interromperanno anche la riqualificazione del giardino del convento.»

Una settimana dopo, in un angolo della biblioteca Hanna stava coordinando un gruppo di persone che lavorava al problema della banda larga, mentre dall'altro lato della sala Pat Fitz teneva una lezione sull'utilizzo di internet ai vecchietti di Knowckmore. Ai tavoli del giardino i volontari raccoglievano dati che illustrassero i vari aspetti del progetto che ormai di comune accordo avevano chiamato: *Progetto per il Finfarran: la penisola ai confini del mondo*. Nel salotto di suor Michael, Ferdia stava preparando uno schema cartaceo dei diagrammi di flusso usati per il sito web. Aideen e suor Michael, invece, facevano avanti e indietro per portare da mangiare ai volontari.

All'inizio, il gruppo che seguiva le lezioni di Pat Fitzgerald non aveva niente a che fare col progetto. Semplicemente, era venuta fuori l'idea di tenere un corso del genere e un giorno, mentre i vecchietti prendevano il caffè in giardino, qualcuno si era ricordato che Pat si teneva in contatto coi nipoti tramite internet. Imparare a usare Twitter e Facebook sarebbe stato un ottimo modo per cominciare. Tutti si erano detti d'accordo e, in più, Nell Reily aveva avuto un'idea: quel corso avrebbe mandato un messaggio importante al consiglio regionale. Quegli azzeccagarbugli avevano sempre una risposta pronta per qualsiasi obiezione. Se la gente avesse detto loro che chiudendo la biblioteca li avrebbero privati della possibilità di leggere, quelli avrebbero risposto che non era vero perché il furgoncino della biblioteca ambulante avrebbe continuato a girare. Quel corso, invece, sarebbe stata la dimostrazione che a essere importante era la biblioteca in sé, non solo per i libri ma anche per le varie attività che poteva ospitare.

I consensi erano piovuti da tutte le parti. Dopo l'assemblea di qualche settimana prima, Oliver era andato da Hanna e le aveva chiesto se davvero volevano chiudere la biblioteca. «Vede, Miss Casey, il fatto è che, quando ho un lavoro da portare a termine, io comincio dal principio e continuo sino alla fine, solo allora mi fermo. E per arrivare alla fine di questa mia ricerca ce ne vorrà ancora un po'. Che faccio se nel frattempo chiudono la biblioteca?»

Con grande disappunto di Hanna, Oliver il giorno dopo si era presentato con un cartellone col quale voleva manifestare davanti alla biblioteca. La scritta, tutta in maiuscolo, diceva: LASCIATEMI CERCARE IL MIO LIBRO. Per fortuna, Conor era riuscito a distrarlo chiedendogli una mano coi caffè, e a sentire Aideen Oliver ormai era diventato un barista provetto, tanto che aveva imparato anche a fare le decorazioni sulla schiuma dei cappuccini.

Prendeva gli ordini su un bloc-notes e li portava ad Aideen. Considerata la situazione, Hanna si era trovata davanti al dilemma se togliere o meno il divieto di portare bibite in biblioteca. Alla fine, però, avevano raggiunto un compromesso: qualcuno prendeva gli ordini poco prima che una lezione o una riunione finisse, e poi la pausa caffè si faceva in giardino. La soluzione era piaciuta a tutti, perché in fondo potersi sgranchire un po' le gambe non era male.

Quel che lasciava Hanna senza parole, ancor più dei consensi che la loro causa stava raccogliendo, era il fatto che la gente le stesse dimostrando grandissimo affetto. Ferdia aveva un fratello che possedeva un trattorino tosaerba e che d'estate andava a tagliare l'erba nei campi dei vicini. Era molto richiesto, ma Ferdia aveva assicurato ad Hanna che avrebbe fatto in modo di trovare un po' di tempo per passare anche da lei una volta trasferitasi nella nuova casa. Lei in realtà temeva che in futuro purtroppo avrebbe avuto abbastanza tempo libero da tagliarsi l'erba da sola, oltre al fatto che forse non avrebbe avuto i soldi per pagare qualcun altro. In ogni caso, aveva apprezzato il pensiero. Poi c'era stata Orla McCarthy, la madre di Conor, che un giorno l'aveva fermata per strada, non per parlarle di libri, ma per chiederle se le potessero tornare utili alcune sedie per la casa nuova. L'aveva portata nella rimessa e le aveva mostrato tre sedie con la seduta in paglia e una poltrona con lo schienale alto e i braccioli imbottiti. Le aveva spiegato che erano appartenute alla nonna e, quando lei era morta, le avevano sistemate nella rimessa per non buttarle. Hanna era rimasta senza parole: erano sedie antiche, ma in ottimo stato, e aveva insistito che Orla le tenesse perché in fondo erano un cimelio di famiglia. Ma la mamma di Conor aveva scosso la testa: «Sarebbe un peccato continuare a lasciarle qui nella rimessa, Miss Casey». Anche a lei piacevano molto, le aveva spiegato, ma proprio non aveva posto per metterle in casa. «Quando Conor mi ha detto che sta ristrutturando la sua casa, ho pensato che potessero tornarle comode. Badi bene, però, se le vuole gliele do gratis. Non accetterei mai dei soldi da lei, non dopo tutto quello che ha fatto per mio figlio.»

Molto toccata da quel gesto, Hanna alla fine aveva accettato l'offerta e Conor, la sera stessa, gliele aveva portate col trattore. Lei, quando aveva visto le sedie e la poltrona nel rimorchio, era rimasta un po' interdetta, ma lui le aveva assicurato che non avevano preso botte, perché tutt'intorno aveva messo sacchi di fertilizzante per ammortizzare.

Qualche giorno dopo, Hanna era alla casa sulla scogliera a parlare con Fury e aveva visto arrivare una donna con un pacco in mano. Non si conoscevano, ma la donna le aveva spiegato che era la figlia di una signora anziana di Lissbeg. «Non può ricordarsi di noi, Miss Casey, perché io e mia madre ci siamo trasferite a Lissbeg quando lei viveva a Londra. Mamma, però, ci tiene molto alla biblioteca e abbiamo saputo che si sta battendo per non farla chiudere.» Lei era una ragioniera, aveva detto, e sarebbe stata contenta di dare il suo contributo alla causa come volontaria. «Questo invece è solo un pensierino per la sua nuova casa.» Nel pacco c'era una bellissima trapunta sui toni del giallo, del verde e del grigio. «Mamma l'ha tenuta chiusa nell'armadio per anni. Temo che odori di naftalina! Però Orla McCarthy ci ha detto che le piacciono le cose antiche, così ho pensato che questa trapunta avrebbe fatto al caso suo.»

Quando la donna se n'era andata, Hanna aveva portato la trapunta all'aperto e l'aveva poggiata su un ginestrone, inspirando il profumo di cocco che veniva da quei fiorellini gialli. L'avevano raggiunta anche Fury e Demonio.

«Dovrò metterti un filo per stendere i panni come quello che aveva Maggie», aveva detto Fury.

Ricordando il profumo di sale sulle lenzuola e il cotone ruvido dei panni asciugati al sole, Hanna aveva sorriso. Il filo per i panni ci voleva proprio. Lo avrebbe messo sulla lista, subito dopo il letto e un tavolo per la cucina.

«In realtà, il letto l'abbiamo già», l'aveva contraddetta Fury, facendo un grattino sotto il muso del cane con la punta della scarpa. «Il vecchio materasso di Maggie l'ho buttato, ma la struttura del letto l'ho tenuta. È buona, tutta in ferro e ottone. L'ho lucidata e adesso è come nuova.» Spalliera e pediera del letto erano in pratica due pesantissime ringhiere. Hanna allora l'aveva guardato e Fury era scoppiato a ridere. «Aspetta e vedrai, ti piacerà. E se proprio non ti piace, lo puoi vendere e farci un mucchio di soldi, però mi devi promettere che il ricavato lo dividi con me e con Demonio.»

Hanna non era del tutto convinta. La stanza da letto era così piccola che ci sarebbero entrati a malapena un letto normale, una sedia e un cassettone, visto che c'era già un armadio a muro bello grande. Aveva passato diverse sere a dipingere l'armadio e le finestre di un bel grigio e le pareti di giallo chiaro, poi aveva scartavetrato gli interni e foderato i ripiani con una carta verde dai motivi cachemire. Come concessione al passato le pareva di essere stata già abbastanza generosa. Tenere anche il vecchio letto di Maggie le pareva un tantino esagerato, poi però, quando era tornata e Fury le aveva fatto trovare il letto rimesso a nuovo, ne era rimasta incantata. Spalliera e pediera erano dipinte di bianco panna, invece le palle di ottone sopra i quattro montanti erano rimaste del loro colore originale. Mentre Hanna ammirava il lavoro, Fury le aveva urlato dalla stanza accanto: «Ti ho ordinato anche un materasso quando sono andato a Carrick a prendere la vernice! La trapunta che ti ha portato quella donna ci starà una meraviglia!»

Hanna si sentiva fortunatissima. Eppure, nonostante la felicità, aveva anche un po' paura. Ogni giorno che passava s'innamorava sempre più di quella casa: cosa avrebbe fatto se poi avesse dovuto rinunciarci?

56

La stesura del progetto alternativo procedeva a meraviglia. Ogni sera, chiusa la biblioteca, Hanna usciva, attraversava il giardino e andava a confrontarsi con suor Michael. Feria, che aggiornava quotidianamente il documento che i volontari stavano buttando giù, le aveva prestato un portatile perché potesse tenere d'occhio anche lei l'andamento del lavoro. Il vescovo, favorevole a qualunque cosa gli togliesse dalle scatole il vecchio convento, aveva fatto sì che la nuova assicurazione sull'edificio prevedesse anche l'accesso del pubblico al giardino e, con grande gioia di suor Michael e Hanna, aveva dato istruzioni precise a padre McGlynn di fare in modo che lui non comparisse tra i sostenitori di nessun progetto, per non dare l'impressione che volesse in qualche modo arricchirsi.

Nel frattempo, si erano formati nuovi gruppi di lavoro, ognuno col compito di occuparsi di un aspetto specifico del progetto. La maggior parte era composta sia da giovani che da persone anziane, e ovviamente la diversità di punti di vista ed esperienze a volte finiva per generare conflitti. Jimmy Harty, un settantanovenne che era stato assessore a lavori pubblici, infrastrutture e trasporti, era stato inserito nel gruppo che si occupava della flora e della fauna del Finfarran e aveva finito per avere un brutto litigio con Darina Kelly, che ne era a capo. Quando il padre di Dan Cafferky aveva fatto notare a tutti che, per via della sua esperienza, Jimmy avrebbe dovuto occuparsi delle strade, era stato messo a capo di un altro gruppetto e aveva subito tirato fuori un vecchio progetto mai approvato e che, con le modifiche del caso, era stato ritenuto ancora valido. Il gruppo aveva anche coinvolto un grafico che viveva in un paesino a nord di Knockmore e sapeva usare bene il computer e adesso, secondo quanto diceva Ferdia, il lavoro procedeva.

Seduta a sorseggiare sherry con suor Michael, Hanna guardava il diagramma temporale che era attaccato alla parete. Fino a quel momento stava andando tutto secondo i piani e nel rispetto delle tempistiche stabilite, ma visto che alla votazione mancavano solo tre settimane non si potevano permettere passi falsi o rallentamenti. Tra l'altro, continuavano ad arrivare sempre nuove idee. Qualcuno aveva fatto notare che l'accesso a internet era una questione d'importanza fondamentale, così si era organizzato in fretta e furia un gruppo per fare ricerche sulle norme governative che regolavano la copertura della banda larga nelle zone rurali. L'obiettivo era quello di evidenziare quanto fosse inadeguata nel Finfarran. Nel frattempo, Hanna e suor Michael avevano deciso che, oltre a inviare il loro progetto online, c'era bisogno di preparare anche alcune copie cartacee da far avere ai consiglieri comunali che avrebbero partecipato al voto. Questo comportava correggere, stampare e rilegare, ma alla fine ne sarebbe valsa la pena. E per evitare i sabotaggi, le copie cartacee sarebbero state consegnate a mano ai consiglieri, direttamente a casa loro.

Hanna lasciò suor Michael che batteva a macchina il programma del giorno dopo sulla vecchia Remington del convento. Attraversando il giardino per andare alla sua auto, vide Susan e la piccola Holly sedute sul bordo della fontana a guardare gli uccellini che mangiavano le briciole di pane dai palmi aperti della statua di san Francesco. Hanna andò a mettersi vicino a loro e a godersi i gridolini di Holly che si divertiva a veder sgorgare l'acqua dalla fontana. Sembrava incredibile che tutto quel duro lavoro sarebbe presto finito. Col peso di una giornata eterna sulle spalle, ad Hanna parve molto più probabile che i loro sforzi non avrebbero portato a niente. Susan le diede un colpetto col gomito, indicandole Holly che guardava con gli occhi sgranati un uccellino che stava mangiando una briciola proprio accanto al suo piedino. L'espressione meravigliata di Holly le fece tornare in mente quando Jazz era piccola e tutti i giorni, di ritorno dalla biblioteca, passavano dal parco per dare da mangiare agli uccelli.

Immersa nel passato e nel futuro, Hanna impiegò quel secondo più del dovuto a rendersi conto che Susan le aveva fatto una domanda. Aveva sentito della superofferta che aveva trovato Pat Fitzgerald per i biglietti aerei? Pat stava spiegando alla classe come usare un motore di ricerca e, cliccando sul link al sito di una compagnia aerea, aveva trovato biglietti scontatissimi per il Canada. Era una rotta nuova per quella compagnia aerea, per questo era in promozione: due biglietti andata e ritorno al prezzo di uno, e per di più in business class. Erano rimasti solo quattro posti disponibili e i biglietti non erano rimborsabili, ma era un affarone, così la signora Fitz aveva preso la borsa e li aveva comprati subito.

«Stai dicendo che li ha presi senza prima consultarsi con Ger?»

«Be', pare che il viaggio fosse comunque in programma. E poi lo sai com'è Ger Fitz: taccagno come un usuraio. Così lei ha preso la carta di credito e li ha comprati, poi ha chiamato il marito per dirglielo e pare che lui non abbia fatto storie.»

Hanna si chiese se Pat sarebbe stata tanto coraggiosa, se la sua classe non l'avesse incitata a comprare quei biglietti. In ogni caso, era una bella storia e di certo quella musona di Mary Casey non l'avrebbe presa bene, o magari invece avrebbe avuto l'effetto contrario e avrebbe spinto anche lei a essere un po' più attiva. Con tutto il fermento che c'era a Lissbeg e i vari gruppi che si erano formati, Hanna aveva il vago sospetto che Mary Casey si sentisse un po' tagliata fuori.

Quando quella sera tornò a casa dalla madre, invece di sgridarla perché aveva fatto tardi, Mary mise in tavola un piatto di zuppa e una bella pagnotta fatta con le sue mani, poi si sedette con la figlia e le chiese com'era stata la sua giornata. Come andava in biblioteca? Per quale motivo la gente parlava di lei come di una nuova Giovanna d'Arco? E soprattutto, cos'era quella storia che la gente le regalava mobili vecchi?

Hanna sospirò al pensiero che avrebbero litigato, invece Mary si alzò, aprì un armadietto e tornò con un sacchetto in mano. «Vecchie cose e cimeli di famiglia, a quanto pare è questo che la gente ti sta regalando. Roba buttata in un capanno chissà da quanto tempo! Be', mia cara Hanna Mariah Casey, io e tuo padre non ti abbiamo cresciuta per finire col sedere su delle sedie di paglia, ma tanto tu mica lo apprezzi.» Sbattendo il sacchetto sul tavolo, fece un passo indietro e le lanciò un'occhiataccia. «E sappi che anche noi abbiamo i nostri cimeli di famiglia.»

Nel sacchetto c'era uno scialle. Hanna lo tirò fuori e lo guardò meravigliata. Era beige, di lana pesante, con un bell'orlo di raso nero e bianco e le frange lunghe. Ci affondò il viso e si accorse che profumava di lavanda.

«Era di tua nonna. Mia madre», spiegò Mary. «E di sua madre prima di lei. Spero non sarai così scema da metterlo per andarci in giro come una zingara. Questo va steso sul letto o su una sedia.» Prima che Hanna potesse rispondere, Mary si allontanò di nuovo, stavolta diretta all'armadio grande. Aprì un'anta e tirò giù una vecchia scatola di cartone dal ripiano in alto. «Anche queste erano di mia nonna. Lei le chiamava ciotoline. Una volta, da queste parti, si usavano per prendere il tè al posto delle tazzine.»

Hanna ne aveva viste di simili in Francia e in Bretagna. Erano tazze senza manici, abbastanza grandi da doverle tenere con entrambe le mani e profonde il giusto per poterci inzuppare un croissant.

Sarebbe stato inutile sperticarsi in mille ringraziamenti con sua madre, pertanto Hanna si limitò a raccogliere tutto e dirle semplicemente grazie. Il giorno dopo, quando tornò alla casa sulla scogliera, trovò un sacco di concime che Johnny Hennessy le aveva lasciato sulla soglia. Lo sistemò in un angolo della stanzetta aggiuntiva non ancora finita e, prendendo delle zolle di torba, preparò il camino per quando si sarebbe trasferita e avrebbe acceso il fuoco. Quindi mise lo scialle sullo schienale di una sedia di paglia vicino al camino e sistemò le ciotole dentro la credenza, accanto al bicchiere-misurino di zia Maggie. I lavori non erano ancora terminati e c'erano tante decisioni da prendere e tante cose da comprare, ma in quel momento, seduta davanti al camino con le mani in grembo, Hanna si sentì finalmente a casa.

57

Più si avvicinava il giorno della votazione, più la pressione aumentava. La gente continuava a proporre nuove idee da inserire nel progetto, ma Hanna e suor Michael dovevano respingerle perché ormai non c'era più tempo. Poi, proprio quando Hanna stava per mandare in stampa la versione definitiva, Conor si presentò con un signore di Ballyfin. Era un pescatore che lo aveva chiamato la sera prima per dirgli che voleva parlare con Miss Casey. Visto che la biblioteca era piena di gente, Hanna li fece accomodare nel cucinino, che sembrava più piccolo del solito in quel momento.

«Si chiama Lar Dunne, Miss Casey. Lui e suo fratello hanno un paio di barche e una volta andavano a pescare col resto dei pescherecci.»

Lar, che doveva essere sulla cinquantina, lanciò un'occhiata ad Hanna da sotto le folte sopracciglia. Era vero che lei era contraria al nuovo porto?

Visto che non aveva senso negarlo, Hanna rispose che sì, era vero. «Ma non siamo contro Ballyfin. In realtà stiamo cercando di salvare i vostri posti di lavoro. E so che secondo alcuni col nuovo porto invece il lavoro aumenterà per tutti perché le navi da crociera porteranno più turisti e quindi più soldi per il paese, ma noi vogliamo che i soldi vengano investiti in cose che possano giovare a tutto il Finfarran.

Certo, immagino che per voi pescatori questa idea del nuovo porto sia interessante...» Le tremava la voce.

Lar Dunne continuava a fissarla, con le sopracciglia cispose aggrottate sopra il nasone poi diede un pugno talmente forte sul piano della cucina che fece tremare le tazze nel lavandino. «L'ultima cosa che voglio è che costruiscano quello stramaledetto porto per le navi da crociera.» Aveva idea di quali danni avrebbe fatto una cosa del genere ai pescatori? Senza contare tutti i problemi che già aveva creato il turismo. «Non mi fraintenda, non ho niente contro i turisti. Mia sorella ha un piccolo bed and breakfast a Ballyfin e, se la gente vuole venire a prendere il sole sulle nostre spiagge e a pescare qualche pesce è la benvenuta, perché poi berranno, mangeranno e compreranno qualche pensierino da regalare alla nonna quando torneranno a casa. Il fatto è, però, che ormai non ci si capisce più niente! E il governo non ha più mosso un dito per i pescatori da quando è uscito quel libro di quel cavolo di attore. Quand'ero ragazzo, c'erano venti pescherecci a Ballyfin, Miss Casey. Quanti pensa che ne resteranno se ci tolgono anche il nostro molo?»

Quelle parole erano oro colato per Hanna. Brian gliel'aveva detto che Ballyfin era già sovrasviluppata, ma lei aveva pensato che fosse solo una sua opinione e non ci aveva dato troppo peso. Adesso scopriva che al progetto del nuovo porto non erano contrari solo Lar e il fratello, ma tutti i pescatori di Ballyfin.

«Solo che finora pensavamo non valesse la pena far sentire anche la nostra opinione», aggiunse Lar. Lo sapevano tutti che i proprietari degli alberghi erano in combutta con gli agenti immobiliari. Non aveva molto senso mettersi contro quella gente.

Dopo aver parlato ancora un po', Hanna e Lar si salutarono e lei corse a cercare suor Michael. Anche se significava rimettere mano al progetto e buttare nel cestino alcuni documenti già stampati, non aveva importanza, perché dovevano assolutamente aggiungere alcune cose fondamentali. Se fossero riusciti a lanciare una petizione, Lar Dunne aveva promesso di farla firmare a tutti i pescatori di Ballyfin.

Quando finalmente arrivò la sera della votazione, erano tutti esausti. L'incontro si sarebbe tenuto nella sala consiliare di Carrick e sarebbe stata presente mezza penisola. Tanto per avere un motivo di stress in più, Hanna aveva ricevuto una chiamata di Jazz in cui l'avvisava che sarebbe tornata a casa per qualche giorno di riposo e, ovviamente, quella telefonata causò una lite furibonda con Mary.

«Chi è causa del suo mal pianga se stesso, Hanna Mariah!» le disse sua madre. Aveva ragione in questo caso, ma Hanna non era dell'umore adatto per ammetterlo. L'ultima cosa che si sarebbe aspettata era che Jazz tornasse a casa proprio in quel momento tanto cruciale. Per non far preoccupare la figlia, tra l'altro, Hanna non le aveva detto nulla di quello che stava succedendo e, visto che non avrebbe avuto il tempo di spiegarle tutto, si raccomandò con Mary di non tirare fuori l'argomento una volta che Jazz fosse arrivata.

«Ma cosa ti salta in mente?» la rimproverò lei. «Ne parlano tutti, lo verrà a sapere comunque dai suoi amici.»

Hanna si sentiva esplodere la testa. Com'era possibile che avesse pensato a tutto tranne che a quello? «Speravo che sarebbe tornata a votazione già vinta.»

Mary Casey la guardò sprezzante. «Perché sei sicura di vincere, vero?»

Quella fu la goccia che fece traboccare il vaso, così Hanna sbottò e si mise a urlare. «Per la miseria, mamma! Non puoi sforzarti di essere d'aiuto per una volta?»

Proprio in quel momento, si aprì la porta ed entrò Jazz.

Hanna e Mary si girarono a salutarla sforzandosi di sembrare sorridenti. Dopo saluti, abbracci e una tazza di tè,

Hanna lanciò un'occhiataccia alla madre e disse alla figlia che doveva andare a un'assemblea. Non appena lo disse, Jazz le fece un sorrisone e sollevò la tazza come per fare un brindisi.

«Sì, lo so. È fantastico. Brindiamo al progetto!» Lo aveva letto su Twitter e aveva subito pensato che fosse grandioso. «Chi l'avrebbe mai detto, mamma? Il Finfarran su Twitter con tanto di hashtag #GiùLeManiDallaBiblioteca.»

Hanna dovette mettersi a sedere. Qualcuno le aveva accennato di un account Twitter, ma lei non era esperta di social e non aveva prestato attenzione.

Jazz prese il telefono per farglielo vedere. «Perché non mi hai detto che sei diventata una novella Giovanna d'Arco?»

Fingendo di non aver colto l'occhiata sardonica della madre, Hanna cercò di riprendersi. «Ero troppo impegnata a radunare le truppe.»

Jazz la guardò dispiaciuta. «Solo che io non potrò esserci. Ho iniziato a uscire con un mio collega, Carlos. Siamo venuti insieme e volevamo vederci stasera.» Era la sua prima volta in Irlanda, le spiegò, e di certo partecipare a un'assemblea non era quello che si aspettava. «Ho saputo dell'incontro solo quando l'ho visto su Twitter, ma se vuoi posso mandare un messaggio a Carlos e dirgli che stasera non posso.»

Ad Hanna si sciolse il cuore. Era stata così impegnata a proteggere la figlia che non l'aveva mai vista come un'alleata e invece, nonostante l'amico di mezzo, Jazz era pronta a dargli buca se la madre avesse avuto bisogno del suo sostegno.

In quel momento sentirono un clacson davanti a casa.

«Ecco, sono venuti a prendermi.» Hanna afferrò la borsa e abbracciò la figlia. «È Conor, si è offerto di dare un passaggio a me e a suor Michael. Non essere sciocca, tesoro: non devi cancellare il tuo appuntamento. Augurami solo buona fortuna.»

«Ma certo. Starò incollata a Twitter. E comunque scusa, ma se ti danno un passaggio, io posso prendere la tua macchina?»

«Sì.» Hanna cercò il cappotto, con mille dettagli che le ronzavano in testa ma che ormai era troppo tardi per sistemare. «Auguraci buona fortuna.»

«Andrà bene, mamma. Domani festeggiamo.»

Hanna allora fece una smorfia, prese le sue cose e corse fuori.

Il parcheggio era pieno di macchine e nella sala consiliare non si respirava dal caldo. Dai loro posti in piccionaia, riuscivano a vedere che sul tavolo c'erano le copie rilegate del loro progetto, ma non pareva che qualcuno le avesse sfogliate.

Gran parte dei posti erano già occupati, perciò Hanna disse a Conor di cercarne uno libero per suor Michael. Lei andò a sedersi accanto a Gráinne dell'ufficio turistico di Ballyfin, poggiò il cappotto sullo schienale, mise la borsa sotto la sedia e si piegò in avanti per ascoltare.

Il presidente dell'assemblea diede inizio alla seduta annunciando prima di tutto che quella non era un'assemblea pubblica, ma un incontro in cui i consiglieri eletti avrebbero dibattuto, valutato e votato una proposta. Alla loro attenzione era stata presentata anche una proposta alternativa, che sarebbe stata analizzata e messa ai voti. Ci teneva a ribadire, però, che quella non era un'assemblea pubblica e che, qualora i presenti avessero arrecato il minimo disturbo, in qualità di presidente non avrebbe esitato a far sgomberare l'aula e a proseguire la seduta a porte chiuse. Hanna pregò nella sua mente che Conor e tutti gli altri avessero afferrato il concetto. Lo aveva già ribadito lei in una riunione preliminare che avevano fatto in biblioteca: tutto quello che c'era da dire era scritto nel loro progetto.

Il motivo della loro presenza in quell'aula era solo far capire ai consiglieri che erano in tanti, ma nessuno avrebbe dovuto perdere la calma.

Passò i primi dieci minuti seduta sul bordo della sedia, ad ascoltare ogni commento e a osservare ogni reazione, poi però si accorse di Tim Slattery, che era seduto praticamente di fronte a lei, ma dall'altro lato della piccionaia. I suoi occhi erano pezzi di ghiaccio. Lì per lì Hanna piegò la testa per non farsi vedere, ma poi la rialzò, pensando che non aveva senso, perché era circondata da amici. Un paio di file dietro Tim, Conor le fece un segno di approvazione sollevando i pollici. Poco prima in auto le aveva detto che lui e Aideen stavano mettendo da parte i soldi per fare un viaggetto a Firenze, dove avrebbero noleggiato una Vespa per andare in giro. Lui le stava insegnando a guidarla e lei se la cavava benissimo. A sinistra di Conor, appoggiato alla parete, c'era anche Fury. Dal lato di Hanna, invece, c'erano Johnny Hennessy, che era stato il primo a portare delle piantine per il giardino, Dennis della Credit Union, Ferdia, Bríd e Aideen, gli anziani di Knockmore e i pescatori di Ballyfin. E poi anche Gunther e Susan, i Cafferky, la madre di Conor, il padre e il fratello Joe, l'amico di Dan col giubbotto di pelle e il braccio intorno alle spalle della fidanzata che masticava chewing gum e diversi altri amici di Crossarra e Lissbeg.

A un certo punto, proprio mentre un consigliere si alzava in piedi per fare una domanda, il cellulare di Hanna squillò dentro la borsa. Il presidente lanciò un'occhiataccia alla piccionaia, e lei, imbarazzatissima, tirò fuori il cellulare per rifiutare la chiamata. Poi però le arrivò un messaggio.

JAZZ HA AVUTO UN INCIDENTE

In un primo momento non si rese conto di quello che aveva letto. Poi, con la borsa in una mano e il cellulare nell'altra, si alzò e si fece largo fino alla porta. Una volta fuori, le arrivò un altro messaggio.

STO ANDANDO AL MARY MOTHER OF GOD

Hanna era quasi uscita dall'edificio quando sentì la voce di Brian che la chiamava. Non sapeva che ci fosse anche lui. «Hanna, che cos'è successo?»

«Jazz ha avuto un incidente. Devo andare in ospedale.» Lo guardò distrattamente. «Oddio, non ho la macchina! L'aveva presa lei.»

Pochi minuti dopo, erano a bordo dell'auto di Brian, diretti al Mary Mother of God, un ospedale che stava dall'altra parte della città.

58

Hanna in seguito non avrebbe avuto ricordi del viaggio fino in ospedale e nemmeno dell'arrivo al pronto soccorso: sapeva solo di essersi lanciata fuori della macchina e di aver corso fino all'accettazione, dove Mary era stretta a Pat Fitz.

Hanna si gelò nel vedere la faccia sconvolta della madre, poi Pat le andò incontro a braccia aperte.

Lei non riusciva quasi a parlare. «Dov'è Jazz?»

Pat le prese le mani e parlò col tono gentile di chi si rivolga a un bambino: «È tutto a posto, tesoro. Jazz è qui. Stanno facendo del loro meglio».

Poco dopo, Hanna si ritrovò seduta con la fronte sulle ginocchia e una mano dietro il collo. Si tirò su e qualcuno le offrì un bicchiere d'acqua. Si girò e vide Mary, seduta accanto a lei che le teneva la mano.

«L'hanno portata in sala operatoria.»

«Che cos'ha?»

«Non lo so. Ci hanno detto che si è rotta le costole, ma non è grave. Però ha un'emorragia interna. Signore benedetto, Hanna Mariah, ho aperto la porta e mi sono trovata davanti due poliziotti.» Mary stava guardando la televisione, quando aveva sentito bussare. «Ho pensato che si fosse dimenticata le chiavi, e invece era un poliziotto. Anzi, due. Una era una donna. Lo sai che quando mandano una donna significa che è qualcosa di grave.»

Pat s'intromise per un attimo per avvertirle che Ger era andato a prendere i tè. «C'è un distributore laggiù, ora ce li porta.»

Hanna si guardò intorno, cercava un infermiere. «Non c'è nessuno con cui posso parlare? Devo sapere come sta.»

Pat la rassicurò che avevano raccomandato loro di aspettare in sala d'attesa. Qualcuno sarebbe andato a portare notizie.

«E questo è un buon segno, vero Pat? Vero, Hanna?» disse Mary. «Se avessero pensato che non ce l'avrebbe fatta, ci avrebbero messo in una stanza separata. Mica ti vengono a dire che è morta in mezzo alla gente.»

Hanna prese il cellulare dalla borsa. Un cartello invitava a non usare i cellulari, pertanto uscì fuori. Si appoggiò con la schiena contro il muro, le lacrime che le rigavano il viso, poi chiamò Malcolm con le mani che le tremavano così tanto che a malapena riusciva a premere i tasti.

Malcolm impiegò quattro ore per raggiungere l'ospedale e al suo arrivo Jazz era appena uscita dalla sala operatoria. Nessun medico, però, li aveva ancora avvicinati per riferire sulle sue condizioni. Pat e Mary erano in bagno e Ger Fitz era andato a prendere altro tè. Hanna era seduta in sala d'aspetto quando le porte automatiche si aprirono e vide Malcolm entrare e dirigersi al banco dell'accettazione. Aveva il soprabito bagnato di pioggia e i capelli pettinati all'indietro. Hanna provò a chiamarlo, ma non le uscì la voce. Allora si alzò e lui si girò e la vide. Lei gli corse incontro e, una volta arrivata da lui, premette la fronte contro la sua spalla, il cui conforto conosceva bene.

Dovettero attendere ancora e bere altri tè. Malcolm spiegò che era riuscito a prendere un volo da Londra a Cork, dove poi aveva noleggiato un'auto. Mary raccontò di nuovo il fatto che Pat e Ger fossero arrivati in ospedale praticamente insieme a lei, che ci era andata in macchina coi poliziotti. Erano stati molto carini. Hanna era seduta accanto a Malcolm e gli teneva la mano. Era strano non sentire la fede sul suo anulare. In sala, un ubriaco era diventato un po' violento e la sicurezza lo portò via. Molto tempo dopo, arrivò un'infermiera esausta per avvisarli che potevano vedere a ragazza.

Jazz era sdraiata e molto pallida. Aveva tubi e monitor attaccati ovunque, ma gli occhi erano aperti. Nel corridoio, un medico aveva spiegato che Jazz era stata fortunata. L'emorragia interna era dovuta alla milza spappolata, che quindi era stata asportata e l'operazione era andata bene. Vedendo l'espressione di Hanna, il dottore le aveva poggiato una mano sul braccio: era un intervento di routine e la ragazza si sarebbe ripresa senza problemi. Le sue condizioni erano buone e presto sarebbe tornata a casa.

Pat e Ger dissero che avrebbero aspettato fuori, mentre Malcolm, Hanna e Mary entrarono nella stanza.

Quando Jazz sorrise, Hanna ebbe un capogiro. «Ciao.»

«Ciao», disse Jazz girandosi a guardarli. «Cos'è? Una specie di riunione di famiglia?»

Malcolm le accarezzò la guancia. «Come ti senti?»

«Uno schifo. Ho freddo. Mi hanno detto che ho avuto un incidente.» Aveva la voce un po' roca, ma l'infermiera li aveva avvertiti. «Chi mi è venuto addosso?»

«Hai investito una mucca.»

«Be', spero che lei si senta meglio di me.»

L'auto era andata a sbattere contro un muro. Hanna riuscì a fare un sorriso. «Questa è l'ultima volta che ti presto la mia macchina, eh?» Jazz aveva sonno, si vedeva. Allora Hanna le rimboccò le coperte. «Dormi, tesoro. Ci vediamo domattina. Presto sarai di nuovo a casa e farai il tuo balletto della felicità.»

Jazz si girò di nuovo verso di loro. «Carlos?»

«Sa tutto, l'ho avvertito. L'infermiera mi ha dato la tua

borsa e ho trovato una ventina di chiamate perse, tutte sue. Non ti preoccupare. Ti manda un bacio.»

Jazz sorrise. Poi, sforzandosi di non addormentarsi, guardò il padre. «Come mai non sei a Londra?»

«Perché mi hai fatto morire di paura e dovevo venire a vedere come stavi.»

«Sono contenta, cioè è bello che siete tutt'e due qui insieme.»

Mary Casey non si trattenne e fece un verso di disapprovazione. Hanna la fulminò con lo sguardo.

Jazz aggrottò la fronte. «Tra te e papà è tutto a posto, no? Non siete impelagati in qualche litigio infinito di cui io non so nulla, vero?»

Sperando che Mary non si azzardasse ad aprir bocca, Hanna prese la mano di Malcolm. «Tra mamma e papà è tutto a posto, adesso però dormi. Domani è un altro giorno.»

Sorridendo, Jazz chiuse finalmente gli occhi. Sotto lo sguardo indignato di Mary Casey, Hanna e Malcolm, tenendosi ancora per mano, guardarono la figlia che si abbandonava al sonno.

59

Guardando la madre, Hanna ebbe l'impressione che fosse invecchiata di dieci anni da quando quella sera lei era uscita di casa per andare all'assemblea. Mary, pur essendo pallida e ancora scossa, quando vide che Hanna e Malcolm si tenevano ancora la mano accelerò il passo e lanciò un'occhiataccia alla figlia.

Hanna la raggiunse e l'abbracciò. «È stata una serata terribile, mamma, però adesso è finita. Torna a casa, Pat e Ger possono darti un passaggio.»

Mary si sottrasse all'abbraccio. «E secondo te dovrei lasciarti qui con quel coglione? Non ci penso nemmeno.»

Con un supplichevole sguardo di scuse rivolto agli altri, Hanna condusse Mary in fondo al corridoio e la fece sedere su una sedia di plastica, poi le si accucciò davanti e le strinse le mani. Con la coda dell'occhio notò che gli altri, per discrezione, si erano girati dalla parte opposta. «Mamma, devi stare tranquilla. Sono una donna adulta, so quel che faccio.»

«Sì, basta che non permetti a quel verme di tornare sui suoi passi.»

«Mamma, basta! Sei stanca. Vai a casa, d'accordo?» disse Hanna alzandosi in piedi e aiutando la madre a tirarsi su.

Mentre si avvicinavano agli altri, Mary si girò e la guardò negli occhi. «È vero, sei una donna adulta. Fai pure come credi, ma se pensi che io sia troppo protettiva, allora dovresti vedere come ti comporti tu con Jazz.»

Il cielo grigio era striato di rosa chiaro quando Hanna e Malcolm uscirono dall'ospedale ad aspettare il taxi. Sebbene stesse seguendo un caso in tribunale, lui non avrebbe voluto tornare a Londra.

Hanna scosse la testa. «Smettila, non puoi mica sparire nel bel mezzo del processo. Hai sentito cos'ha detto il dottore, no? Jazz sta bene. Ci sono qui io, e domani puoi chiamarla su Skype, su WhatsApp o come cavolo ti pare.» Lui esitò e lei gli sorrise. «Davvero, Malcolm: vai. Puoi tornare a trovarla nel weekend.»

Anche Malcolm sorrise. «D'accordo, tanto so che è in buone mani.»

Hanna guardò le striature nel cielo farsi più scure e si chiese se avesse mai avuto così tanta paura. Con la stanchezza che cominciava a farsi sentire, gli eventi della serata le sembravano solo un brutto sogno.

Malcolm le diede un colpetto col gomito. «Senti, volevo ringraziarti.»

«Per cosa?»

«Be', per quello che hai detto prima davanti a Jazz, sul fatto che tra noi due è tutto a posto. L'ho apprezzato molto.»

Fino a quel momento erano stati sottobraccio, ma sentendo quelle parole Hanna si staccò immediatamente. «Perché? Pensavi che le avrei detto la verità?»

«No, ma...»

«Ma avrei potuto? È questo che intendi? Che avrei potuto dirle che il nostro non è affatto un divorzio perfetto?»

«Senti, lasciamo stare.»

«Sei proprio un bel tipo, sai? Nostra figlia ha rischiato di morire e il tuo primo pensiero è riuscire a tenere nascosti i tuoi segretucci.»

Malcolm alzò le mani. «Dai, lasciamo stare, siamo stanchi. Ti ho solo detto grazie, ma non era quello che volevi sentire. Va bene così.»

«Esatto, non era quello che volevo sentirmi dire. Avrei voluto delle scuse, che però non sono possibili, perché tu non ammetteresti mai e poi mai di aver sbagliato.»

Lo vide metter su la solita armatura. La voce calma, il tono soave, la testa piegata di lato come faceva in tribunale. Quando poi riprese a parlare, le parve di essere tornata in quella maledetta stanza d'albergo a Londra. «Non volevo innamorarmi di un'altra donna, però è successo. Davvero avresti preferito che te lo dicessi subito? Ti ricordi come stavi dopo aver perso il bambino? Eri a pezzi, sconvolta, in confusione.»

«Sì, ma sono stata io a dirti che avremmo dovuto lasciarci. Tu invece no, hai insistito perché rimanessi con te.»

«E l'hai fatto. Hai trovato la casa ed è stata una salvezza per te. Puoi forse negarlo?»

No, Hanna non poteva negarlo, ma odiava Malcolm per l'interrogatorio cui la stava sottoponendo.

«Tu hai trovato la casa e io ho trovato Tessa. Un tempismo da schifo, ma non è stata colpa mia.»

«E poi hai passato più di vent'anni a prendermi per i fondelli.»

«Te l'ho già detto: ho fatto quello che ritenevo più giusto.»

Hanna si appoggiò alla ringhiera dell'ospedale. Che senso aveva stare ancora lì a parlarne? Ormai lei aveva voltato pagina, non pensava più a Malcolm, aveva superato i sensi di colpa e la rabbia per essersi fatta fregare. Mordendosi il labbro, abbassò la testa, ma poi lo guardò. «D'accordo, lasciamo stare. Mi dispiace. Hai ragione, sono stanca.»

L'espressione di Malcolm si addolcì e la prese per le spalle. «Abbiamo rischiato di perdere Jazz, ma è andato tutto bene. Questo è l'importante. Sul resto forse hai ragione tu, abbiamo fatto entrambi degli errori.» La trasse a sé e i suoi occhi erano esattamente come lei se li ricordava. E anche il profumo del dopobarba e le guance ruvide al mattino. Le diede un bacio e poi sorrise. «È stato proprio bello.»

Sì, anche per Hanna era stato bello e all'improvviso le tornò in mente la tazza di tè che lui le aveva portato a letto il giorno in cui aveva perso il bambino e i gelsomini che le aveva dato quando poi avevano deciso il nome di Jazz. L'aria del mattino era fredda, ma le sue mani erano calde.

Le sollevò il mento e avvicinò il viso al suo.

Hanna chiuse gli occhi.

«Abbiamo un mucchio di bei ricordi, vero? Perché non ci proviamo di nuovo?»

Per un momento le parve tutto perfetto e possibile, poi però Hanna aprì gli occhi e indietreggiò. «E Tessa?»

«Non ho mai smesso di amarti.»

«No, ma voglio sapere di Tessa. Come la prenderebbe?» Sapeva che era sciocco preoccuparsi di una donna che l'aveva ingannata per tanti anni, ma lei e Malcolm ormai erano divorziati e Tessa, che era rimasta con lui, meritava di essere presa in considerazione. Guardò l'ex marito e pensò di dirgli che avrebbero fatto le cose con calma, che lui avrebbe potuto tornare a Londra e parlarne con Tessa e poi, una volta chiarito tutto, sarebbe tornato a trovare Jazz e loro avrebbero potuto riprendere da lì. Non sarebbe stato facile, ma forse era possibile. Erano entrambi più vecchi adesso e, magari, anche più saggi. Forse aveva ragione lui, tutto sommato: avevano fatto entrambi degli errori.

Mentre le vorticavano in testa tutte quelle considerazioni, lo guardò e vide la sua faccia dopo la domanda che lei gli aveva fatto. Per un millesimo di secondo era tornato in tribunale e, dietro la sua solita armatura, stava cercando la risposta più giusta.

Hanna capì tutto e si tirò indietro. «Ti ha lasciato, vero?»

Lui non disse niente, ma lei sapeva di avere ragione: Tessa l'aveva lasciato.

Malcolm fece spallucce. «Sì, io e Tessa non stiamo più insieme.»

«Da quanto tempo?»

«Che importanza ha?»

«Da quanto tempo?»

«Da poco, ma non c'entra niente con noi.»

«Certo, come no. Ascoltami bene: non esiste nessun "noi". Non più ormai. Abbiamo solo una cosa che ci unisce ed è nostra figlia. Devi ficcartelo bene in testa, Malcolm. Quello che c'era tra noi una volta, adesso non c'è più. E sei stato tu a cancellarlo.» Quindi gli si avvicinò di nuovo e parlò in tono pacato: «E c'è un'altra cosa che devi capire: non continuerò a reggerti il gioco, non continuerò a mentire sul nostro divorzio. Jazz ormai è grande, non è più una ragazzina, e la prossima volta che mi farà domande, io non le mentirò. Perciò forse è meglio se le parli prima tu».

Nel frattempo, arrivò il taxi. Hanna gli disse che lo avrebbe chiamato l'indomani. Se le condizioni di Jazz fossero cambiate, ovviamente, l'avrebbe avvertito prima. Guardò il taxi che andava via e rientrò nell'ospedale. *L'unico vero errore che ho fatto io*, pensò, *è stato permettere a Malcolm Turner di plagiarmi.*

Quando tornò all'accettazione, gli altri erano ancora lì. Mary aveva detto che non sarebbe andata da nessuna parte finché quel coglione non si fosse tolto dai piedi e adesso, dopo uno sguardo d'intesa con la figlia, capì che poteva tornarsene a casa. Raccogliendo borse e cappotti, Pat invitò Hanna ad andare con loro.

«Ti ringrazio, Pat, ma preferisco restare qui ancora un po'. Voglio tornare di là a vedere Jazz.» Mentre aiutava la madre a mettersi il cappotto, le fece l'occhiolino e le disse sottovoce: «Avevi ragione tu, mamma, ma non aspettarti che io lo ammetta».

Mary Casey si limitò a darle un forte abbraccio e a dirle di tornare da Jazz.

60

Non appena gli altri se ne furono andati, Hanna tornò da Jazz e la trovò che dormiva.

Un'ora dopo, un'infermiera si affacciò nella camera e vide che Hanna era ancora seduta accanto al letto. «Andrei a casa se fossi in lei, signora Turner. Può venire a trovarla domani. È al sicuro qui con noi.»

Hanna non ce la faceva a lasciare Jazz su quel letto bianco in quella sterile stanza d'ospedale circondata da tutti quei macchinari. L'infermiera, però, aveva ragione: restare non aveva senso. E tra l'altro lei era distrutta.

L'impiegata dell'accettazione le diede un numero per chiamare un taxi e le ricordò che l'uso del cellulare in ospedale era vietato. Hanna allora uscì fuori. Faceva ancora freddo, sebbene il sole fosse ormai sorto. Probabilmente a quell'ora Malcolm era già sull'aereo per Londra e Mary era a casa. Mentre prendeva il cellulare per chiamare il taxi, sentì la voce di Brian Morton. Era seduto su una panchina vicino all'ingresso e, quando si alzò per andarle incontro, Hanna si accorse che aveva in mano il suo cappotto.

«Fa freddo. Ho pensato che potesse servirti», le disse.

Hanna lo guardò incredula. «Sei rimasto qui tutta la notte?»

«No, ma visto che vivo qui vicino ho chiamato l'ospedale per sapere come andava. Mi hanno detto che il resto della famiglia era tornato a casa e che tu stavi per uscire. So bene quanto faccia freddo la mattina in ospedale, perciò ho pensato di passare.» L'aiutò a infilarsi il cappotto. «Non hanno voluto dirmi molto, ma da quello che ho capito tua figlia sta meglio.»

«Adesso sta dormendo. Se la caverà.»

«Bene. Che ne dici se ti do un passaggio fino a casa?»

«Oddio, non ti ho nemmeno ringraziato per avermi portata fin qui.»

«Puoi ringraziarmi in macchina.»

Mentre andavano verso l'auto, Brian le chiese dove voleva che l'accompagnasse. «A quella casa orrenda?»

Hanna si sforzò di sorridere. «No, ti prego! È quasi ora di colazione e non ce la farei a sopportare la vista del bacon.»

Allora l'accompagnò alla casa di zia Maggie, coi campi bagnati di rugiada. Appoggiandosi allo schienale del sedile, Hanna sentì tutti i muscoli del corpo che cominciavano finalmente a rilassarsi dopo tutte quelle ore di tensione.

Poi, quando Brian si fermò davanti al cancello, si ricordò che il cappotto lei l'aveva lasciato sulla sedia della sala consiliare. Dopo averla accompagnata in ospedale, evidentemente, lui era tornato lì.

«Be', sì. Non volevo essere invadente e allora ho pensato che ti avrei chiamato dopo per sapere come andavano le cose.»

«Quindi hai assistito alla votazione, com'è finita?»

Brian scese dall'auto e fece il giro per aprirle lo sportello.

Hanna lo guardò e capì.

«Mi spiace, Hanna. La proposta è passata.»

«Quella del consiglio regionale?»

«Sì, per una manciata di voti e dopo aver discusso a lungo anche della vostra. Alla fine, però, hanno vinto gli altri.» Brian la prese per il gomito e le disse che gli dispiaceva. «So quanto fosse importante per te.»

Hanna si sentiva stordita. Pareva impossibile che tutto

il lavoro e gli sforzi fatti non avessero portato a nulla. E, adesso che era stanca e ancora sconvolta dalla paura per Jazz, non voleva nemmeno parlarne, voleva solo chiudere gli occhi e fuggire da tutto. Ma c'era ancora una cosa che voleva dire a Brian.

«Ascolta, mi dispiace. La faccenda non si doveva sapere in giro e più volte io mi sono sentita in colpa per non essere stata del tutto onesta con te.»

«Male.»

«Lo so, mi dispiace. Non volevo mentirti e non mi è piaciuto farlo.»

«Bene.»

Brian aprì il cancello e si avviarono lungo il vialetto. Il cielo sopra il campo era color madreperla. Hanna inspirò a fondo. Dopo aver passato tutte quelle ore in ospedale, l'odore dell'oceano era un sollievo. Arrivarono alla porta e lei si voltò. Brian, che fino ad allora le aveva tenuto il braccio, la lasciò. Nel breve silenzio che seguì, Hanna capì che entrambi volevano che restasse. Lei avrebbe aperto la porta e la casa li avrebbe accolti. Lei avrebbe acceso il fuoco per scaldarsi e preparato un caffè e insieme l'avrebbero bevuto nelle ciotoline che le aveva dato la madre. Magari avrebbero parlato o forse sarebbero rimasti seduti in silenzio, oppure sarebbero andati in camera da letto e si sarebbero sdraiati su quel letto su cui lei ancora non aveva mai dormito.

Si guardarono. Pensavano entrambi la stessa cosa. Brian, però, non si mosse. Se fosse stato Malcolm, avrebbe agito diversamente, ma Hanna sapeva che con Brian spettava a lei prendere l'iniziativa.

Brian notò la sua espressione seria. Sarebbe stato facile per lui seguire l'istinto, prenderla in braccio e attraversare l'uscio, come il protagonista di un romanzo. Quella, però, era la vita reale e davanti a lui c'era Hanna, vulnerabile, arrabbiata, intelligente, sciocca e in quel momento anche esausta. Se avessero fatto la scelta sbagliata, ne era certo, sarebbe finita che uno dei due, o entrambi, avrebbe dovuto lasciare il Finfarran. Se avessero fatto la scelta giusta, però, c'era la possibilità che quella stessa scelta cambiasse la loro vita.

Hanna gli mise una mano sulla spalla. Sotto la lana pesante del maglione sentiva l'incavo dello sterno: in quel punto aveva poggiato la testa quando era corsa incontro a Malcolm in ospedale, sentendo le goccioline di pioggia sul suo soprabito e i muscoli tesi delle sue braccia forti. Allora incrociò le dita dietro il collo di Brian e fece in modo che le teste si avvicinassero, poi spostò le mani sulle sue spalle e lo spinse via.

61

Entrò in casa e l'accolse il silenzio. Chiuse la porta, ci si poggiò e rimase a guardare Brian che passava davanti alla finestra e se ne andava. La luce del mattino cominciava a riscaldare l'ambiente, ma lei sentiva ancora freddo. Inginocchiandosi a terra, avvicinò un fiammifero ad alcuni ramoscelli e li osservò prendere fuoco tra le zollette di torba. Forse era troppo stanca per mettere il bollitore sul fornello, ma l'idea del calore e del profumo del caffè le diede la forza di farlo. Quando il caffè fu pronto, se lo portò accanto al camino e si sedette su una delle sedie di paglia.

La prima cosa che provò fu sollievo, perché Jazz era viva. Subito dopo, il pensiero che avrebbe davvero potuto morire la colpì come un pugno nello stomaco. Prese a tremare così forte che per poco non rovesciò il caffè. Appoggiò la tazza a terra e si avvolse nello scialle che era sulla spalliera. Dopo qualche minuto smise di tremare e scoppiò a ridere all'idea che in quel momento sembrava proprio zia Maggie. Poi si chiese quali pensieri facesse sua madre quando passava tutto quel tempo da sola in casa. Lei adesso stava pensando a Brian, a cosa sarebbe successo se anche lui fosse stato davanti al camino con lei, se fossero entrati insieme in casa e, mentre lei accendeva il fuoco, lui fosse andato a preparare il caffè. Cosa sarebbe successo, se si fosse lasciata consolare e coccolare da lui? Sarebbe stato tutto diverso, ma non era quello che le serviva in quel momento. E non era nemmeno quello che voleva. Non ancora, almeno. Per prima cosa, doveva capire cosa aveva e quanta fatica le era costata averlo.

Quella non era la casa che aveva sognato da bambina. Lì non c'era posto per il giovane col cappello a tre punte, il panciotto ricamato e la moglie dalle guance incipriate col bambino in braccio e la gonna trapuntata. Non era una casa da copertina né tantomeno il rifugio perfetto dalle ansie del mondo. Era un luogo di compromesso. La cucina elegante che aveva sempre sognato aveva lasciato il posto a mobili di seconda mano. La credenza accanto al camino apparteneva più a Maggie e a Fury che non a lei. Di fatto, nessun mobile o oggetto che la circondava simboleggiava un'indipendenza finalmente conquistata, ma piuttosto la storia del suo reinserimento in una comunità che aveva a lungo denigrato e che invece adesso riscopriva come possibile fonte di salvezza.

Con la luce del fuoco e del sole che riempivano la stanza, Hanna cominciò a scaldarsi. Si tolse lo scialle dalle spalle e raccolse la tazza da terra. Si sentiva ancora stranamente distaccata dalla notizia che le aveva dato Brian: la battaglia per la biblioteca di Lissbeg era persa. Presto – non subito, ma sicuramente presto – si sarebbe trovata senza lavoro. E non c'erano dubbi che non le sarebbe stata offerta un'altra posizione. Tim non l'avrebbe permesso. Forse, però, con tutti i nuovi contatti che si era creata, aveva più possibilità di trovare un nuovo impiego di quante non ne avesse avute appena arrivata in Irlanda. Tuttavia, col lavoro che scarseggiava, chi avrebbe offerto mai un posto a una donna della sua età? Quella era la dura verità, cui forse non avrebbe pensato se ci fosse stato lì Brian. Ed era una verità che lei voleva affrontare da sola e a viso aperto.

Qualcuno bussò alla porta e, andando ad aprire, Hanna

sperò del tutto incoerentemente che fosse Brian, invece era Fury, con la sua giacca cerata e Demonio tra i piedi. Hanna li fece entrare. Non aveva ancora un tavolo, pertanto le sedie erano addossate al muro. Fury ne prese una e la portò davanti al camino, poi ne prese un'altra e la sistemò in mezzo a loro. Infilò quindi le mani nella bisaccia, ne prelevò un pacchetto un po' sgualcito e l'appoggiò sulla sedia libera. Demonio si mise a cuccia ai loro piedi, il più vicino possibile al fuoco.

«Ho saputo che la ragazza sta bene adesso», disse Fury.

Hanna sorrise. Ovviamente lui era aggiornato sulla faccenda. «Sì, sta bene. E immagino avrai anche saputo che abbiamo perso.»

«Certo, ed era ovvio che sarebbe andata così. Joe Furlong, Ger Fitz e tutti quegli altri coi soldi non avrebbero permesso che andasse diversamente.»

Quell'aria compiaciuta la infastidì. Se aveva previsto tutto, perché non gliel'aveva detto prima?

«Perché non è stata una perdita di tempo. È stato un trionfo. Guarda che bella unione si è creata», le disse. Addirittura uno come Paddy McCarthy, che prima a malapena metteva il naso fuori casa, si era messo a lavorare con gli altri e a seguire un corso d'informatica. «E dei vecchietti del centro anziani che mi dici? Non li vedremo più fare salamelecchi a padre McGlynn ora che hanno assaporato la libertà. E i giovani? Sono entrati in contatto e hanno unito le forze. E suor Michael, che prima era reclusa in convento e che adesso è sempre in giardino circondata da amici? E di te, che mi dici di te?»

«Di me?»

«Sì, non è evidente? Prima te ne andavi in giro con la faccia sempre imbronciata e adesso dispensi sorrisi a tutto spiano.»

«Be', per come stanno le cose, è probabile che ben presto non avrò più tanto da sorridere.»

«E perché?»

«Perché sarò al verde. Abbiamo perso la nostra battaglia e la biblioteca verrà chiusa.»

«Ah, ragazza mia, mi hai preso proprio per un cretino, allora? Non faranno niente del genere.» Fury le indicò il pacco che aveva messo sulla sedia. «Guarda cosa ti ho portato.»

Hanna aprì il pacchetto: dentro c'era il leggio di legno di frassino con le fogliolíne d'ottone e gli intagli. Confusa, guardò Fury che se ne stava abbandonato sulla sedia con aria soddisfatta.

«Non è bellissimo, mia cara signorina Casey, che sarà proprio un libro a salvare la tua biblioteca e a rimettere al posto loro quelli coi soldi?» Riprendendosi il leggio, le sorrise. Non era rimasto sino alla fine della seduta, spiegò. Aveva capito che aria tirava e se n'era andato al castello dei de Lancy. «Qualcosa mi diceva che era arrivato il momento di riscuotere un paio di favori. Charles Aukin è un brav'uomo, a modo suo, e Dio solo sa quanto deve la sua famiglia a questo posto.» C'erano voluti un paio di bicchieri, ma alla fine avevano raggiunto un accordo: in onore della moglie defunta, l'ultimo dei de Lancy avrebbe dato in dono alla gente del Finfarran il *Salterio di Carrick*.

Hanna lo guardò con gli occhi sbarrati.

Soddisfatto dell'effetto che il suo annuncio aveva avuto, Fury fece un grattino sotto il muso di Demonio con la punta della scarpa. «Sì, ma aspetta. Il meglio deve ancora venire.» Il salterio in sé, le spiegò, era solo metà del regalo. Charles voleva istituire un fondo per la sua conservazione e una delle condizioni per istituirlo era che potesse scegliere lui il luogo in cui il salterio sarebbe stato esposto e conservato. «E lui ha scelto la biblioteca di Lissbeg, che diventerà parte di un centro polifunzionale di servizi alla comunità ospitato nei locali del vecchio convento.»

«Mi stai dicendo che le condizioni di Charles Aukin sono che il consiglio regionale approvi la nostra idea?»

«Ah, ragazza mia, vedrai che presto il consiglio cercherà di prendersi tutto il merito della vostra idea. E vedrai anche che "cestineranno" quella stupida app per il turismo e proveranno a comprare il sito web che ha fatto Ferdia. Perciò mettilo in guardia: dovrà vendere cara la pelle.»

«Ma, scusa, e la votazione di ieri sera?»

«Che gliene importa della votazione? Figurati se si fanno sfuggire un'occasione del genere. Il governo, tra l'altro, non glielo permetterebbe mai. Praticamente si sono visti offrire su un piatto d'argento un libro che vale una fortuna e non dovranno neanche prendersi il disturbo di trovare un posto per conservarlo. Il povero Charles Aukin gli ha dato un dito e loro gli porteranno via pure il braccio, vedrai.»

Demonio agitava le zampe nella cenere. Nei suoi sogni stava rincorrendo dei topi.

Hanna guardò Fury, incredula.

Lui allora si fece avanti e le consegnò il leggio. «Bada, però, che quelli dell'assicurazione ti riempiranno la testa di cavolate. È per questo che ho voluto mettere anch'io la mia clausola. Il libro potete metterlo anche dietro dieci strati di vetro antiproiettile, ma l'importante è che lo esponiate sopra il mio leggio. Altrimenti ce lo riprendiamo.» Fury le fece l'occhiolino. «E di' a Conor che, se si mette i guanti da moto, gli lascio sfogliare una pagina al giorno.»

Hanna rimase seduta col leggio in grembo e lo sguardo perso nel fuoco. Dopo qualche minuto, Fury si alzò e diede un colpetto a Demonio con la punta del piede. Quello si ridestò e si scosse, sollevando una nuvola di cenere.

Fury lanciò un'occhiataccia ad Hanna. «Se vuoi accendere il fuoco, devi comprarti una bella spazzola e una paletta di ferro.»

Per un attimo Hanna pensò che le avrebbe tirate fuori dalla tasca della giacca.

Lui invece scoppiò a ridere, rovesciando la testa all'indietro. «Ah no, signorina cara, questo è un problema tuo! Domani torno a finire i lavori di muratura, ma la casa ormai è tua, te l'ho restituita. Adesso devi pensarci da sola.»

Schermandosi gli occhi da un raggio di sole, Hanna uscì sulla soglia di casa. Davanti c'era il suo campo sull'Atlantico, delimitato da muretti a secco e pronto per essere arato. In alto, il cielo turchese rifletteva il colore dell'oceano. L'uscio di casa era una lastra di pietra e la terra ai suoi piedi correva dritta fino al margine della scogliera. Lì il prato era punteggiato di fiori di statice a strapiombo sulle onde agitate. Alle sue spalle, la casa era tranquilla come un santuario. Hanna aveva davanti a sé un futuro pieno di speranza.

Quando Fury se n'era andato, si era versata un altro caffè e si era scaldata le mani reggendo la tazza. Stringendo ancora la tazza, attraversò il campo, mentre le api ronzavano nell'erba. Raggiunto il muretto, un gabbiano le passò sopra la testa. Hanna si arrampicò e si sedette sulla panchina. La pietra su cui poggiava la schiena era calda. Tutt'intorno a lei milioni di piccole vite venivano vissute.

Inspirando a fondo, Hanna ripensò al salterio. Un cervo correva in mezzo a una foresta, con gli zoccoli e le corna dorati. Più in basso, invece, il cervo era accanto a una fontana e dalle sue corna pendevano ghiande. Dentro i capolettera dipinti sulla pergamena, c'erano le montagne che vedeva ogni settimana quando guidava il furgoncino della biblioteca fino a Ballyfin. L'indomani, tornata al lavoro, avrebbe trovato la biblioteca piena. Ci sarebbero stati Davina col suo mocciosetto, Conor con la sua Vespa e Pat Fitz col suo corso d'informatica per i vecchietti. Dall'altra parte della strada, Ger Fitz si sarebbe mangiato le mani alla notizia del salterio. Hanna temeva che il dono di Charles Aukin al Finfarran avrebbe fatto perdere un sacco di soldi al povero Ger, ma Pat non ne sapeva niente degli affari del marito, perciò avrebbe continuato a vivere benissimo come prima. E visto che ormai i biglietti per il Canada li aveva comprati a prezzo stracciato, Ger avrebbe dovuto ingoiare il rospo e partire ugualmente.

Sorridendo, Hanna appoggiò la testa sulla pietra e si mise ad ascoltare il rumore del mare. Jazz era viva, la biblioteca era salva e presto, vicino al vecchio abbeveratoio su Broad Street, avrebbe incontrato Brian Morton. In lontananza, l'orizzonte era una striscia argentata tra il turchese e l'indaco. E il sapore della salsedine sulle labbra si mescolava al profumo dolcissimo dei fiori.

Ringraziamenti

Il mio ringraziamento va a tutto lo staff della Hachette Books Ireland e, come sempre, alla mia agente Gaia Banks della Sheil Land Associates.